最　　　　　　　　　　格

# 消防設備士

## 1類 甲種 乙種 対応

### 第4版

## 超速マスター

消防設備士研究会

**TAC出版**
TAC PUBLISHING Group

# はじめに

　第1類消防設備士は，デパートやビルなどの建物に設置する「屋内消火栓設備」や「スプリンクラー設備」など，水系消火設備の工事や整備を行うために必要な資格です。甲種・乙種の2種類の免状があり，「甲種」は設置工事と整備，「乙種」は整備のみができます。

　本書は，これから第1類消防設備士の試験を受ける方のために，必要な科目を解説したテキストです。予備知識ゼロからでも学習できるように，基礎からできるだけていねいに解説しました。

　消防設備士は法令で定められている事項をたくさん覚えなければならないため，ともすると無味乾燥な解説になりがちですが，本書では図版を多用して，なるべく視覚的に理解できるよう配慮しています。

　さらに，各節ごとに多くの問題を用意しているので，これ一冊で合格に必要な実力が身につきます。

　消防設備は，火災が発生したときに確実に作動するよう，正しく設置され，普段からきちんと整備されていなければなりません。ぜひ一人でも多くの人材が試験に合格して，この責任ある職務を担っていただきたいと願います。本書がその一助になれば幸いです。

# 目次

はじめに ・・・・・・・・・・・・・・・・・・・・・・・・・・・・・・・・・・・・・・・・・・・・・・・・・・・ iii

受験案内 ・・・・・・・・・・・・・・・・・・・・・・・・・・・・・・・・・・・・・・・・・・・・・・・・ ix

## 第1章　機械に関する基礎知識

**1 水理** ─────────────────────── 2

　　流体の性質 ・・・・・・・・・・・・・・・・・・・・・・・・・・・・・・・・・・・・・・・・・・・ 3

　　流体と圧力 ・・・・・・・・・・・・・・・・・・・・・・・・・・・・・・・・・・・・・・・・・・・ 4

　　動水力学 ・・・・・・・・・・・・・・・・・・・・・・・・・・・・・・・・・・・・・・・・・・・・・ 8

**チャレンジ問題** 　　　　　　　　　　　　　　　　　　　　14

解説　18　　解答　21

**2 材料について** ────────────────── 22

　　荷重と応力 ・・・・・・・・・・・・・・・・・・・・・・・・・・・・・・・・・・・・・・・・・・・ 23

　　金属材料 ・・・・・・・・・・・・・・・・・・・・・・・・・・・・・・・・・・・・・・・・・・・・・ 28

**チャレンジ問題** 　　　　　　　　　　　　　　　　　　　　31

解説　36　　解答　39

**3 「力」について** ────────────────── 40

　　「力」とは ・・・・・・・・・・・・・・・・・・・・・・・・・・・・・・・・・・・・・・・・・・・・ 41

　　運動と仕事 ・・・・・・・・・・・・・・・・・・・・・・・・・・・・・・・・・・・・・・・・・・・ 49

| チャレンジ問題 | 58 |
|---|---|

解説　65　　解答　72

# 第2章　電気に関する基礎知識

**1 電気回路の計算** ———————————————— 74

オームの法則 ・・・・・・・・・・・・・・・・・・・・・・・・・・・・・・・・・・・・・・・・・・ 75

電圧と電流の分配 ・・・・・・・・・・・・・・・・・・・・・・・・・・・・・・・・・・・・・ 81

ブリッジ回路 ・・・・・・・・・・・・・・・・・・・・・・・・・・・・・・・・・・・・・・・・・・ 83

電力と電力量 ・・・・・・・・・・・・・・・・・・・・・・・・・・・・・・・・・・・・・・・・・ 85

コンデンサと静電容量 ・・・・・・・・・・・・・・・・・・・・・・・・・・・・・・・・ 88

電気と磁気 ・・・・・・・・・・・・・・・・・・・・・・・・・・・・・・・・・・・・・・・・・・・・ 92

交流回路 ・・・・・・・・・・・・・・・・・・・・・・・・・・・・・・・・・・・・・・・・・・・・・・ 95

| チャレンジ問題 | 103 |
|---|---|

解説　108　　解答一覧　113

**2 電気計測** ———————————————————— 114

電圧計と電流計 ・・・・・・・・・・・・・・・・・・・・・・・・・・・・・・・・・・・・・・ 115

いろいろな電気計器 ・・・・・・・・・・・・・・・・・・・・・・・・・・・・・・・・・ 118

指示電気計器 ・・・・・・・・・・・・・・・・・・・・・・・・・・・・・・・・・・・・・・・・ 120

測定値と誤差 ・・・・・・・・・・・・・・・・・・・・・・・・・・・・・・・・・・・・・・・・ 122

| チャレンジ問題 | 124 |
|---|---|

解説　126　　解答　127

**3 電気材料・電気機器** —————————————— 128

電気材料 ・・・・・・・・・・・・・・・・・・・・・・・・・・・・・・・・・・・・・・・・・・・・・ 129

変圧器 ・・・・・・・・・・・・・・・・・・・・・・・・・・・・・・・・・・・・・・・・・・・・・・・ 131

蓄電池 ・・・・・・・・・・・・・・・・・・・・・・・・・・・・・・・・・・・・・・・・・・・・・・・・・ 133

**チャレンジ問題**　　　　　　　　　　　　　　　　　　　　　　135

解説　137　　解答　138

# 第3章　消防関係法令

**1　消防関係法令（各類に共通する部分）**───── 140

防火対象物 ・・・・・・・・・・・・・・・・・・・・・・・・・・・・・・・・・・・・・・・・・・ 141

火災の予防 ・・・・・・・・・・・・・・・・・・・・・・・・・・・・・・・・・・・・・・・・・・ 144

防火管理者 ・・・・・・・・・・・・・・・・・・・・・・・・・・・・・・・・・・・・・・・・・・ 147

防炎規制 ・・・・・・・・・・・・・・・・・・・・・・・・・・・・・・・・・・・・・・・・・・・・ 150

危険物施設 ・・・・・・・・・・・・・・・・・・・・・・・・・・・・・・・・・・・・・・・・・・ 152

消防用設備等の設置 ・・・・・・・・・・・・・・・・・・・・・・・・・・・・・・・ 155

消防用設備等の検査と点検 ・・・・・・・・・・・・・・・・・・・・・・・ 160

消防設備士制度 ・・・・・・・・・・・・・・・・・・・・・・・・・・・・・・・・・・・・ 163

検定制度 ・・・・・・・・・・・・・・・・・・・・・・・・・・・・・・・・・・・・・・・・・・・・ 167

**チャレンジ問題**　　　　　　　　　　　　　　　　　　　　　　169

解説　180　　解答一覧　191

**2　消防関係法令（第1類に関する部分）**───── 192

屋内消火栓設備・屋外消火栓設備の設置 ・・・・・・・・・・・・・ 193

スプリンクラー設備の設置 ・・・・・・・・・・・・・・・・・・・・・・・・・ 198

水噴霧消火設備の設置 ・・・・・・・・・・・・・・・・・・・・・・・・・・・・ 203

**チャレンジ問題**　　　　　　　　　　　　　　　　　　　　　　205

解説　210　　解答　214

# 第4章　構造と機能，工事と整備

## 1 屋内・屋外消火栓設備 ———————————————— 216

屋内消火栓設備 ・・・・・・・・・・・・・・・・・・・・・・・・・・・・・・・・・・・・・・・・ 217

水源 ・・・・・・・・・・・・・・・・・・・・・・・・・・・・・・・・・・・・・・・・・・・・・・・・・・・・ 219

加圧送水装置 ・・・・・・・・・・・・・・・・・・・・・・・・・・・・・・・・・・・・・・・・・ 220

配管・バルブ類 ・・・・・・・・・・・・・・・・・・・・・・・・・・・・・・・・・・・・・・ 226

屋内消火栓 ・・・・・・・・・・・・・・・・・・・・・・・・・・・・・・・・・・・・・・・・・・・ 232

非常電源・配線 ・・・・・・・・・・・・・・・・・・・・・・・・・・・・・・・・・・・・・・ 238

屋内消火栓設備の試験と点検 ・・・・・・・・・・・・・・・・・・・・・ 242

屋外消火栓設備 ・・・・・・・・・・・・・・・・・・・・・・・・・・・・・・・・・・・・・・ 245

パッケージ型消火設備 ・・・・・・・・・・・・・・・・・・・・・・・・・・・・・・ 249

### チャレンジ問題　　　　　　　　　　　　　　　　251

解説　259　　解答　265

## 2 スプリンクラー設備 ———————————————— 266

スプリンクラー設備の構成 ・・・・・・・・・・・・・・・・・・・・・・・・・ 267

スプリンクラーヘッドの構造と機能 ・・・・・・・・・・・・・・ 273

スプリンクラーヘッドの設置基準 ・・・・・・・・・・・・・・・・ 277

自動警報装置 ・・・・・・・・・・・・・・・・・・・・・・・・・・・・・・・・・・・・・・・・・ 288

配管・弁類 ・・・・・・・・・・・・・・・・・・・・・・・・・・・・・・・・・・・・・・・・・・・ 295

放水性能と水源水量 ・・・・・・・・・・・・・・・・・・・・・・・・・・・・・・・・ 299

水噴霧消火設備 ・・・・・・・・・・・・・・・・・・・・・・・・・・・・・・・・・・・・・ 303

その他の消火設備 ・・・・・・・・・・・・・・・・・・・・・・・・・・・・・・・・・・ 307

### チャレンジ問題　　　　　　　　　　　　　　　　311

解説　319　　解答　324

# 第5章　実技試験対策

**1**　鑑別等試験 ——————————————————— 326

　　各部の名称と役割 ・・・・・・・・・・・・・・・・・・・・・・・・・・・・・・・・・・・・・・ 327

**2**　製図試験 ——————————————————— 340

　　系統図の作成 ・・・・・・・・・・・・・・・・・・・・・・・・・・・・・・・・・・・・・・・・・・ 341

索引 ・・・・・・・・・・・・・・・・・・・・・・・・・・・・・・・・・・・・・・・・・・・・・・・・・・・・・ 364

写真提供：株式会社横井製作所，千住スプリンクラー株式会社，ホーチキ株式会社，
　　　　　ゼンシン株式会社，クシダ工業株式会社

# 受験案内

## ◆ 消防設備士とは

　消防設備士は，劇場，デパート，ホテルなどの建物に設置されている「消防用設備等」の工事や整備，点検を行うために必要な資格です。甲種消防設備士は，消防用設備等の工事と整備を行うことができ，乙種消防設備士は，消防用設備等の整備のみを行うことができます。

　甲種消防設備士は，取り扱う設備の種類に応じて，特類および第1類〜第5類に分かれてます。乙種消防設備士も同様に，第1類〜第7類に分かれています。

| 甲種 | 乙種 | 類別 | 消防用設備等 |
|:---:|:---:|:---:|:---|
| ○ | | 特類 | 特殊消防用設備等 |
| ○ | ○ | 第1類 | 屋内消火栓設備，屋外消火栓設備，スプリンクラー設備，水噴霧消火設備，パッケージ型消火設備，パッケージ型自動消火設備，共同住宅用スプリンクラー設備 |
| ○ | ○ | 第2類 | 泡消火設備，パッケージ型消火設備，パッケージ型自動消火設備 |
| ○ | ○ | 第3類 | 不活性ガス消火設備，ハロゲン化物消火設備，粉末消火設備，パッケージ型消火設備，パッケージ型自動消火設備 |
| ○ | ○ | 第4類 | 自動火災報知設備，ガス漏れ火災警報設備，消防機関へ通報する火災報知設備など |
| ○ | ○ | 第5類 | 金属製避難はしご，救助袋，緩降機 |
| | ○ | 第6類 | 消火器 |
| | ○ | 第7類 | 漏電火災警報器 |

　上の表のとおり，本書で扱う第1類では，屋内消火栓設備や屋外消火栓設備，スプリンクラー設備などの水系消火設備を取り扱います。

## ◆ 受験資格

### ●乙種

　乙種消防設備士の試験は，学歴，年齢，国籍，実務経験を問わず，誰で

も受験できます。


## ●甲種

　甲種消防設備士試験を受験するには，下記の資格または実務経験をもっているか，大学・高校等で特定の学科を修めている必要があります。

　以下のいずれか1つに該当する方には受験資格があります。


### 【資格または実務経験】

①他の類の甲種消防設備士

②乙種消防設備士の免状を得た後，2年以上消防用設備等の整備の経験を有する者

③技術士の第2次試験に合格した者

④電気工事士（第1種・第2種）

⑤電気主任技術者（第1種～第3種）

⑥消防用設備等の工事の補助者として，5年以上の実務経験を有する者

⑦専門学校卒業程度検定試験（機械・電気・工業化学・土木または建築の部門に関するもの）の合格者

⑧管工事施工管理技士（1級・2級）

⑨高等学校の「工業」の教員免許を有する者

⑩無線従事者（アマチュア無線技士を除く）の免許を受けている者

⑪1級建築士または2級建築士

⑫配管技能士（1級・2級）

⑬給水装置工事主任技術者

⑭消防行政に係る事務のうち，消防用設備等に関する事務について3年以上の実務経験を有する者

⑮消防法施行規則の一部を改正する省令の施行（昭和41年）の前において，消防用設備等の工事について3年以上の実務経験を有する者

⑯昭和41年前の東京都火災予防条例による旧制度の消防設備士

## 【学歴】

①次に掲げる学校において，機械，電気，工業化学，土木または建築に関する学科（課程）を修めて卒業した者
- ・大学，短大，高等専門学校（5年制）
- ・高等学校または中等教育学校
- ・外国に所在する学校で，日本における大学，短大，高等専門学校（5年制）または高等学校に相当するもの
- ・旧制大学，旧制専門学校，高等師範学校，実業学校教員養成所，旧制専門学校卒業程度検定試験合格者

②次に掲げる学校において，機械，電気，工業化学，土木または建築に関する関する科目を15単位以上修得した者（単位制ではない学校の場合は授業時間で換算）
- ・大学，短大，高等専門学校（5年制），専修学校
- ・学校教育法第134条第1項に定める各種学校
- ・大学及び高等専門学校の専攻科
- ・防衛大学校，防衛医科大学校，水産大学校，海上保安大学校，気象大学校
- ・職業能力開発総合大学校，職業能力開発大学校，職業能力開発短期大学校，職業訓練大学校，職業訓練短期大学校，中央職業訓練所

③理学，工学，農学または薬学のいずれかに相当する専攻分野の名称を付記された修士または は博士の学位を有する者

※受験資格の詳細については，在学されていた学校もしくは消防試験研究センターにお問い合わせください。

# ◆ 試験科目・出題形式

　甲種・乙種ともに，筆記試験と実技試験があります。試験時間は，甲種が3時間15分，乙種が1時間45分です。

## ●筆記試験

　4つの選択肢から正解を1つ選ぶマークシート方式です。試験科目と

問題数は次のとおりです。

| 試験科目 | | 甲種 | 乙種 |
|---|---|---|---|
| Ⅰ．基礎的知識 | 機械に関する部分 | 6 | 3 |
| | 電気に関する部分 | 4 | 2 |
| Ⅱ．消防関係法令 | 共通部分 | 8 | 6 |
| | 第1類に関する部分 | 7 | 4 |
| Ⅲ．構造・機能・工事・整備 | 機械に関する部分 | 10 | 8 |
| | 電気に関する部分 | 6 | 4 |
| | 規格に関する部分 | 4 | 3 |
| | 合計 | 45 | 30 |

### ●実技試験

実技試験は，写真やイラスト，図面などによる出題に対して，記述式で解答します。試験科目と問題数は次のとおりです。

| 試験科目 | 甲種 | 乙種 |
|---|---|---|
| 鑑別等 | 5 | 5 |
| 製図 | 2 | － |

※製図試験は乙種にはありません。

## ◆ 合格基準

次の①と②の両方の成績を修めた方が合格となります。

| ①筆記試験 | Ⅰ～Ⅲの各科目ごとに40％以上，全体では60％以上 |
|---|---|
| ②実技試験 | 60％以上 |

## ◆ 試験の一部免除

以下の資格をもっている受験者は，試験の一部が免除されます。

### ①消防設備士

すでに他の類の消防設備士免状をもっている方は，免状の種類に応じて，

筆記試験の以下の科目が免除されます。

| もっている免状 | 甲種第1類を受験する場合 | 乙種第1類を受験する場合 |
|---|---|---|
| 甲種第2，3類 | ・消防関係法令の共通部分（8問）<br>・基礎的知識（10問） | ・消防関係法令の共通部分（6問）<br>・基礎的知識（5問） |
| 甲種第4，5類 | ・消防関係法令の共通部分（8問） | ・消防関係法令の共通部分（6問） |
| 乙種第2，3類 | 免除なし | ・消防関係法令の共通部分（6問）<br>・基礎的知識（5問） |
| 乙種第4～7類 | | ・消防関係法令の共通部分（6問） |

※乙種第1類の免状を持っている方が，甲種第1類を受験する場合，免除科目はありません。

## ②電気・機械関係の資格

電気工事士，電気主任技術者，機械または衛生工学部門の技術士の資格をもっている方は，筆記試験の一部が以下のように免除されます。

| もっている免状 | 免除科目 |
|---|---|
| 電気工事士 | 基礎的知識の電気に関する部分 |
| | 構造・機能・工事・整備の電気に関する部分 |
| 電気主任技術者 | 基礎的知識の電気に関する部分 |
| | 構造・機能・工事・整備の電気に関する部分 |
| 技術士（機械部門・衛生工学部門） | 基礎的知識 |
| | 構造・機能・工事・整備 |

# ◆ 試験日程

消防設備士試験は，都道府県ごとに実施されます。居住地や勤務地にかかわらず，希望する都道府県で受験できますが，試験日程や試験会場は都道府県ごとに異なるので注意してください。

なお，試験日程によっては，複数の類を受験できる場合があります。詳細は消防試験研究センターの試験案内等を参照してください。

## ◆ 受験手続

　受験申込みをするには，書面による方法（書面申請）と，インターネットによる方法（電子申請）があります。どちらの場合も，試験日程によって申請期間が異なるため，あらかじめ受験したい都道府県の試験日程を調べておきましょう。

　書面申請は，受験したい都道府県の受験願書を入手し，必要事項を記入して郵送します。受験願書は，各都道府県の消防試験研究センター支部や消防本部で入手できます。

　電子申請は，消防試験研究センターのホームページから行います。スマートフォンでも申請できますが，センターからのメール（uketsuke@shinsei.shoubo-shiken.or.jp）を受信できるように迷惑メール対策の設定を確認してください。また，受験票を印刷するためのプリンターが必要になりますが，持っていない場合はコンビニのマルチプリント機などを利用しましょう。

　なお，危険物取扱者試験の電子申請も同じホームページから行っているので，間違えないように注意してください。

## ◆ 試験当日の準備

　試験当日は，受験票（写真を貼付したもの），鉛筆（HB または B），消しゴムを必ず持参してください。電卓は使用できません。

## ◆ 問合せ先

　受験願書の申込みや試験の詳細については，財団法人　消防試験研究センター各支部（東京の場合は中央試験センター）に問い合わせるか，消防試験研究センターのホームページを参照してください。

---

**財団法人　消防試験研究センター本部**
〒 100-0013　東京都千代田区霞が関 1-4-2 大同生命霞が関ビル 19 階
TEL　03-3597-0220
FAX　03-5511-2751
ホームページ：https://www.shoubo-shiken.or.jp/

---

# 第 **1** 章

# 機械に関する
# 基礎知識

1 水理 ……………………………………… 2
2 材料について ………………………… 22
3 「力」について ……………………… 40

# 水理

## まとめ & 丸暗記

☐ **密度と比重**

体積 $V$〔m³〕，質量 $M$〔kg〕の物質の密度：

$$\rho = \frac{M}{V} \ \text{〔kg/m}^3\text{〕}$$

物質の密度の，水の密度（1,000kg/m³）に対する比を比重という。

☐ **大気圧とゲージ圧**

絶対圧力 ＝ ゲージ圧 ＋ 大気圧

☐ **水圧**

高さ $h$〔m〕の水頭の水圧：$P = \rho g h$〔Pa〕

※ $\rho$：水の密度〔kg/m³〕，$g$：重力加速度〔m/s²〕

☐ **標準大気圧**

1 気圧＝ 1atm ＝ 760mmHg ＝ 10.3323mAq ＝ 101325Pa ＝ 1013.25hPa

☐ **ボイル・シャルルの法則**

気体の体積 $V$ は圧力 $P$ に反比例し，絶対温度 $T$ に比例する。

$$\frac{PV}{T} = \text{一定}$$

☐ **パスカルの原理**

$$\frac{P_1}{A_1} = \frac{P_2}{A_2}$$

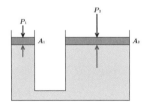

☐ **連続の法則**

$$A \cdot v_A = B \cdot v_B = \text{一定}$$

☐ **ベルヌーイの定理**

位置水頭，速度水頭，圧力水頭の和は常に等しい。

$$z + \frac{v^2}{2g} + \frac{p}{\rho g} = H = \text{一定}$$

☐ **ポンプの水動力**

全揚程 $H$〔m〕のポンプの水動力：

$$N_W = \frac{QH}{6.12} \times 10^3 \ \text{〔W〕}$$
$$= 0.163 QH \ \text{〔kW〕}$$

# 流体の性質

## 1 物質の密度

　物質の単位体積当たりの質量を密度といいます。体積 $V$ 〔m³〕の物質の質量が $M$ 〔kg〕のとき，この物質の密度 $\rho$ は，次のように表せます。

$$\rho = \frac{M}{V} \quad \text{〔kg/m}^3\text{〕}$$

　水の密度は標準大気圧で4℃のとき，1,000〔kg/m³〕になります。

## 2 比重

　ある物質の密度を，水の密度との比で表したものを比重といいます。比重には単位がありません。

　当然ですが，水の比重は1です。一般に，比重が1より大きい物質は水に沈み，比重が1より小さい物質は水に浮きます。

## 3 粘性

　流体には，サラサラ，ドロドロといった流れやすさの違いがあります。これは，流体内部の摩擦によって変形に対する抵抗が生じるためで，このような性質を粘性といいます。

　一般に，流体の粘性の度合い（粘性係数）は，気体の場合は温度が高くなるほど大きくなり，液体の場合は温度が高くなるほど小さくなります。

≡補足≡

**水の密度**
水は温度によって体積が変わり，4℃のときもっとも小さくなります。水の密度はこのとき最大になります。

≡補足≡

**物質の比重の例**

| ガソリン | 0.65〜0.75 |
|---|---|
| 海水 | 約1.02 |
| 鉄 | 7.87 |
| 水銀 | 13.59 |

≡補足≡

**比重と密度**
物質の密度は，比重がわかっていれば水の密度×比重で求めることができます。

1
水理

3

# 流体と圧力

## 1 大気圧とゲージ圧

　地球の表面は空気の層でおおわれています。空気も物質なので重さがあり，地上には空気の重みによる圧力がかかっています。この圧力を大気圧といいます。

　物体に圧力をかけた場合には，実際はその圧力に加えて，大気圧もかかっています。ただし，測定するときは大気圧の影響を除いた値を用いるのが一般的です。このような圧力の値をゲージ圧（相対圧力）といいます。

　ふつう圧力といった場合には，ゲージ圧を指すので注意しましょう。大気圧を含めた圧力を指す場合には，絶対圧力という言い方をして区別します。

> 覚える　絶対圧力 ＝ ゲージ圧 ＋ 大気圧

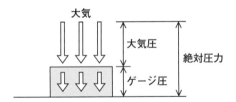

## 2 水圧の計算

　単位面積当たりに働く力を圧力といいます。図のように，静止している水が水中の物体に与える圧力の大きさ $P$ は，物体から水面までの高さ $h$〔m〕に比例し，次のように求められます。

**1**
水理

$$P = \rho g h \; (\text{Pa})$$

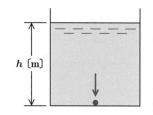

$h$〔m〕

≡補足≡

**水以外の圧力**
水以外の物質による
圧力は，$P = \rho g h$ に
その物質の比重を掛
ければ求められま
す。

・圧力の単位は定義より〔N/m²〕ですが，これをパスカル〔Pa〕という単位で表します。
・$\rho$ は水の密度で，蒸留水の場合 1000kg/m³ となります。また，$g$ は重力加速度で，約 9.8m/s² です。
・水中の1点にかかる圧力は，どの方向でも同じ大きさになります。この圧力は，容器の大きさや形状に関わりなく求めることができます。

≡補足≡

**圧力の単位**

| ヘクトパスカル (hPa) | 100Pa |
|---|---|
| キロパスカル (kPa) | 1000Pa |
| メガパスカル (mPa) | 1000kPa |

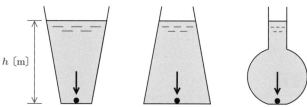

$h$〔m〕

容器の形や大きさが違っても，点にかかる水圧は同じ。

## ③ 標準大気圧

　水銀を満たしたガラス管をさかさまにして図のように容器の中に立てると，ガラス管内の水銀の高さで大気圧を測ることができます。実験により，水銀柱の高さは，標準大気圧のとき 760mm になることがわかっています。

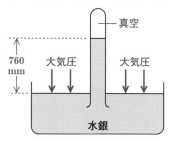

真空

760 mm

大気圧　　大気圧

水銀

つまり，標準大気圧は高さ760mm（＝0.76m）の水銀柱の圧力と等しいということになります。水銀の比重は13.5951なので，水銀の代わりに水を使えば，同じ圧力は13.5951 × 0.76 ＝約10.3323mの高さの水柱に相当します。

　圧力 $P = \rho g h$ より，高さ10.3323mの水の圧力は，

**1000 × 9.80665 × 10.3323 ＝約101325〔Pa〕**　　※重力加速度$g$は，厳密な値を用いています。

となります。

　標準大気圧を1気圧（1atm）ということもあります。標準大気圧の主な表し方をまとめておきましょう。

　　　　標準大気圧＝ 1atm
　　　　　　　　　＝ 760mmHg　　　←水銀柱の高さ
　　　　　　　　　＝ 10.3323mAq　　←水柱の高さ
　　　　　　　　　＝ 101325Pa　　　←圧力（パスカル）
　　　　　　　　　＝ 1013.25hPa　　←圧力（ヘクトパスカル）

# ④ パスカルの原理

　密閉された容器に入れた液体の一部に圧力を加えると，その圧力は同じ強さで液体の各部に伝わります。これをパスカルの原理といいます。

　図のようなU字型の管に液体を入れ，一方のピストンを $P_1$〔N〕の力で押し下げます。すると，もう一方のピストンには押し上げる力 $P_2$〔N〕が働きます。それぞれのピストンの断面積を $A_1$，$A_2$ とすれば，パスカルの原理により，次の式が成り立ちます。

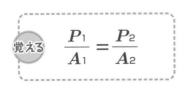

$$\frac{P_1}{A_1} = \frac{P_2}{A_2}$$

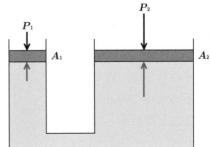

# ⑤ ボイル・シャルルの法則

気体の体積は，温度を一定にすると，圧力に反比例します。つまり，気体の体積が小さくなるほど，圧力は増加します（ボイルの法則）。

体積を $V$，圧力を $P$ とすれば，この法則は次の式で表せます。

$$PV = 一定$$

また，圧力を一定にすると，気体の体積は温度に比例します。つまり，体積が増加するほど，温度も上昇します（シャルルの法則）。

体積を $V$，絶対温度を $T$ とすれば，この法則は次の式で表せます。

$$\frac{V}{T} = 一定$$

ボイルの法則とシャルルの法則をまとめると，「気体の体積は圧力に反比例し，絶対温度に比例する」ことがわかります。これをボイル・シャルルの法則といいます。

ボイル・シャルルの法則は，次のような式で表せます。

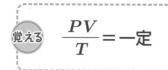

$$\frac{PV}{T} = 一定$$

たとえば，気体を熱すると絶対温度 $T$ が上昇するので，$PV/T$ を一定に保つように，体積 $V$ か圧力 $P$ のどちらかが増加します。

また，体積 $V$ を小さくすると，圧力 $P$ が増加するか，絶対温度 $T$ が減少します。

1
水理

# 動水力学

## ① 連続の法則

単位時間に流れる水の量を流量といいます。

図のような管内の断面 A，B の断面積をそれぞれ $A$ 〔m²〕，$B$ 〔m²〕とし，流速を $v_A$ 〔m/s〕，$v_B$ 〔m/s〕とすると，断面 A，B における流量は，それぞれ $A \cdot v_A$ 〔m³/s〕，$B \cdot v_B$ 〔m³/s〕と表せます（圧縮性はないものとする）。

A と B は同じ管内にあるので，それぞれの流量は同じでなければなりません。したがって，次の式が成り立ちます。

覚える　$A \cdot v_A = B \cdot v_B \quad \rightarrow \quad$ 一定

これを連続の法則といいます。連続の法則から，管の断面積が小さいところでは流速が大きくなり，断面積が大きくなると流速が小さくなることがわかります。

## ② ベルヌーイの定理

たとえば，水力発電は水を落下させて水車を回し，電気をつくります。これは，高いところにある水に蓄えられていたエネルギーを，電気エネルギーに変換する，と考えることができます。

このように，高いところにある水に蓄えられているエネルギーを位置エ

ネルギーといいます。水の質量を $m$〔kg〕，高さを $H$〔m〕とすれば，水の位置エネルギーは次のように表せます。

**位置エネルギー：** $mgH$〔J〕　※$g$：重力加速度〔m/s²〕

高さ $H$〔m〕における位置エネルギーは，落下によって，運動エネルギーと圧力エネルギーとに変化します。図のように，水がパイプ管を通って落下するとき，高さ $z$〔m〕における水の位置エネルギー，運動エネルギー，圧力エネルギーは，それぞれ次のように表せます。

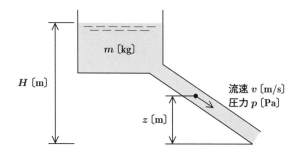

①**位置エネルギー：** $mgz$〔J〕

②**運動エネルギー：** $\dfrac{1}{2}mv^2$〔J〕

③**圧力エネルギー：** $\dfrac{mp}{\rho}$〔J〕　※$\rho$：水の密度〔kg/m³〕

この3つのエネルギーの総和は，エネルギー保存の法則により，最初の高さ $H$〔m〕における位置エネルギーに等しくなります。したがって，次の式が成り立ちます。

$$mgH = mgz + \frac{1}{2}mv^2 + \frac{mp}{\rho}\text{〔J〕}$$

両辺を $mg$ で割ると，

$$H = z + \frac{v^2}{2g} + \frac{p}{\rho g} \ \text{(m)}$$

　この式の右辺は，高さ $z$〔m〕における水の位置エネルギー，運動エネルギー，圧力エネルギーを高さに換算したものと考えることができ，それぞれ位置水頭，速度水頭，圧力水頭といいます。また，最初の高さ $H$〔m〕を全水頭といいます。

　上の式は，3つの水頭の総和は，管内のどの場所でも一定で，全水頭 $H$ と等しいことを示します。これをベルヌーイの定理といいます。

> 覚える
>
> 位置水頭　速度水頭　　圧力水頭　　全水頭
> $$z + \frac{v^2}{2g} + \frac{p}{\rho g} = H \ \rightarrow \ 一定$$

　ベルヌーイの定理から，たとえば位置水頭の減少に応じて，速度水頭と圧力水頭が増加することや，また，管内の流速が減少すると速度水頭が減少し，代わって圧力水頭が増加することなどがわかります。

## ③ トリチェリの定理

　図のように，水を満たした水槽の側面や底面に小さな穴を開けると，そこから水が流出します。このような小穴をオリフィスといいます。

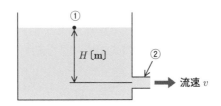

　水面上の1点（上図①）における水頭の和と，小穴の出口（上図②）に

おける水頭の和は，ベルヌーイの定理により等しくなります。水面では圧力は0，流速も0なので，圧力水頭と速度水頭は0です。また，水が流出している小穴の出口では，圧力水頭と位置水頭が0になるので，次の式が成り立ちます。

$$\frac{0}{\rho g} + \frac{0^2}{2g} + H = \frac{0}{\rho g} + \frac{v^2}{2g} + 0 \quad \rightarrow \quad H = \frac{v^2}{2g}$$

$$\therefore v = \sqrt{2gH} \ [\mathrm{m/s}]$$

この式をトリチェリの定理といいます。

## 4 摩擦損失

ベルヌーイの定理により，管内を流れる流体のエネルギーの総和は常に一定です。しかし実際には，管の内壁との摩擦や流れの乱れなどによって，一部のエネルギーが失われます。これを摩擦損失といいます。

図のように，水圧管の上流と下流で水柱の高さを測定すると，摩擦損失により，上流の水柱より下流の水柱のほうが低くなります。この差を摩擦損失水頭といいます。

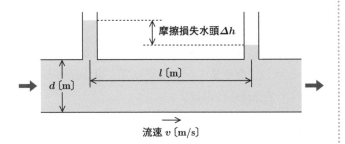

摩擦損失水頭 $\varDelta h$ は，管の長さ $l$ と流速 $v$ の2乗に比例し，管の内径 $d$ に反比例します。式で表すと，次

≡補足≡

**ベルヌーイの定理の応用**

①ピトー管：直角に曲げた管を流れと平行に置くと，速度水頭が圧力水頭に変換され，管内の水面が上昇します。この高さを測定して流速を求めます。

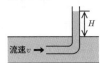

②ベンチュリー管：図のように管内の一部に内径の異なる場所を設け，圧力差から流量を測定します。

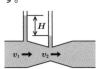

のようになります。

$$\Delta h = \lambda \ \frac{l}{d} \times \frac{v^2}{2g} \ \text{[m]}$$ ※ $\lambda$（ラムダ）：管摩擦損失係数, $g$：重力加速度〔m/s$^2$〕

# ⑤ ポンプ

　ポンプは，流体を低い場所から高い場所へくみ上げる機械です。言い換えると，流体に機械的仕事をして，位置エネルギーを与えるものです。

　ポンプには用途に応じてさまざまな種類があります。渦巻きポンプは，羽根車の回転による遠心力で水を低い場所から吸い込み，高い場所で吐出するもので，遠心ポンプとも呼ばれます。

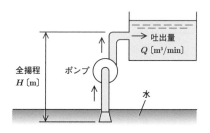

　ポンプが水に与える理論上の動力を，水動力といいます。吐出量 $Q$〔m$^3$/min〕，全揚程 $H$〔m〕のポンプの水動力について考えてみましょう。

　水の密度を $\rho$〔kg/m$^3$〕とすれば，$Q$〔m$^3$〕の水の質量は $\rho Q$〔kg〕です。これを $H$〔m〕の高さに持ち上げると，水は位置エネルギー $\rho Q g H$〔J〕を得ます。

　エネルギー保存の法則より，物体の位置エネルギーの増加分は，外部からその物体に加えた仕事と同じになります。したがって，$Q$〔m$^3$〕の水を $H$〔m〕揚水するためにポンプが行う仕事は，

$$W = \rho g Q H = 9.8 Q H \times 10^3 \ \text{[J]}$$ ※ $\rho = 1000$kg/m$^3$, $g = 9.8$m/s$^2$

　動力とは，単位時間（秒）当たりに行う仕事のことです（55ページ）。吐出量が $Q$〔m$^3$/min〕のポンプは，1分間（＝60秒）で上記の仕事を行うので，

水動力は次のように表せます。

$$水動力：N_w = \frac{9.8QH \times 10^3}{60} = \frac{QH}{6.12} \times 10^3 \ [\text{W}]$$

$$= 0.163QH \ [\text{kW}]$$

なお，実際にはポンプの仕事をもれなく位置エネルギーに変換できるわけではないので，上記の水動力を得るには，これ以上の動力で羽根車を回転させなければなりません。そのための動力を軸動力といいます。また，軸動力$N$と水動力$N_w$の比をポンプ効率といいます。

$$ポンプ効率：\overset{イータ}{\eta} = \frac{N_w}{N}$$

※ポンプ効率は通常 0.4〜0.8 程度

$$軸動力：N = \frac{0.163QH}{\eta} \ [\text{kW}]$$

ポンプの回転速度を一定に保ったままで吐出量を増加させると，全揚程は減少します。吐出量に対応する全揚程，軸動力，ポンプ効率をグラフで表したものを，ポンプ揚程曲線といいます。

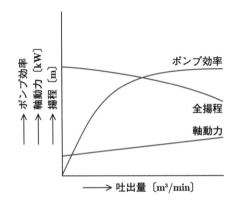

≡ 補足 ≡

**吐出量**
ポンプが水を一度に吐き出す分量。単位としては〔m³/min〕や〔L/min〕が使われます。

1
水理

13

# チャレンジ問題

［解説］18 ページ　［解答一覧］21 ページ

## 問1　　　　　　　　　　　　　　　　　　難　中　易

流体の性質に関する記述として，誤っているものは次のうちどれか。

(1) 標準大気圧における 4℃の純水の密度は，1000kg/m³ である。

(2) 比重が 1 より大きい物質は，水に沈む。

(3) 流体の粘性は，一般に温度が高くなると小さくなる。

(4) 水は一般に非圧縮性の流体である。

## 問2　　　　　　　　　　　　　　　　　　難　中　易

絶対圧力とゲージ圧力に関する記述として，誤っているものは次のうちどれか。

(1) 絶対圧力は，完全真空を基準にした圧力である。

(2) ゲージ圧力に大気圧を加えたものが，絶対圧力である。

(3) 一般的なブルドン管式圧力計の指針は，ゲージ圧力を示す。

(4) ゲージ圧力は，絶対圧力より約 0.1MPa 大きい。

## 問3　　　　　　　　　　　　　　　　　　難　中　易

図のような円筒の底面に加わる水圧は，ゲージ圧力で何 Pa となるか。

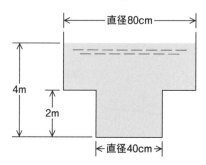

(1) 19.6kPa　(2) 39.2kPa　(3) 0.784kPa　(4) 0.196kPa

## 問4

難 | 中 | **易**

標準大気圧の表し方として，誤っているものは次のうちどれか。

(1)　1atm

(2)　760mmHg

(3)　1013.25MPa

(4)　10.3323mAq

## 問5

難 | **中** | 易

図のように液体を密封した容器を使って，ピストンBに載せた重量1000Nの物体を持ち上げるとき，ピストンAに加える力の値として，正しいものは次のうちどれか。ただし，ピストンA，Bの面積はそれぞれ20cm$^2$，100cm$^2$とする。

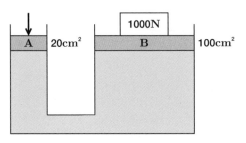

(1)　200N　　(2)　500N　　(3)　2000N　　(4)　5000N

## 問6

難 | 中 | **易**

ボイル・シャルルの法則の説明として，正しいものは次のうちどれか。

(1)　気体の体積は，絶対温度に比例し，圧力に比例する。

(2)　気体の体積は，絶対温度に比例し，圧力に反比例する。

(3)　気体の体積は，絶対温度に反比例し，圧力に比例する。

(4)　気体の体積は，絶対温度に反比例し，圧力に反比例する。

## 問7

難 | 中 | **易**

ある気体に加える圧力を5倍にし，絶対温度を3倍にしたとき，この気

体の体積は何倍になるか。

(1) 1／5倍

(2) 1／3倍

(3) 3／5倍

(4) 5／3倍

　図のように，②の部分の管径が①の部分の管径の1／2となる管路がある。この管路を水が流れる場合，②を流れる水の流速は①を流れる水の流速の何倍となるか。ただし，管内の摩擦損失はないものとする。

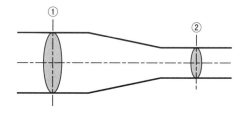

(1) 1／2

(2) 2倍

(3) 4倍

(4) 変わらない

　ベルヌーイの定理を表す式として，正しいものは次のうちどれか。ただし，$v$ は流速〔m/s〕，$g$ は重力加速度〔m/s²〕，$p$ は圧力〔Pa〕，$\rho$ は流体の密度〔kg/m³〕，$z$ は基準面からの高さ〔m〕を表すものとする。

(1) $\dfrac{v^2}{2g} + \dfrac{p}{\rho g} + z = 一定$

(2) $\dfrac{v^2}{2g} + \dfrac{\rho g}{p} + z = 一定$

(3) $\dfrac{2g}{v^2} + \dfrac{\rho g}{p} + z = 一定$

(4) $\dfrac{2g}{v^2} + \dfrac{p}{\rho g} + z = $ 一定

　配管の摩擦損失水頭に関する記述として，正しいものは次のうちどれか。

(1) 管の長さに反比例する。

(2) 管の内径に比例する。

(3) 流速の2乗に比例する。

(4) 管の内径の2乗に反比例する。

　水平に置かれた直管内を水が流れている。流速を2倍にすると，摩擦損失水頭は何倍になるか。ただし，流速以外の条件は変わらないものとする。

(1) 1／2倍

(2) 2倍

(3) 4倍

(4) 変わらない

　ポンプの水動力 $N_W$〔kW〕を表す式として，正しいものは次のうちどれか。ただし，$Q$ は吐出量〔m³/min〕，$H$ は全揚程〔m〕とする。

(1) $N_W = 0.098QH$ 〔kW〕

(2) $N_W = 0.163QH$ 〔kW〕

(3) $N_W = 1.63QH$ 〔kW〕

(4) $N_W = 9.8QH$ 〔kW〕

# 解 説

**問1** 流体の変形に対する抵抗を粘性といいます。流体の粘性は，液体の場合は一般に温度が高いほど小さくなりますが，気体の場合は逆に温度が高いほど大きくなります。

解答 (3)　参照 3 ページ

**問2** 絶対圧力は，完全真空をゼロとした圧力で，ゲージ圧力に大気圧を加えたものです。

### 絶対圧力＝ゲージ圧力＋大気圧

　大気圧は標準で約 0.1MPa なので，ゲージ圧力は，絶対圧力より約 0.1MPa 小さくなります。

解答 (4)　参照 4 ページ

**問3** 水圧は容器の形や底面の面積に関わりなく，次の式で計算できます。

$$P = \rho g h \ \text{(Pa)}$$

　水の密度 $\rho = 1000$ 〔kg/m$^3$〕，重力加速度 $g = 9.8$ 〔m/s$^2$〕とすれば，高さ 4 〔m〕の水圧は，

$$P = 1000 \times 9.8 \times 4 = 39200 \ \text{(Pa)} = 39.2 \ \text{(kPa)}$$

となります。

解答 (2)　参照 5 ページ

**問4** 標準大気圧は，1 気圧（1atm）ということもあり，水銀柱では 760mmHg，水柱では 10.3323mAq に相当します。これをパスカル〔Pa〕単位に換算すると，

101325Pa ＝ 1013.25hPa

となります。

........................................................

解答（3）　参照 5，6ページ

**問5**　　ピストン A に加える力を $P$ とすれば，パスカルの原理により，次の式が成り立ちます。

$$\frac{P}{\text{A の面積}} = \frac{1000\text{N}}{\text{B の面積}}$$

したがって，

$$P = 1000 \times \frac{\text{A の面積}}{\text{B の面積}} = 1000 \times \frac{20}{100} = 200 〔\text{N}〕$$

となります。

........................................................

解答（1）　参照 6ページ

**問6**　　気体は，圧力を一定にすれば，絶対温度が高いほど体積が増加します。また，絶対温度を一定にすれば，圧力が高いほど体積が減少します。ボイル・シャルルの法則は以上をまとめたもので，「気体の体積は絶対温度に比例し，圧力に反比例する」となります。

........................................................

解答（2）　参照 7ページ

**問7**　　圧力を $P$，絶対温度を $T$，体積を $V$ とすれば，ボイル・シャルルの法則は次の式で表せます。

$$\frac{PV}{T} = k \quad \rightarrow \quad V = k\frac{T}{P} \quad （※ \, k = \text{一定}）$$

圧力 $P$ が 5 倍，絶対温度 $T$ が 3 倍になると，体積 $V$ の値はつぎのように代わります。

$$V = k\,\frac{3T}{5P} = \frac{3}{5} \times k\,\frac{T}{P}$$

このように，体積 $V$ は３／５倍になります。

解答（3）　参照 7 ページ

**問8**　　連続の法則より，①の部分の断面積と流速の積は，②の部分の断面積と流速の積に等しくなります。①の部分の管径を $d_1$，①の部分の流速を $v_1$，②の部分の管径を $d_2$，②の部分の流速を $v_2$ とすると，次の式が成り立ちます。

$$(\frac{d_1}{2})^2\,\pi\,v_1 = (\frac{d_2}{2})^2\,\pi\,v_2 \qquad \therefore\ d_1^{\,2}v_1 = d_2^{\,2}v_2$$

題意より，$d_2 = \dfrac{1}{2}\,d_1$ なので，

$$d_1^{\,2}v_1 = (\frac{1}{2}\,d_1)^2 v_2 \ \rightarrow\ v_1 = \frac{1}{4}\,v_2 \ \therefore\ v_2 = 4v_1$$

以上から，②の部分の流速 $v_2$ は，①の部分の流速 $v_1$ の４倍になります。

解答（3）　参照 8 ページ

**問9**　　ベルヌーイの定理は，速度水頭と圧力水頭，位置水頭の和は常に一定であることを示します。

$$\underset{\text{速度水頭}}{\frac{v^2}{2g}} + \underset{\text{圧力水頭}}{\frac{p}{\rho g}} + \underset{\text{位置水頭}}{z} = \text{一定}$$

解答（1）　参照 8 ページ

**問10**　　摩擦損失水頭 $\Delta h$ は，次の式で表されます。

$$\Delta h = \lambda\,\frac{l}{d}\cdot\frac{v^2}{2g}\ \text{〔m〕}$$

※ $\lambda$：摩擦係数，$l$：管の長さ，$d$：管の内径，$v$：流速，$g$：重力加速度

この式から，摩擦損失水頭は，管の長さ及び流速の２乗に比例し，管の内径に反比例することがわかります。

× （1）管の長さに比例します。

× （2）管の内径に反比例します。

○ （3）正しい記述です。

× （4）管の内径に反比例します。

解答（3） 参照 11，12 ページ

**問11** 摩擦損失水頭は，管内の流速の 2 乗に比例します。したがって，流速が 2 倍になれば，摩擦損失水頭は $2^2 = 4$ 倍に増加します。

解答（3） 参照 12 ページ

**問12** ポンプの水動力 $N_w$ は次の式で表されます。

$$N_w = \frac{QH}{6.12} \times 10^3 \ \text{(W)}$$

$$\fallingdotseq 0.163QH \times 10^3 \ \text{(W)}$$

$$= 0.163QH \ \text{(kW)}$$

解答（2） 参照 12，13 ページ

# 解答

| 問1 | (3) | 問4 | (3) | 問7 | (3) | 問10 | (3) |
|------|-----|------|-----|------|-----|------|-----|
| 問2 | (4) | 問5 | (1) | 問8 | (3) | 問11 | (3) |
| 問3 | (2) | 問6 | (2) | 問9 | (1) | 問12 | (2) |

# 2 材料について

## まとめ & 丸暗記

### ☐ 荷重

| ①引張り荷重 | ②圧縮荷重 | ③せん断荷重 | ④曲げ荷重 | ⑤ねじり荷重 |
|---|---|---|---|---|

### ☐ 応力

$$応力 = \frac{荷重〔N〕}{断面積〔mm^2〕} 〔MPa〕$$

### ☐ ひずみ

$$\varepsilon = \frac{l_1 - l}{l}$$

### ☐ ひずみと応力の関係

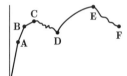

A：比例限度
B：弾性限度
C：上部降伏点
D：下部降伏点
E：極限強さ（引張り強さ）
F：破壊点

### ☐ 安全率

$$安全率 = \frac{極限強さ（引張り強さ）}{許容応力}$$

### ☐ 合金

| 炭素鋼 | 鉄 ＋ 炭素（0.02 ～ 2%） |
|---|---|
| 鋳鉄 | 鉄 ＋ 炭素（2%以上） |
| ステンレス鋼 | 鉄 ＋ ニッケル ＋ クロム |
| 黄銅（真鍮） | 銅 ＋ 亜鉛 |
| 青銅 | 銅 ＋ すず |
| ジュラルミン | アルミニウム ＋ 銅 ＋ マグネシウム ＋ マンガン |
| はんだ | 鉛 ＋ すず他 |
| ニクロム | ニッケル ＋ クロム |

### ☐ 金属の熱処理

| ①焼き入れ | ②焼き戻し | ③焼きなまし | ④焼きならし |
|---|---|---|---|

# 荷重と応力

≡補足≡
荷重は，物体で2点間で触れるところで生じる力で，単位はニュートン〔N〕を用います。

## 1 荷重

　機械を構成する各部品の材料は，外部から様々な力を受けます。材料に外部から作用するこれらの力を荷重（または外力）といいます。材料は，荷重を受けて変形したり，破壊されたりします。

　荷重は，作用する力の向きによって，次のような種類に分類されます。

①引張り荷重
　物体を引き伸ばす

②圧縮荷重
　物体を押し縮める

③せん断荷重
　物体をひきちぎる
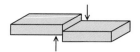

④曲げ荷重
　物体を曲げる
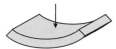

⑤ねじり荷重
　物体をねじる

また，常に一定の大きさと向きの力が作用する場合を静荷重といい，力の大きさや向きが時間とともに変化する場合を動荷重といいます。

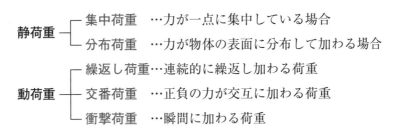

静荷重 ─┬─ 集中荷重　…力が一点に集中している場合
　　　　└─ 分布荷重　…力が物体の表面に分布して加わる場合

動荷重 ─┬─ 繰返し荷重…連続的に繰返し加わる荷重
　　　　├─ 交番荷重　…正負の力が交互に加わる荷重
　　　　└─ 衝撃荷重　…瞬間に加わる荷重

## ② 応力

材料に荷重が加わると，それに抵抗する力が材料の内部から働きます。この力を応力といいます。応力がなければ，材料は荷重に耐えきれずに破壊されてしまいます。

応力には，材料に作用する荷重の種類に応じて，引張り応力，圧縮応力，せん断応力，曲げ応力，ねじり応力などがあります。

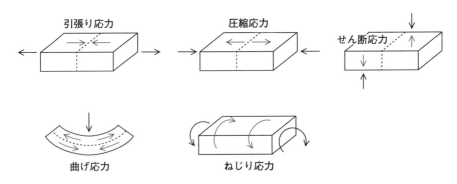

引張り応力　　　圧縮応力　　　せん断応力

曲げ応力　　　ねじり応力

応力の大きさは荷重の大きさと等しく，向きは正反対で荷重とつり合っています。応力の大きさは，次のように単位面積〔$mm^2$〕当たりの荷重〔N〕で表します。単位には，一般に〔MPa（メガパスカル）〕が用いられます（1MPa = 1000000Pa）。

覚える 応力（応力度）＝$\dfrac{荷重〔N〕}{面積〔mm^2〕}$〔MPa〕

≡補足≡

曲げ応力を求める式は，次のようになります。

曲げ応力＝$\dfrac{曲げモーメント}{断面係数}$

　引張り応力と圧縮応力をまとめて垂直応力といい，記号 σ（シグマ）で表します。また，せん断応力は記号 τ（タウ）で表します。垂直応力 σ とせん断応力 τ については，作用する荷重を材料の断面積で割って求めることができます。

垂直応力

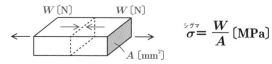

$$\overset{シグマ}{\sigma} = \frac{W}{A} \text{〔MPa〕}$$

せん断応力

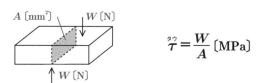

$$\overset{タウ}{\tau} = \frac{W}{A} \text{〔MPa〕}$$

---

例題 断面積32mm² の丸棒に，400Nの圧縮荷重をかけたときの応力として，正しいものは次のうちどれか。

(1) 10MPa 　(2) 12.5MPa

(3) 20MPa 　(4) 25MPa

---

解説 垂直応力 $\sigma = W/A$ より，

$\sigma = 400/32 = 12.5$〔MPa〕

解答 (2)

## ③ ひずみ

物体の変形の度合いをひずみといいます。物体が変形して，元の長さ $l$ が $l_1$ に変化したとき，ひずみ $\varepsilon$（イプシロン）の大きさを次のように表します。

覚える $$\varepsilon = \frac{l_1 - l}{l}$$

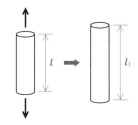

## ④ 応力とひずみ

金属材料の試験片に引張り荷重を加え，引っ張る力を徐々に大きくしていくと，材料が伸びていき，最後には破壊されてしまいます。このときの荷重と材料の伸びの関係を，応力とひずみの関係に置き換えてグラフで表すと，次のようなグラフになります。A〜Fの各点の意味を理解しておきましょう。

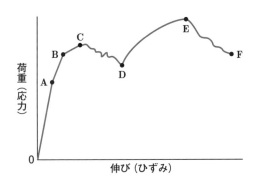

**A：比例限度**

0〜A点までは，加えた荷重の大きさに比例してひずみも大きくなります（フックの法則）が，A点を超えると比例しなくなります。

**B：弾性限度**

0〜B点までは，荷重を取り除けば材料はまだ元の形にもどります。B

点を超えてしまうと，荷重を取り除いても元に戻らなくなってしまいます。

**C，D：降伏点**

C点を超えると材料は急に抵抗力を失い，荷重を加えなくてもD点までは材料が伸びてしまいます。C点を上部降伏点，D点を下部降伏点といいます。

**E：極限強さ（引張り強さ）**

D点を超えると，材料は再び抵抗力を取り戻しますが，荷重を加えるとひずみは大きくなっていき，E点で荷重に耐えうる限界に達します。

**F：破壊点**

材料はさらに伸びて最後にはF点で破壊されます。

## ⑤ 許容応力と安全率

機械を設計する際に，使用する材料に設定する応力の最大値を，許容応力といいます。

機械の材料は，外部からの力によって変形しても，元に戻る範囲で使う必要があります。そのため，許容応力は左ページの図のB点（弾性限度）より低くなるように設計しなければなりません。

許容応力が，材料の極限強さに対してどのくらいの割合かを安全率といいます。

覚える　$$安全率 = \frac{極限強さ（引張り強さ）}{許容応力}$$

安全率が大きいほど，強度に余裕をもった設計といえます。

≡補足≡

**フックの法則**
荷重が小さければ，荷重と伸びは正比例するという法則。

≡補足≡

**クリープ**
物体に一定の荷重（応力）が加えられると，時間とともにひずみが増大していく現象。一般に，応力が大きいほど，また温度が高いほど，クリープは大きくなります。

# 金属材料

## ① 金属の性質

　機械部品の材料には，一般に丈夫で加工しやすく，入手しやすいことなどが求められます。金属は，こうした条件にかなった材料として，広く用いられています。
　一般に金属には，次のような性質があります。

---
① 常温で固体である。
② 展性・延性に富む。
③ 可鋳性がある（高温で溶け，成形できる）。
④ 可鍛性がある（熱してたたいて成形できる）。
⑤ 電気の良導体である。
⑥ 一般に水より重い（比重が1より大きい）。
⑦ 金属光沢がある。
---

## ② 合金

　単体の金属に，他の元素を混ぜたものを合金といいます。合金にすることで，金属は一般に次のような性質をもちます。

---
① 成分金属より硬くなり，強さが増す。
② 成分金属より鋳造しやすくなる（可鋳性が増加）。
③ 成分金属より鍛造しにくくなる（可鍛性が減少）。
④ 耐食性が増大する。
⑤ 融点が低くなる（例：はんだ）。
⑥ 電気は伝わりにくくなる。
---

≡補足≡

**主な金属の比重**

| 白金 | 21.45 |
|---|---|
| 金 | 19.32 |
| タングステン | 19.3 |
| 水銀 | 13.55 |
| 鉛 | 11.34 |
| 銀 | 10.49 |
| 銅 | 8.92 |
| ニッケル | 8.91 |
| 鉄 | 7.87 |
| ⋮ | |
| アルミニウム | 2.7 |
| マグネシウム | 1.74 |

代表的な合金には，以下のような種類があります。

| 鉄鋼 | 鉄 ＋ 炭素 |
| ステンレス | 鉄 ＋ ニッケル＋クロム |
| 黄銅（真鍮） | 銅 ＋ 亜鉛 |
| 青銅 | 銅 ＋ すず |
| ジュラルミン | アルミニウム ＋ 銅 ＋ マグネシウム ＋ マンガン |
| はんだ | 鉛 ＋ すず他 |
| ニクロム | ニッケル ＋ クロム |

## ③ 金属の熱処理

　金属を加熱・冷却することによって，その性質を変化させることを熱処理といいます。熱処理には次のような種類があります。

①焼き入れ ・・・・・ 高温に加熱した後，水や油に入れて急冷する。
　　　　　　　【効果】硬度を増す。
②焼き戻し ・・・・・ 焼き入れ後，再加熱して徐々に冷却する。
　　　　　　　【効果】焼き入れ後の鋼はもろくなるため，粘りを出して強くする。
③焼きなまし ・・・ 一定時間加熱した後，徐々に冷却する。
　　　　　　　【効果】組織を安定させる。
④焼きならし ・・・ 加熱後，大気中で自然冷却する。
　　　　　　　【効果】組織を均一にならす。

## ④ 鉄鋼

　鉄鋼（鋼）は，鉄を主成分とした合金です。もともと

≡補足≡
**黄銅（おうどう）**
真鍮（しんちゅう），ブラスともいう。金属楽器や五円硬貨に使われます。

≡補足≡
**青銅（せいどう）**
砲金，ブロンズともいう。銅像や十円硬貨に使われます。

≡補足≡
**アルミニウム**
軽量で加工しやすく，表面が酸化してできる皮膜によって耐食性も高いのが特長です。

≡補足≡
**マグネシウム**
軽量で加工しやすいが酸化しやすく，耐食性が低いのが欠点。

鉄は硬くて加工しやすく，工業用の材料に適した金属ですが，鉄鋼にすることで鉄の性能をさらに高めることができます。

鉄鋼材料には，含有する成分によって様々な種類があり，それぞれ性質が異なっています。

## ①炭素鋼（鉄 ＋ 炭素）

鉄と炭素の合金で，炭素含有量が 0.02 ～ 2% 程度のもの。炭素含有量に応じて，次のように性質が変わります。

- 炭素含有量が多い　：硬さ・引張り強さは増加するが，もろくなる。
- 炭素含有量が少ない：硬さ・引張り強さは減少するが，粘りが増大し，加工しやすくなる。

炭素鋼は配管材料としてよく用いられています。

## ②鋳鉄（鉄 ＋ 炭素）

炭素含有量が約 2% 以上のものを鋳鉄といいます。炭素鋼に比べるともろくて引張り強さが小さいですが，可鋳性に富み，主に鋳造に用いられます。

## ③合金鋼（特殊鋼）

炭素鋼に他の元素を混ぜたもの。ステンレスや耐熱鋼が代表的です。

- ステンレス鋼：炭素鋼にクロムやニッケルを混ぜ，耐食性を高めたもの。クロムを 18%，ニッケルを 8% 配合したステンレス鋼を 18-8 ステンレス鋼といいます。
- 耐熱鋼　　　：炭素鋼に多くのクロムやニッケルを加え，高温での強度や耐食性を高めたもの。

# チャレンジ問題

［解説］36ページ ［解答一覧］39ページ

## 問1 ｜ 難 中 易

荷重の説明として，誤っているものは次のうちどれか。

(1) 衝撃荷重…瞬間に衝撃的に加わる荷重

(2) 交番荷重…正負の力が交互に加わる荷重

(3) 分布荷重…連続的に繰り返し加わる荷重

(4) 静荷重…常に一定の大きさと向きの力が加わる荷重

## 問2 ｜ 難 中 易

直径10mmの丸棒に，314Nの引張り荷重がかかったときの応力として，正しいものは次のうちどれか。ただし，円周率は3.14とする。

(1) 4MPa

(2) 5MPa

(3) 8MPa

(4) 10MPa

## 問3 ｜ 難 中 易

2枚の鋼板をリベットによって接合した継手がある。図のように，鋼板を互いに反対方向に400Nの力で引っ張ったとき，リベットに生じるせん断応力として正しいものは次のうちどれか。ただし，リベットの断面積は20mm² とする。

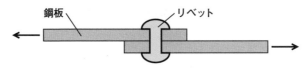

鋼板　　　リベット

(1) 2MPa

(2) 10MPa

(3) 20MPa

(4) 25MPa

　図のように、重量 4N の物体を断面積 1mm$^2$ の針金 4 本で天井から垂直に吊るすとき、針金 1 本当たりにかかる応力は次のうちどれか。

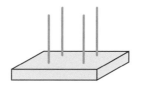

(1) 1kPa

(2) 4kPa

(3) 1MPa

(4) 4MPa

　長さ 100cm の丸棒に引張り荷重を加えたところ，105cm に伸びた。このときのひずみの値として正しいものは次のうちどれか。

(1) 0.05　　　　(2) 0.5　　　　(3) 1.05　　　　(4) 5

　図は，ある材料に徐々に荷重を加えた場合の荷重の大きさと材料の伸びの関係を表したものである。次の記述のうち，誤っているものはどれか。

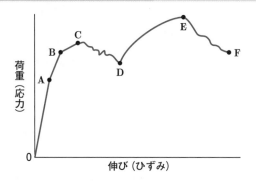

（1）A 点は比例限度である。

（2）B 点は弾性限度である。

（3）C 点は極限強さである。

（4）D 点は下部降伏点である。

---

**問7**　　　　　　　　　　　　　　　　　難　中　易

断面積 100mm$^2$，引張り強さ 500N/mm$^2$ の鋼材を使って，安全率を 5 とする場合，この鋼材の許容応力として正しいものは次のうちどれか。

（1）100N/mm$^2$

（2）200N/mm$^2$

（3）250N/mm$^2$

（4）500N/mm$^2$

---

**問8**　　　　　　　　　　　　　　　　　難　中　易

金属材料におけるクリープの説明として、誤っているものは次のうちどれか。

（1）加えられる荷重が弾性限度内であれば発生しない。

（2）加えられる荷重が一定でも、時間とともにひずみが増大する。

（3）応力が高いほど発生しやすい。

（4）温度が高いほど発生しやすい。

難 中 **易**

金属の特性の説明として，誤っているものは次のうちどれか。

(1) 鉄鋼は一般に耐食性に優れ，水中でも錆びない。

(2) 銅合金は酸化すると表面に緑青が生じる。

(3) アルミニウムは空気中で酸化して表面に皮膜を形成し，腐食を防ぐ働きがある。

(4) マグネシウム及びその合金は一般に酸化しやすく，耐食性は低い。

難 中 **易**

合金の説明として，誤っているものは次のうちどれか。

(1) 炭素鋼は鉄と炭素の合金である。

(2) ステンレス鋼は鉄とクロムとニッケルの合金である。

(3) 青銅は銅とすずの合金である。

(4) 黄銅は銅とクロムの合金である。

難 中 **易**

次のうち，鉄鋼材料でないものはどれか。

(1) 炭素鋼

(2) 鋳鉄

(3) ジュラルミン

(4) ステンレス

難 中 **易**

次の文章の（　）内の A，B にあてはまる語句の組合せとして，正しいものはどれか。


「18-8 ステンレス鋼は，（　A　）を 18%，（　B　）を 8%含んでいる。」

|  | A | B |
|---|---|---|
| (1) | ニッケル | マンガン |
| (2) | クロム | マンガン |
| (3) | クロム | ニッケル |
| (4) | 銅 | ニッケル |

## 問13　　　　　　　　　難　中　易

**耐熱鋼の成分として，正しいものは次のうちどれか。**

(1) 炭素鋼，クロム，ニッケル

(2) 炭素鋼，鉛，モリブデン

(3) 炭素鋼，ケイ素，すず

(4) 炭素鋼，マグネシウム，チタン

## 問14　　　　　　　　　難　中　易

**鋼の熱処理に関する説明として，誤っているものは次のうちどれか。**

(1) 焼入れ…鋼を高温に加熱した後で急冷却し，硬度を増す。

(2) 焼戻し…鋼を再加熱した後で徐々に冷却し，粘りを減じる。

(3) 焼なまし…鋼を一定時間加熱した後で徐々に冷却し，組織を安定させる。

(4) 焼ならし…鋼を加熱した後，大気中で自然冷却することで，ひずみを取り除いて組織を均一化する。

## 問15　　　　　　　　　難　中　易

**鋼と炭素含有量の関係について，誤っているものは次のうちどれか。**

(1) 鉄に炭素を加えたものが鋼である。

(2) 炭素含有量が多いほど硬度が増す。

(3) 炭素含有量が少ないほど加工しにくくなる。

(4) 炭素含有量が多いほどもろくなる。

# 解　説

**問1**　荷重には，常に一定の大きさの向きの力が作用する静荷重と，大きさや向きが変化する動荷重があります。静荷重と動荷重には，それぞれ次のような種類があります。

静荷重 ─┬─ 集中荷重　…力が一点に集中している場合
　　　　└─ 分布荷重　…力が物体の表面に分布して加わる場合

動荷重 ─┬─ 繰返し荷重…連続的に繰り返し加わる荷重
　　　　├─ 交番荷重　…正負の力が交互に加わる荷重
　　　　└─ 衝撃荷重　…瞬間に加わる荷重

　選択肢 (3) の分布荷重は，力が物体の表面に分布している荷重です。連続的に繰り返し加わる力による荷重は，繰返し荷重です。

　　　　　　　　　　　　　　　　　　　　　　　解答（3）　参照 24 ページ

**問2**　引張り荷重に対する引張り応力 $\sigma$ は，$\sigma = W/A$ で求められます。荷重 $W$ は設問より 314N，断面積 $A$ は $5 \times 5 \times 3.14 \text{mm}^2$ なので，

$$\sigma = \frac{314}{5 \times 5 \times 3.14} = \frac{100}{25} = 4 \; [\text{N/mm}^2] \; [\text{MPa}]$$

となります。

　　　　　　　　　　　　　　　　　　　　　　　解答（1）　参照 25 ページ

**問3**　せん断応力 $\tau = W/A$ で求めます。荷重 $W = 400\text{N}$，断面積 $A = 20\text{mm}^2$ ですから，

$$\tau = \frac{400}{20} = 20 \; [\text{N/mm}^2] \; [\text{MPa}]$$

となります。

　　　　　　　　　　　　　　　　　　　　　　　解答（3）　参照 25 ページ

**問4**　針金1本当たりにかかる荷重は 4÷4＝1N です。応力＝荷重／断面積より，

$$応力 = \frac{1N}{1mm^2} = 1 \; [N/mm^2] \; [MPa]$$

となります。

解答（3）　参照 25 ページ

**問5**　ひずみ $\varepsilon$ は，$\varepsilon = \dfrac{l_1 - l}{l}$ で求めます。

$$\varepsilon = \frac{105 - 100}{100} = \frac{5}{100} = 0.05$$

解答（1）　参照 26 ページ

**問6**　図の各点は，次のようになります。

A：比例限度…荷重と伸びが比例する限界

B：弾性限度…伸びが元に戻る限界

C，D：降伏点…荷重を加えなくても伸びが増加する

E：極限強さ…材料が荷重に耐えうる限度

F：破壊点…材料が破壊される点

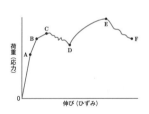

解答（3）　参照 26 ページ

**問7**　安全率＝引張り強さ÷許容応力より，

$$許容応力 = \frac{引張り強さ}{安全率}$$

で求めます。したがって，許容応力は，500÷5＝100N/mm² となります。断面積は関係ありません。

解答（1）　参照 27 ページ

**問8**　クリープとは、材料に一定の荷重を加え続けると、時間経過とともにひずみが増大していく現象です。一般に、温度や応力が高いほどクリープは発生しやすくなります。また、長時間荷重を加え続ければ、荷重が弾性限度内であっても発生します。

**解答（1）**　参照 27 ページ

**問9**　鉄鋼には錆びやすい性質があります。鉄鋼にクロムやニッケルを加え，錆びにくくした合金がステレンレス鋼です。

× （1）鉄鋼は水中で錆びやすいので，誤りです。

○ （2）緑青（ろくしょう）は，銅が酸化して生成される青緑色の化合物です。

○ （3）アルミニウムは空気中で自然に酸化して，表面に酸化アルミニウムの被膜を形成し，内部の腐食を防ぐ働きがあります。

○ （4）マグネシウムやマグネシウム合金は水などに反応しやすく，耐食性は低いです。

**解答（1）**　参照 29 ページ

**問10**　銅合金のうち，青銅は銅とすずの合金，黄銅は銅と亜鉛の合金です。青銅をブロンズ（砲金），黄銅をブラス（真鍮）ともいいます。

**解答（4）**　参照 29 ページ

**問11**　ジュラルミンはアルミニウム，銅，マグネシウム，マンガンの合金で，鉄鋼は含まれていません。

**解答（3）**　参照 29 ページ

**問12**　ステンレス鋼として最も代表的なものは，炭素鋼にクロム 18％，ニッケル8％を加えたもので，オーステナイト系ステンレス鋼と呼ばれます。ナイフやフォークに「18-8」という刻印があったら，このステンレス鋼のことです。

**解答（3）**　参照 30 ページ

**問13** 耐熱鋼は，高温での強度や耐食性を高めた合金鋼です。成分はステンレス鋼と類似していて，炭素鋼にニッケルやクロムなどを加えます。

解答（1）　参照 30 ページ

**問14** 金属の熱処理として，①焼入れ，②焼戻し，③焼なまし，④焼ならしの4種類を覚えておきましょう。

| 熱処理 | 方法 | 効果 |
|--------|------|------|
| 焼入れ | 高温に加熱し，急冷却する | 硬度・強さを増す |
| 焼戻し | 再加熱し，徐々に冷却する | 粘りを持たせ，加工しやすくする |
| 焼なまし | 一定時間加熱後，徐々に冷却する | 組織を安定させる |
| 焼ならし | 加熱後，大気中で自然冷却 | ひずみの除去・組織の均一化 |

　選択肢（2）の焼戻しは，粘りを減じるのではなく，粘りを増やす処理なので誤りです。

解答（2）　参照 29 ページ

**問15** 鋼は，鉄に 0.02 ～ 2%程度の炭素を加えたもので，炭素含有量によって，次のように性質が変わります。

・**炭素含有量が多い……硬さ・引張り強さは増すが，もろくなる。**

・**炭素含有量が少ない…粘りが増大し，加工しやすくなる。**

　したがって選択肢（3）「炭素含有量が少ないほど加工しにくくなる」が誤りです。

解答（3）　参照 30 ページ

# 解　答

| 問1 | (3) | 問5 | (1) | 問9 | (1) | 問13 | (1) |
|-----|-----|-----|-----|-----|-----|------|-----|
| 問2 | (1) | 問6 | (3) | 問10 | (4) | 問14 | (2) |
| 問3 | (3) | 問7 | (1) | 問11 | (3) | 問15 | (3) |
| 問4 | (3) | 問8 | (1) | 問12 | (3) | | |

# 3 「力」について

## まとめ & 丸暗記

☐ **力のモーメント**

$$M = F \times l \ [\mathrm{N \cdot m}]$$

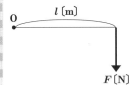

☐ **等加速度運動**

初速が $v_0$〔m/s〕，加速度 $\alpha$〔m/s²〕の等加速度運動の $t$ 秒後の速度：

$$v = v_0 + \alpha t \ [\mathrm{m/s}]$$

$t$ 秒後の移動距離：

$$S = v_0 t + \frac{1}{2}\alpha t^2 \ [\mathrm{m}]$$

☐ **運動の法則（運動の第2法則）**

物体にある力が働くと，その力の方向に加速度が生じる。加速度の大きさ $\alpha$ は力の大きさ $F$ に比例し，物体の質量 $m$〔kg〕に反比例する。

$$F = m\alpha \ [\mathrm{N}]$$

☐ **最大摩擦力**

重量 $N$〔N〕の物体に力を加え，物体が滑り出すときの摩擦力：

$$F = \mu N \ [\mathrm{N}]$$

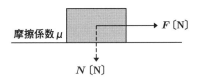

☐ **仕事量**

物体に力 $F$〔N〕を加え，$S$〔m〕動かしたときの仕事の大きさ：

$$W = F \times S \ [\mathrm{J}] \ [\mathrm{N \cdot m}]$$

☐ **動力（仕事率）**

$t$ 秒間に $W$〔J〕の仕事をした場合の動力：

$$P = \frac{W}{t} \ [\mathrm{W}] \ [\mathrm{J/s}]$$

☐ **滑車**

動滑車を使って物体を持ち上げるのに必要な引く力は，動滑車を1個増やすごとに1／2になる。

$$F = \frac{W}{2^n} \ [\mathrm{N}]$$

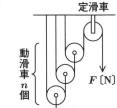

# 「力」とは

## 1 力とは

　物体が移動したり，形を変えたりするときには，物体に何らかの「力」が作用します。たとえば，机の上に置いた本を指で押すと，本の位置が移動します。ゴムボールをぎゅっと握ると，ボールが変形します。このように「力」は，物体が自然にある状態に，何らかの変化を与えます。

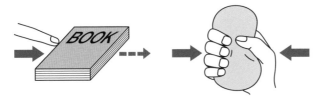

物体に力が作用すると，自然にある状態から変化する。

　物体が静止しているときにも，静止した状態を保つために「力」が作用しています。
　たとえば，机の上に置いたマグカップには，重力によって下に落ちようとする力が作用しています。これに対し，机はマグカップとは逆向きの力で，マグカップを押し返しています。落ちようとする力と押し返す力がちょうどつり合っているので，マグカップはじっと静止したままなのです。

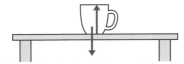

下向きの力と上向きの力がつり合い，マグカップが静止する。

≡補足≡

**力の大きさの単位**
力の大きさは，ニュートン〔単位記号：N〕という単位を用いて表します。1ニュートンは，1kgの物体に1m/s²の加速度を生じさせる力と定義されています。1kgの物体に作用する地球の重力は，約9.8ニュートンです。

# ② 力の三要素

　ゴルフのパターで，ボールをカップに入れるには，ボールを打つ強さと，打つ方向を加減しなければなりません。ボールに与える力の大きさと向きが違うと，ボールは途中で止まってしまったり，違う方向に転がっていったりして，うまくカップに入らないのです。

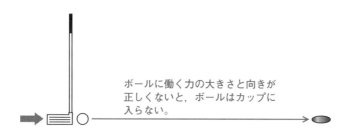

ボールに働く力の大きさと向きが
正しくないと，ボールはカップに
入らない。

　このように，大きさと向きをもつ量のことをベクトル量といいます。力は大きさと向きをもったベクトル量です。ベクトル量は，次のような矢印で表すことができます。

向き
大きさ

　力の大きさと向きを矢印で表すと，矢印の長さが力の大きさ，矢印の向きが力の向きになります。また，矢印の始点は力が作用する点を表し，作用点といいます。
　大きさ，向き，作用点をまとめて，力の三要素といいます。

覚える　力の三要素 ｛ ①大きさ ②向き ③作用点

作用点
向き
大きさ

# ③ 力の合成

ひとつの物体に複数の力が作用すると，それらの力は合成され，ひとつの力が作用したのと同じ結果になります。合成された力を合力といいます。

ベクトルによる力の合成方法を覚えておきましょう。

### ◆平行四辺形を描く方法

2つの力 $F_1$，$F_2$ の合力は，次のように作図で求められます。

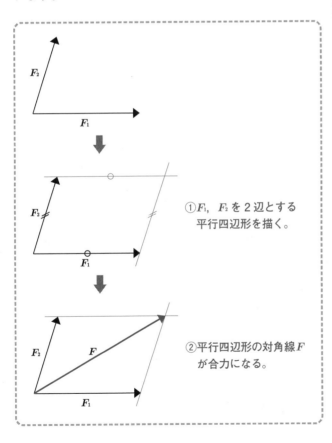

①$F_1$，$F_2$ を2辺とする平行四辺形を描く。

②平行四辺形の対角線 $F$ が合力になる。

◆ 「力の三角形」による方法

ベクトルは，位置をずらしても大きさと向きが変わりません。これを利用して，次のように合力を求めることもできます。

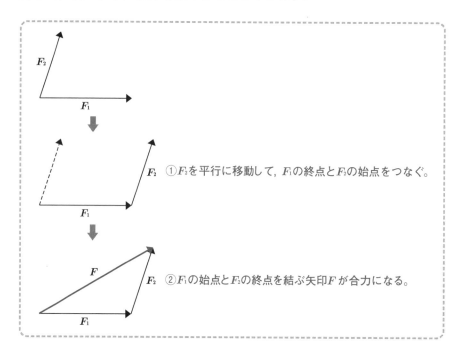

①F₂を平行に移動して，$F_1$の終点と$F_2$の始点をつなぐ。

②$F_1$の始点と$F_2$の終点を結ぶ矢印 $F$ が合力になる。

# ④ 力の分解

合成とは逆に，ひとつの力を複数に分解することもできます。分解してできる力を**分力**といいます。

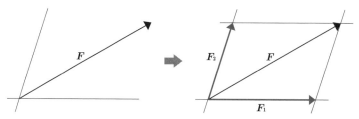

元の力を対角線とする平行四辺形を描くと，始点が同じ 2 辺が分力になる。

3

「力」について

**例題** 図のような2つの力 $F_1$, $F_2$ の合力 $F_3$ の大きさとして，正しいものは次のうちどれか。

(1) 25N

(2) 50N

(3) 70.7N

(4) 86.6N

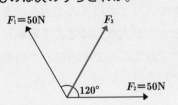

**解説** $F_1$, $F_2$, $F_3$ は，右図のように正三角形で表されます。したがって合力 $F_3$ の大きさは $F_1$, $F_2$ と等しく，50Nになります。

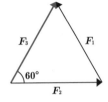

**解答** (2)

≡補足≡

**力の多角形**

3つ以上の力を合成する場合は「力の三角形」と同様に，各ベクトルを平行に移動して終点と始点を結んでいき，最初のベクトルの始点と最後のベクトルの終点を結ぶ多角形を作れば，合力が得られます。

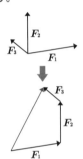

# 5 つり合う力

1つの物体に2つの力が働いているのに，物体が静止している状態のとき，2つの力はつり合っていると考えることができます。

2つの力がつり合っているときには，次の3つの条件が成り立ちます。

---

① 2つの力の大きさが同じ

② 2つの力の向きが正反対

③ 作用線が同一線上にある

---

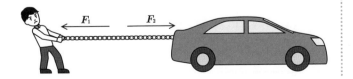

# ⑥ 力のモーメント

図のように，ナットをスパナではさんで力を加えると，ナットが回転します。ナットは，加える力が大きいほどよく回転します。また，スパナの柄が長いほど小さい力で回すことでき，スパナの柄が短いほど，大きな力が必要になります。

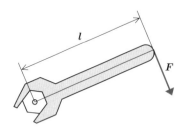

回転の大きさは，スパナに加える力 $F$ と，スパナの長さ $l$ に比例する。

ナットを回転させる能力の大きさ $M$ を，$Fl$ で表します。このように，物体を回転させる能力の大きさのことを，力のモーメントといいます。

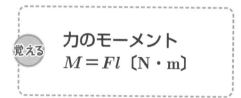

覚える

**力のモーメント**
$$M = Fl \ \text{(N·m)}$$

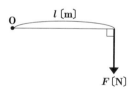

力のモーメントの単位には，〔N・m〕や〔N・cm〕が用いられます。

---

**例題** 柄の長さ 50cm のパイプレンチによって，丸棒の中心から30cm のところに 10N の力を加えたときのモーメントとして，正しいものは次のうちどれか。

(1) 3 N・m　　　(2) 5 N・m

(3) 30 N・m　　(4) 50 N・m

---

**解 説** 柄の長さではなく，中心から力の働く点までの距離を測ります。力のモーメント $M = Fl$〔N・m〕より，10〔N〕× 0.3〔m〕= 3〔N・m〕。単位を揃えるのを忘れないようにしましょう。

**解 答** (1)

# 7 平行力のつり合い

図のように，2つの同じ向きの力 $F_1$, $F_2$ が，棒の両端にかかっている場合を考えます。

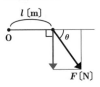

2つの力の合力 $F$ は，$F_1 + F_2$ で求められます。また，合力 $F$ の作用点を O とし，AO，BO 間をそれぞれ $l_1$, $l_2$ とすると，次の式が成り立ちます。

$$F_1 \times l_1 = F_2 \times l_2$$

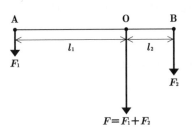

$F_1 \times l_1$ は，O を支点とした左回りのモーメントを表します。これが，右回りのモーメント $F_2 \times l_2$ とつり合う点が，合力 $F$ の作用点になります。

**例　題**　図のように，棒のc点に400Nの力が加わっているとき，棒を水平に保つためには $F_a$ と $F_b$ の値をそれぞれいくらにすればよいか。

| | $F_a$ | $F_b$ |
|---|---|---|
| (1) | 100N | 300N |
| (2) | 150N | 250N |
| (3) | 250N | 150N |
| (4) | 300N | 100N |

**解　説**　a点を基準に考えると，400Nの力は右回りのモーメントが生じる力に，$F_b$ は左回りのモーメントが生じる力になっています。棒を水平に保つために両者はつり合っている必要があるので，次の式が成り立ちます。

$$F_b \times 16 = 400 \times 12$$
$$\rightarrow \quad F_b = 400 \times 12 \div 16 = 300 \text{（N）}$$

　今度はb点を基準に考えると，400Nの力は左回りのモーメントが生じる力になり，$F_a$ は右回りのモーメントが生じる力になっています。両者はつり合っている必要があるので，次の式が成り立ちます。

$$F_a \times 16 = 400 \times 4$$
$$\rightarrow \quad F_a = 400 \times 4 \div 16 = 100 \text{（N）}$$

　$F_a$ と $F_b$ の和は 100 ＋ 300 ＝ 400N となり，c点の力とつり合っていることがわかります。

**解　答**　(1)

# 運動と仕事

「力」について

## 1 速度

速度とは，物体が単位時間に移動した距離のことです。$t$ 秒間に $S$ 〔m〕移動する物体の速度 $v$ は，次のように表せます。

$$v = \frac{S}{t} \ \text{〔m/s〕}$$

物体の運動を考える場合には，速度を大きさ（速さ）と向きをもったベクトル量として考えます。

≡補足≡

時速1km
$= \dfrac{1000}{3600}$〔m/s〕

## 2 加速度

単位時間当たりの速度の変化量を，加速度といいます。物体の速度が，$t$ 秒間に $v_0$〔m/s〕から $v_1$〔m/s〕に変化した場合，加速度 $\alpha$ は，次のように表せます。

$$\alpha = \frac{v_1 - v_0}{t} \ \text{〔m/s}^2\text{〕}$$

速度と同様に，加速度も大きさと向きをもったベクトル量です。

≡補足≡

加速度の単位〔m/s²〕はメートル毎秒毎秒と読みます。

## 3 等加速度運動

加速度が常に一定の物体の運動を，等加速度運動といいます。

初速が $v_0$〔m/s〕，加速度 $\alpha$〔m/s²〕の等加速度運動

の $t$ 秒後の速度 $v$ は，$v_0 + \alpha t$ 〔m/s〕です。横軸に時間，縦軸に速度をとったグラフで表すと，この等加速度運動は次のような直線のグラフになります。

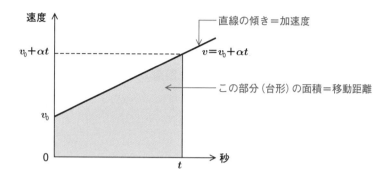

　図の色網部分の面積は，物体の $t$ 秒後の移動距離を表しています。この部分は台形なので，次のように面積を計算できます。

$$(v_0 + v_0 + \alpha t) \times t \times \frac{1}{2} = v_0 t + \frac{1}{2}\alpha t^2 \text{〔m〕}$$

**初速 $v_0$ 〔m/s〕，加速度 $\alpha$ 〔m/s²〕の等加速度運動の $t$ 秒後の移動距離 $S$**

覚える
$$S = v_0 t + \frac{1}{2}\alpha t^2 \text{〔m〕}$$

## ④ 自由落下運動

　物体を地面に落とすと，物体は重力によってだんだん速度を増しながら落下していきます。このときの加速度を重力加速度といいます。重力加速度は地表近くでは一定と考えてよく，$g = 9.8$ 〔m/s²〕です。
　静止状態の物体が落下した場合の $t$ 秒後の速度は $gt$ 〔m/s〕，また，落下してから $t$ 秒後の落下距離は $\frac{1}{2}gt^2$ 〔m〕になります。

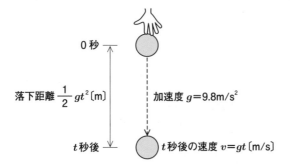

0秒

落下距離 $\dfrac{1}{2}gt^2$〔m〕

加速度 $g=9.8\,\mathrm{m/s^2}$

$t$秒後

$t$秒後の速度 $v=gt$〔m/s〕

**補足**

**台形の面積**
面積＝(上底＋下底)×高さ÷2

**補足**

**静止状態からの等加速度運動**
初速が0の場合の等加速度運動は，次のようなグラフになります。

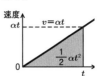

---

**例　題**　高さ122.5mのビルの上から小石を落とした。地面に到達するまでの時間として正しいのは次のうちどれか。ただし，空気抵抗は考えないものとする。

(1) 2秒　　(2) 3秒　　(3) 4秒　　(4) 5秒

---

**解　説**　落下距離 $h=\dfrac{1}{2}gt^2$ より，

$$122.5=\dfrac{1}{2}\times 9.8\times t^2 \;\rightarrow\; t^2=122.5\times 2\div 9.8=25$$

$$\therefore\; t=5\,\text{〔秒〕}$$

**解　答**　(4)

---

## ⑤ 物体を投げ上げる場合

　物体を上空に向かって投げ上げると，物体の運動には $-g$〔$\mathrm{m/s^2}$〕の加速度がつき，速度がゼロになったところが最大の高さになります。投げ上げたときの初速を $v_0$ とすれば，$t$ 秒後の速度は $v_0-gt$ になります。物体が最高点に達したとき，$v_0-gt=0$ が成り立つので，

$$v_0-gt=0 \quad \therefore\; t=\dfrac{v_0}{g}\,\text{〔s〕}$$

となります。

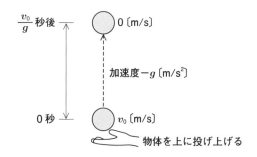

$\dfrac{v_0}{g}$ 秒後 ─ ◯ 0〔m/s〕

加速度 $-g$〔m/s²〕

0秒 ─ ◯ $v_0$〔m/s〕

物体を上に投げ上げる

---

**例 題** ボールを98m/sの速度で上空に投げ上げたとき，最高の高さになるまでの時間として正しいのは次のうちどれか。ただし，空気抵抗は考えないものとする。

(1) 5秒    (2) 10秒    (3) 15秒    (4) 20秒

---

**解 説** 初速98m/sで投げ上げたボールの $t$ 秒後の速度は，$98 - 9.8t$ です。最高点に達したときの速度はゼロなので，$98 - 9.8t = 0$ が成り立ちます。したがって，

$t = 98 \div 9.8 = 10$〔秒〕

となります。

**解 答** (2)

# 6 運動の法則

物体の運動に関する法則には，ニュートンの発見した第1から第3までの3つの法則がよく知られています。一般に「運動の法則」といえば，第2法則のことをいいます。

①慣性の法則（運動の第1法則）

物体は，外から何らかの力が働かない限り，現在の状態を保とうとする

性質があります。静止している物体は静止し続けよう
とし，運動している物体は運動し続けようとします。
このような性質を慣性といいます。

②運動の法則（運動の第 2 法則）

　物体にある力が働くと，その力の方向に加速度が生
じ，その物体の運動状態が変化します。質量 $m$〔kg〕
の物体に，加速度 $\alpha$〔m/s²〕を生じさせる力の大きさ
を $F$〔N〕とすると，次のような式が成り立ちます。

 $F = m\alpha$ 〔N〕

③作用・反作用の法則（運動の第 3 法則）

　固定された壁に力 $F$ をかけて押しても，壁が動か
ない場合には，壁から力 $F$ と同じ大きさ・同じ作用
線で，向きが反対の力が働いていると考えます。これ
を「作用・反作用の法則」といいます。41 ページで
説明した机の上のマグカップが静止しているのも，作
用・反作用の法則によるものです。

## 7 摩擦力

　水平面に置いた静止している物体に力を加えると，
その物体が移動をはじめます。「運動の法則」によれば，
ほんのわずかな力でも移動するはずですが，実際には
ある程度の力でなければ動きません。また，「慣性の
法則」どおりそのままずっと移動し続けるわけでもな
く，しばらくすると静止状態に戻ります。

　これは，水平面と物体の接触面に，動かす力とは反

**≡補足≡**

1kg の物体に働く重
力は，「運動の法則」
により，1 × 9.8 ＝
9.8〔N〕となります。

3

「力」について

対向きの力が働いているためです。この力を摩擦力といいます。

　物体に加える力が小さい場合には，その力と反対向きの摩擦力が働き，物体は静止したままです。加える力をだんだん大きくしていって，物体が滑り出すときの摩擦力を最大摩擦力といいます。このときに必要な力を $F$ とすると，次の式が成り立ちます。

覚える　$F = \mu N \ \text{(N)}$

接触面に垂直にかかる力 $N$ 〔N〕

　$\mu$ は摩擦係数といい，接触面によって決まります。接触面がざらざらしていれば摩擦係数は大きく，つるつるしていれば摩擦係数は小さくなります。

**例題**　重量60Nの物体に，24Nの力を加えたら動きはじめた。この物体の摩擦係数として，正しいのは次のうちどれか。
(1) 0.3　　　(2) 0.4　　　(3) 0.5　　　(4) 0.6

**解 説**　最大摩擦力が24Nなので，$F = \mu N$ より，

$24 = \mu \times 60$　∴摩擦係数 $\mu = 24 \div 60 = 0.4$

**解 答**　(2)

# ⑧ 仕事

　ここでいう「仕事」とは，物体に力を加えて，その物体を動かすことをいいます。加えた力を $F$ 〔N〕，動かした距離を $S$ 〔m〕とすると，この仕事の大きさ（仕事量）$W$ は，次のように表せます。

$W = FS$ 〔J〕または〔N・m〕

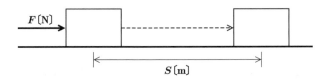

仕事量の単位には〔N・m（ニュートンメートル）〕や〔J（ジュール）〕を用います。1〔N・m〕= 1〔J〕です。

## 9 動力（仕事率）

単位時間当たりの仕事量を動力または仕事率といいます。$t$秒間に$W$〔J〕の仕事をした場合の動力$P$は、次のように表せます。

 $P = \dfrac{W}{t}$ 〔W〕または〔J/s〕

動力の単位には、〔J/s（ジュール毎秒）〕や〔W（ワット）〕を用います。

**例題** 重量48Nの物体を、3秒間に5m引き上げるのに必要な動力として、正しいのは次のうちどれか。

(1) 32W (2) 45W (3) 80W (4) 288W

**解説** 動力は、単位時間当たりの仕事量で求めます。

### 補足
**斜面の摩擦係数**
下図のように、重量$W$〔N〕の物体を角度$\theta$の斜面に置いたときの最大摩擦力は、$W$を斜面と平行な力$F$と斜面に垂直な力$N$とに分解したとき、$F = \mu N$で表すことができます。また、
$F = W \times \sin\theta$,
$N = W \times \cos\theta$より、
$\mu = \dfrac{W \times \sin\theta}{W \times \cos\theta}$
$= \tan\theta$
となります。

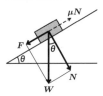

### 補足
電力の単位である〔W（ワット）〕も、動力と同じように、1秒間に1Jの仕事をする電力を表します。

$$P = \frac{W}{t} = \frac{FS}{t} = \frac{48 \times 5}{3} = 80 \text{〔W〕}$$

解 答 (3)

# ⑩ 滑車

　滑車には，天井に固定されている定滑車（ていかっしゃ）と，糸を引くと移動する動滑車（どうかっしゃ）があります。

　定滑車を使うと，糸を引く下向きの力で，物体を上に持ち上げることができます。重量 $W$ 〔N〕の物体を持ち上げるには，$W$ 〔N〕の力が必要です。

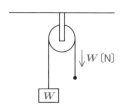

　動滑車は，下図のように定滑車と組み合わせて使います。動滑車の場合は，1個の物体を2本の糸で支えることになるため，1本の糸にかかる力は重量 $W$ 〔N〕の1／2で済みます。

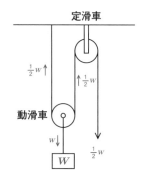

　複数の動滑車を組み合わせて，引く力をさらに小さくすることもできます。

**56**

引く力は，動滑車を1個増やすごとに半分になります。動滑車の数を $n$ とすれば，重量 $W$ 〔N〕の物体を引く力 $F$ 〔N〕は，次のように表せます。

覚える $$F = \frac{W}{2^n} \text{〔N〕}$$

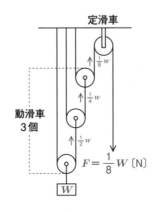

---

**例題** 図のような滑車で，重量1200〔N〕の物体を持ち上げるのに必要な力 $F$ の値として，正しいものは次のうちどれか。

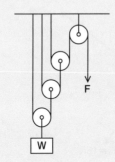

(1) 150N    (2) 300N

(3) 600N    (4) 1200N

---

**解説** 3個の動滑車があるので，$F = W / 2^n$ より，

$$F = \frac{1200}{2^3} = 150 \text{〔N〕}$$

**解答** (1)

# チャレンジ問題

［解説］65 ページ　［解答一覧］72 ページ

## 問1　　　　　　　　　　　　　　　　難　中　易

力の三要素として，誤っているものは次のうちどれか。

(1) 力の大きさ

(2) 力の方向

(3) 力の作用する時間

(4) 力の作用点

## 問2　　　　　　　　　　　　　　　　難　中　易

図のように，物体を2つの力 $F_1$, $F_2$ で引っ張っている。$F_1 = 15\text{N}$, $F_2 = 20\text{N}$ のとき，2つの力の合力 $F$ の大きさとして正しいものは次のうちどれか。

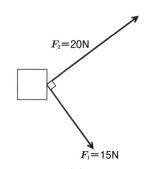

(1) 25N　　　(2) 30N　　　(3) 35N　　　(4) 40N

### 問3

| 難 | 中 | 易 |

図のように，2つの力 $F_1$，$F_2$ が同時に作用したときの合力の大きさとして，正しいものは次のうちどれか。

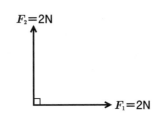

(1) $\sqrt{2}$ N　　　(2) $\sqrt{3}$ N　　　(3) 2N　　　(4) $2\sqrt{2}$ N

### 問4

| 難 | 中 | 易 |

2つの力がつり合うための条件の組合せとして，正しいものは次のうちどれか。

(1) 作用する時間が等しい，方向が等しい，作用線が同一線上にある
(2) 大きさが等しい，方向が等しい，作用点が等しい
(3) 作用する時間が等しい，方向が正反対である，作用点が等しい
(4) 大きさが等しい，方向が正反対である，作用線が同一線上にある

### 問5

| 難 | 中 | 易 |

図のように，回転軸 O から40cmの点 A に，300N の力を OA と直角に加えたときのモーメントの値として，正しいのは次のうちどれか。

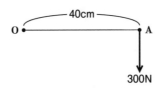

(1) 60N・m　　　(2) 120N・m　　　(3) 600N・m　　　(4) 1200N・m

　長さ2mの片持ちばりの先端に，500Nの荷重が加えられたときのモーメントの値として，正しいものは次のうちどれか。

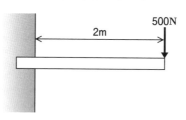

(1) 100N・m　　(2) 500N・m　　(3) 1000N・m　　(4) 1500N・m

　柄の長さ50cmのスパナを使って，ボルトを40N・mに締め付けるには，何Nの力をスパナに加えればよいか。ただし，ボルトの中心から40cmの部分に力を加えるものとする。

(1) 50N　　　　(2) 60N　　　　(3) 100N　　　　(4) 160N

　両端支持ばりに，200Nと300Nの集中荷重が図のように働いているとき，反力 $R_a$，$R_b$ の値の組合せとして正しいものは次のうちどれか。

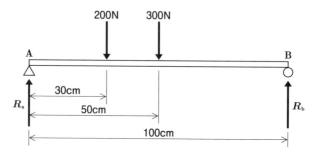

|  | $R_\text{a}$ | $R_\text{b}$ |
|---|---|---|
| (1) | 300N | 200N |
| (2) | 290N | 210N |
| (3) | 250N | 250N |
| (4) | 200N | 300N |

**問9**　　　　　　　　　　　　　　　　　　　　難　中　**易**

$S$〔m〕を$t$〔分〕で移動した場合の速度$v$〔m/s〕を表す式として，正しいものは次のうちどれか。

$$(1)\ v=\frac{S}{t} \qquad (2)\ v=\frac{60S}{t} \qquad (3)\ v=\frac{S}{60t} \qquad (4)\ v=\frac{St}{60}$$

**問10**　　　　　　　　　　　　　　　　　　　　難　中　**易**

静止していた自動車が，4秒後に時速72kmに達した。この自動車の加速度と移動した距離の組合せとして，正しいのは次のうちどれか。

|  | 加速度 | 距離 |
|---|---|---|
| (1) | 3〔m/s²〕 | 20〔m〕 |
| (2) | 4〔m/s²〕 | 30〔m〕 |
| (3) | 5〔m/s²〕 | 40〔m〕 |
| (4) | 6〔m/s²〕 | 50〔m〕 |

**問11**　　　　　　　　　　　　　　　　　　　　難　中　**易**

静止状態の物体が自由落下をはじめると，3秒後に速度は何〔m/s〕になるか。ただし，空気抵抗は考えないものとする。

(1) 14.7m/s

(2) 19.6m/s

(3) 29.4m/s

(4) 39.2m/s

## 問12

難　中　易

ボールを49m/sの速度で上空に投げ上げると，ボールは最高で何〔m〕の高さに達するか。ただし，空気抵抗は考えないものとする。

(1) 49.0m

(2) 73.5m

(3) 98.0m

(4) 122.5m

## 問13

難　中　易

運動の法則について，次のうち誤っているものはどれか。

(1) 物体に力を加えると，力と同じ方向に加速度が生じる。

(2) 物体の質量が大きいほど，物体が得る加速度も大きい。

(3) 物体が得る加速度の大きさは，物体が受ける力の大きさに比例する。

(4) 質量$m$の物体に力$F$を加えたときの加速度$\alpha$は，$\alpha = F / m$という式で表すことができる。

## 問14

難　中　易

重量1000Nの物体が，水平な床の上に置かれている。この物体を動かすのに必要な力は最小で何〔N〕か。ただし，床面の摩擦係数を0.6とする。

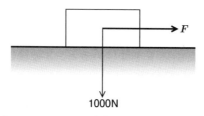

(1) 600N　　　(2) 800N　　　(3) 1000N　　　(4) 1200N

## 問15

難 | 中 | 易

水平な板の上に重量100Nの物体を置き，板を徐々に傾けたところ，角度が30°になったところで物体が滑りはじめた。接触面の摩擦係数の値として，最も近いものは次のうちどれか。ただし，sin30° = 0.5，cos30° = 0.87，tan30° = 0.58とする。

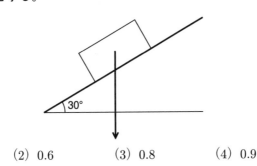

(1)  0.5          (2)  0.6          (3)  0.8          (4)  0.9

## 問16

難 | 中 | 易

物体に力 $F$〔N〕が働き，その力の方向に物体が $S$〔m〕だけ移動したとき，$F \times S$で表されるものとして，正しいものは次のうちどれか。

(1)  仕事量
(2)  仕事率
(3)  モーメント
(4)  荷重

## 問17

難 | 中 | 易

重量100Nの物体を，5秒間で2m引き上げるのに必要な動力の値として，正しいものは次のうちどれか。

(1)  10W
(2)  40W
(3)  50W
(4)  80W

図のような滑車を使って，重量 400N の物体を持ち上げるのに必要な力
$F$ の値として，正しいものは次のうちどれか。

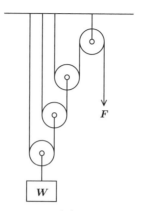

(1) 50N     (2) 100N     (3) 200N     (4) 400N

# 解　説

**問1**　力の三要素とは，①力の大きさ，②力の方向，③力の作用点の3つをいいます。

解答（3）　参照42ページ

**問2**　$F_1$，$F_2$の合力は，下図のような直角三角形の一辺になります。ピタゴラスの定理により，$F^2 = F_1{}^2 + F_2{}^2$ が成り立つので，

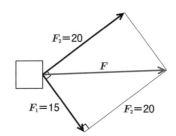

$$F^2 = 15^2 + 20^2 = 225 + 400 = 625 = 25^2$$

$$\therefore F = 25 〔N〕$$

解答（1）　参照43ページ

【ピタゴラスの定理】

　直角三角形の斜辺の2乗は，他の二辺の2乗の和に等しい。

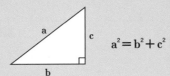

$$a^2 = b^2 + c^2$$

**問3** $F_1$, $F_2$ の合力は，図のような直角二等辺三角形の一辺になります。ピタゴラスの定理により，

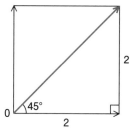

$$F^2 = 2^2 + 2^2 = 4 + 4 = 8$$
$$\therefore F = \sqrt{8} = 2\sqrt{2} \ \text{〔N〕}$$

解答（4）　参照 43 ページ

---

直角三角形の各辺の比を覚えておくと便利です。

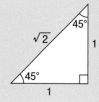
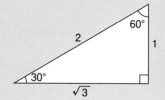

**問4** 2つの力がつり合うには，①力の大きさが等しい，②方向が正反対である，③作用線が同一線上にある，ことが条件になります。作用点は，かならずしも同一である必要がありません。

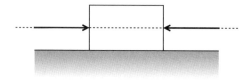

解答（4）　参照 45 ページ

**問5** 力のモーメント $M = F \times l$ 〔N・m〕より,

$$M = 300 \times 0.4 = 120 \ \text{〔N・m〕}$$

となります。

解答（2）　参照 46 ページ

**問6** モーメント $M = F \times l$ 〔N・m〕より,

$$M = 500 \times 2 = 1000 \ \text{〔N・m〕}$$

となります。

解答（3）　参照 46 ページ

**問7** 力のモーメント $M = F \times l$ より,次の式が成り立ちます。

$$40 \ \text{〔N・m〕} = F \ \text{〔N〕} \times 0.4 \ \text{〔m〕} \quad \therefore F = 40 \div 0.4 = 100 \ \text{〔N〕}$$

となります。

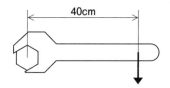

40cm

解答（3）　参照 46 ページ

**問8** 次ページの図の通り,はりのA点を支点とすると,200Nと300Nの荷重は右回りのモーメント,反力 $R_b$ は左回りのモーメントとなります。それぞれのモーメントの大きさは,次のようになります。

右回りのモーメント　$200 \times 0.3 + 300 \times 0.5 = 60 + 150 = 210$ 〔N・m〕
左回りのモーメント　$R_b \times 1.0 = R_b$ 〔N・m〕

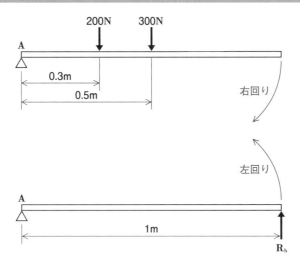

　はりが静止している場合，右回りのモーメントと左回りのモーメントはつり合っているので，右回りのモーメント210〔N·m〕と，左回りのモーメント$R_b$〔N·m〕は等しくなります。したがって，$R_b = 210$〔N〕となります。

　また，2つの荷重200Nと300Nの合計は，反力$R_a$，$R_b$の合計に等しいので，

$$R_a + R_b = 200 + 300 = 500$$

$$\therefore R_a = 500 - R_b = 500 - 210 = 290 \text{〔N〕}$$

となります。

解答（2）　参照 48 ページ

**問9**　　速度は距離÷時間で求めます。設問の場合，時間 $t$ の単位が〔分〕，速度 $v$ の単位が〔m/s〕（毎秒）になっているので，時間 $t$ を〔秒〕に変換する必要があります。$t$〔分〕$= 60t$〔秒〕なので，

$$v = \frac{S}{t} \text{〔m/分〕} = \frac{S}{60t} \text{〔m/s〕}$$

となります。

解答（3）　参照 49 ページ

**問10** 時速 72km は，1 時間に 72km（＝ 72000m）を移動する速さです。1 時間は 60 × 60 ＝ 3600 秒なので，1 秒間では 72000 ÷ 3600 ＝ 20m 移動します。

$$72 \text{〔km/ 時〕} = 20 \text{〔m/s〕}$$

加速度は単位時間当たりの速度の変化量なので，次のように計算できます。

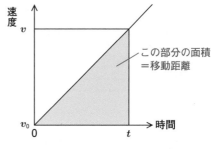

この部分の面積＝移動距離

$$\alpha = \frac{\Delta v}{t} = \frac{20-0}{4} = 5 \text{〔m/s}^2\text{〕}$$

また，移動した距離は次のように求められます。

$$S = v_0 t + \frac{1}{2} vt = 0 + \frac{1}{2} \times 20 \times 4 = 40 \text{〔m〕}$$

解答（3）　参照 49 ページ

**問11** 速度は $v = gt$ で求められます。重力加速度 $g = 9.8$ 〔m/s$^2$〕なので，3 秒後の速度は，

$$v = 9.8 \times 3 = 29.4 \text{〔m/s〕}$$

となります。

解答（3）　参照 50 ページ

**問12** ボールが最高点に達するとき，速度は 0 になります。初速 $v_0$，重力加速度 $g$，ボールが最高点に達する時間を $t$〔秒〕とすれば，

$$v_0 - gt = 0$$

が成り立ちます。この式に $v_0 = 49$〔m/s〕，重力加速度 $g = 9.8$〔m/s$^2$〕を代入すると，

$$49 - 9.8t = 0 \quad \therefore t = 5 \text{〔秒〕}$$

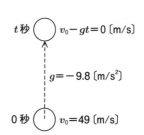

となります。速度と時間の関係をグラフで表すと右図のようになります。色網の部分の面積が移動距離となるので，

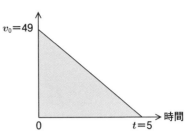

$$S=\frac{1}{2}v_0t=\frac{1}{2}\times 49\times 5=122.5\,\text{(m)}$$

となります。

解答（4）　参照 51 ページ

**問13**　ニュートンが発見した運動の法則には第 1 法則から第 3 法則までありますが，一般に「運動の法則」という場合は第 2 法則のことを指します。運動の第 2 法則は，次のような法則です。

・**物体に外部から力を加えると，その力の方向に加速度が生じる。**
・**加速度の大きさは力の大きさに比例し，物体の質量に反比例する。**

　物体の質量を $m$，力を $F$ とすると，加速度 $\alpha$ は，$\alpha = F/m$ という式で表せます。この式から，質量 $m$ が大きいほど，加速度 $\alpha$ は小さくなります。したがって（2）が誤りです。

解答（2）　参照 52 ページ

**問14**　物体の重量を $W$〔N〕，摩擦係数を $\mu$ とすると，最大摩擦力 $F$ は $F = \mu W$ で表せます。$W = 1000$，$\mu = 0.6$ とすれば，最大摩擦力は，

$$F = 1000 \times 0.6 = 600\,\text{(N)}$$

となります。すなわち，600N の力を加えれば，この物体は動き出します。

解答（1）　参照 54 ページ

**問15**　斜面に置いた物体の重量 $W$ を，斜面に平行な力 $F$ と，斜面に垂直な力 $N$ とに分解します。力 $F$ は物体が斜面を滑り落ちる方向に作用し，力 $N$ は物体が接触面とくっつく方向に作用します。

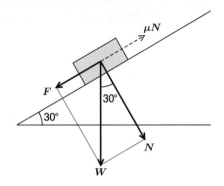

斜面の角度を $\theta$ とすると，力 $F$ と力 $N$ は，それぞれ次のように表せます。

$$F = W \times \sin\theta$$
$$N = W \times \cos\theta$$

また，斜面の最大摩擦力は，$\mu \times N$（$\mu$ は摩擦係数）で表すことができます。力 $F$ がこの値と等しいとき，物体は滑り出しますから，

$$F = \mu N$$

が成り立ちます。したがって，

$$W \times \sin\theta = \mu \times W \times \cos\theta \quad \therefore \mu = \frac{\sin\theta}{\cos\theta} = \tan\theta$$

このように，物体の重量にかかわらず，摩擦係数＝ $\tan\theta$ となります。したがって，物体が角度 30°で滑りはじめた場合の摩擦係数は，$\tan 30° = 0.58$ です。選択肢の中では (2) の 0.6 が最も近い値になります。

解答（2） 参照 54 ページ

**問16** 物体に力 $F$〔N〕が働き，その力の方向に物体が $S$〔m〕だけ移動したとき，力 $F$ は物体に対して仕事をしたといいます。仕事の大きさ（仕事量）は，$W = F \times S$〔N・m〕で表します。

解答（1） 参照 54 ページ

**問17** 単位時間当たりの仕事量を動力（仕事率）といいます。

$$P = \frac{W}{t} = \frac{FS}{t} = \frac{100 \times 2}{5} = 40 \, \text{(W)}$$

解答（2）　参照 55 ページ

**問18** 必要な力は動滑車 1 個につき重量の半分になります。設問では動滑車が 3 個あるので，必要な力 $F$ は，

動滑車が 3 個

$$F = 400 \times \boxed{\frac{1}{2} \times \frac{1}{2} \times \frac{1}{2}} = \frac{400}{8} = 50 \, \text{(N)}$$

となります。

解答（1）　参照 57 ページ

# 解 答

| | | | | | | | |
|---|---|---|---|---|---|---|---|
| 問1 | (3) | 問6 | (3) | 問11 | (3) | 問16 | (1) |
| 問2 | (1) | 問7 | (3) | 問12 | (4) | 問17 | (2) |
| 問3 | (4) | 問8 | (2) | 問13 | (2) | 問18 | (1) |
| 問4 | (4) | 問9 | (3) | 問14 | (1) | | |
| 問5 | (2) | 問10 | (3) | 問15 | (2) | | |

# 第 2 章

# 電気に関する
# 基礎知識

1　電気回路の計算 ……………………… 74
2　電気計測 ………………………………… 114
3　電気材料・電気機器 ………………… 128

# 電気回路の計算

## まとめ & 丸暗記

- [ ] オームの法則　$V = RI \, [\mathrm{V}]$　$I = \dfrac{V}{R} \, [\mathrm{A}]$　$R = \dfrac{V}{I} \, [\Omega]$

- [ ] 直列回路の合成抵抗　$R = R_1 + R_2 + R_3 \, [\Omega]$

- [ ] 並列回路の合成抵抗　$R = \dfrac{1}{\dfrac{1}{R_1} + \dfrac{1}{R_2} + \dfrac{1}{R_3}} \, [\Omega]$

- [ ] 和分の積　$\dfrac{R_1 R_2}{R_1 + R_2}$

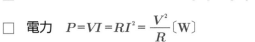

- [ ] ブリッジ回路の平衡条件　$R_1 R_4 = R_2 R_3$

- [ ] 電力　$P = VI = RI^2 = \dfrac{V^2}{R} \, [\mathrm{W}]$

- [ ] 直列回路の合成静電容量　$C = \dfrac{1}{\dfrac{1}{C_1} + \dfrac{1}{C_2} + \dfrac{1}{C_3}} \, [\mathrm{F}]$

- [ ] 並列回路の合成静電容量
  $C = C_1 + C_2 + C_3 \, [\mathrm{F}]$

- [ ] 交流回路の瞬時値
  $e = E_m \sin(\omega t \pm \theta) \, [\mathrm{V}]$

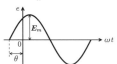

- [ ] RLC 回路の合成インピーダンス
  $Z = \sqrt{R^2 + (X_L - X_C)^2} \, [\Omega]$

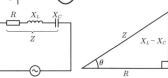

- [ ] 交流回路の電力　$P = VI \cos\theta \, [\mathrm{W}]$　力率 $\cos\theta = \dfrac{R}{Z}$

# オームの法則

## ① 電流と電圧の関係

　乾電池と豆電球を図のように電線でつなぐと，電線の中を目に見えない「何か」が流れて，豆電球が点灯します。この何かを電流といいます。

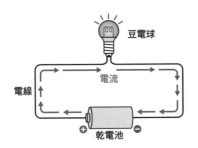

　電流が流れるには，電気の流れを作り出すポンプのような装置が必要です。上の回路で，このポンプの役割を果たしているのは乾電池です。

　ポンプの圧力が弱ければ，電流はちょろちょろとしか流れません。逆にポンプの圧力が強ければ大量の電流が流れます。このポンプの圧力に相当するものを，電圧といいます。

乾電池が生み出す電圧によって電線に電流が流れ，豆電球が点灯する。

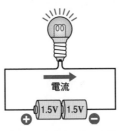

電圧を大きくすると，より多くの電流が流れ，豆電球はより明るく点灯する。

≡補足≡

**電流の方向**
電流は，プラスからマイナスに向かって流れると定義されています。

≡補足≡

**電位差**
電圧は，2点間の電気的な位置（電位）の差によって生じます。電位の高いほうがプラス，低いほうがマイナスとなり，両者の電位の差（電位差）が電圧となります。乾電池は，プラス極とマイナス極の間に化学反応によって電位差を作り出しています。

電流の単位はアンペア（単位記号〔A〕），電圧の単位はボルト（単位記号〔V〕）で表します。

## ② オームの法則

電気回路では，電流は電圧の大きさに比例して大きくなります。このことは，次のような式で表すことができます。

$$V = RI$$

記号 $V$ は電圧，記号 $I$ は電流を表します。また，記号 $R$ は「電流の流れにくさ」を表し，抵抗といいます。抵抗の値はオーム（単位記号〔Ω〕）という単位を使って表します。電圧が電流の流れを生み出すのに対し，抵抗は電流の流れをさまたげる働きをします。抵抗が大きいほど，電流の流れは小さくなります。つまり，電流は抵抗の大きさに反比例します。

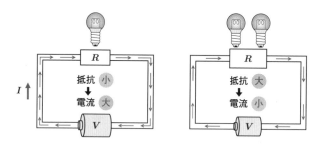

電圧と電流，抵抗のこのような関係は，ドイツの物理学者オームの名前にちなんで，オームの法則と呼ばれます。

覚える　　$V = RI$ 〔V〕

$V$：電圧〔V〕　$R$：抵抗〔Ω〕　$I$：電流〔A〕

この式は，次のような変形でもよく用いられます。どの形でも使えるように覚えておいてください。

$$I = \frac{V}{R} \; \text{(A)} \qquad\qquad R = \frac{V}{I} \; \text{(Ω)}$$

**例 題** 図のような回路において，電源の電圧が 1.5 〔V〕 のとき，0.5 〔A〕 の電流が流れた。抵抗 $R$ の値として，正しいものは次のうちどれか。

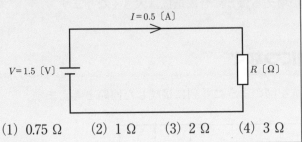

(1) 0.75 Ω　　(2) 1 Ω　　(3) 2 Ω　　(4) 3 Ω

**解 説** オームの法則 $V = RI$ より，1.5 ＝ $R$ × 0.5。 したがって，$R = 1.5 \div 0.5 = 3$ 〔Ω〕

**解 答** (4)

## ③ 抵抗を直列につなぐ

図のように，複数の抵抗を一列に接続した回路を考えます。

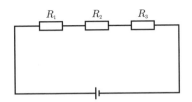

直列につながった抵抗は，長く伸びた1本の抵抗のようなものです。長さが伸びるほど，抵抗の値は大きくなります。

≡補足≡

**オームの法則の覚え方**
オームの法則は，次のような図で覚えておくと，変形も含めて簡単に覚えられます。

電圧 $V =$ 〔I R〕

電流 $I =$ 〔V / R〕

抵抗 $R =$ 〔V / I〕

≡補足≡

**回路図記号**
—⊢⊢— は直流電源を表し，長い棒がプラス，短い棒がマイナスになります。
—▭— は抵抗を表します。なお，旧式の表記法では抵抗を —〜〜— で表すことがあります。

複数の抵抗を合わせた回路全体の抵抗を，合成抵抗といいます。抵抗を直列に接続した場合の合成抵抗 $R$ は，次のように求められます。

覚える $\quad R = R_1 + R_2 + R_3 〔\Omega〕$

直列につなぐ抵抗が増えるほど，合成抵抗は大きくなります。

## ④ 抵抗を並列につなぐ

今度は，複数の抵抗を図のように並列に接続した回路を考えます。

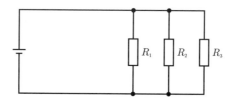

並列につながった抵抗は，太くなった 1 本の抵抗のようなものです。断面積が大きくなるほど，抵抗の値は小さくなります。

このような場合の合成抵抗は，次のように求められます。

覚える $\quad R = \dfrac{1}{\dfrac{1}{R_1} + \dfrac{1}{R_2} + \dfrac{1}{R_3}} 〔\Omega〕$

並列につなぐ抵抗が増えるほど，合成抵抗は小さくなります。

### 和分の積

2 本の抵抗を並列に接続したときの合成抵抗は，次のように変形できます。

$$R = \cfrac{1}{\cfrac{1}{R_1} + \cfrac{1}{R_2}} = \cfrac{1}{\cfrac{R_2}{R_1 R_2} + \cfrac{R_1}{R_1 R_2}} = \cfrac{1}{\cfrac{R_2 + R_1}{R_1 R_2}}$$

$$= \frac{R_1 R_2}{R_1 + R_2} \,〔\Omega〕$$

　計算にはこの式が便利です。分母が足し算（和），分子がかけ算（積）になるので，「和分の積」と覚えましょう。

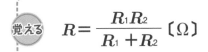

$$R = \frac{R_1 R_2}{R_1 + R_2} 〔\Omega〕$$

**2本の抵抗を並列に接続したときの合成抵抗**

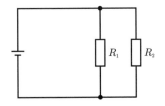

| 例 題 | 図の回路において，AB間の合成抵抗は何〔Ω〕か。 |

A ●———————————————

3Ω　　　4Ω

5Ω

B ●———————————————

(1) 0.44 Ω　　(2) 2.25 Ω

(3) 2.67 Ω　　(4) 2.92 Ω

≡補足≡

一般に導体の抵抗は，長さが長いほど大きくなります（130ページ）。そのため，直列に接続する抵抗が増えると，抵抗値は大きくなります。

≡補足≡

一般に導体の抵抗は，断面積が大きいほど小さくなります（130ページ）。そのため，並列に接続する抵抗が増えると，抵抗値は小さくなります。

≡補足≡

和分の積は，並列に接続する抵抗が2個だけのときに成り立ちます。3個以上の抵抗を並列接続した回路では，和分の積は成り立たないので注意してください。ちなみに，3個の抵抗を並列接続した場合の合成抵抗は，次のように変形できます。

$$R = \frac{R_1 R_2 R_3}{R_1 R_2 + R_2 R_3 + R_3 R_1} 〔\Omega〕$$

**解 説** 例題の回路は一見複雑そうですが，次のように変形できます。

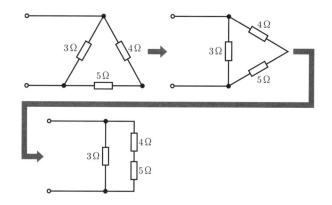

　こうすれば，**AB** 間の合成抵抗は，4 Ω と 5 Ω の抵抗を直列に接続した合成抵抗と，3 Ω の抵抗とを並列に接続したものだとわかります。

　4 Ω と 5 Ω の抵抗を直列に接続した合成抵抗は，4 ＋ 5 ＝ 9 Ω。

　**AB** 間の合成抵抗は，9 Ω の合成抵抗と 3 Ω の抵抗を並列に接続したものなので，次のようになります。

$$\frac{9 \times 3}{9 + 3} = \frac{27}{12} = \frac{9}{4} = 2.25 \ (\Omega)$$

**解 答** (2)

# 電圧と電流の分配

## 1 直列回路では電圧が分配される

　直列回路では，電気の流れは一本道です。したがって，各抵抗に同じ量の電流が流れます。

　一方，各抵抗に加わる電圧は，回路全体の電圧 $V$ を，各抵抗の比にしたがって分配したものになります。

$$V_1 = R_1 I = \frac{R_1}{R_1 + R_2} \times V \ [\mathrm{V}]$$

$$V_2 = R_2 I = \frac{R_2}{R_1 + R_2} \times V \ [\mathrm{V}]$$

$$V = V_1 + V_2 \ [\mathrm{V}]$$

## 2 並列回路では電流が分配される

　並列回路では，各抵抗に同じ電圧が等しく加わります。一方，各抵抗に流れる電流は，回路全体の電流を，抵抗の大きさの逆比にしたがって配分したものになります。並列に接続した抵抗が2つの場合は，次のようになります。

≡補足≡

左の回路図で，抵抗 $R_1$ に加わる電圧 $V_1$ は，オームの法則 $V = RI$ より，$V_1 = R_1 I$
また，$I = V / R$，
$R = R_1 + R_2$ より，

$$V_1 = R_1 I = R_1 \times \frac{V}{R}$$
$$= \frac{R_1}{R_1 + R_2} \times V$$

となります。$V_2$ についても同様です。
また，$V_1$ と $V_2$ の和を求めると，

$$V_1 + V_2 = R_1 I + R_2 I$$
$$= (R_1 + R_2) I = RI$$
$$= V$$

となるので，各抵抗に加わる電圧を合計すると，電源電圧 $V$ に等しくなることがわかります。

$$I_1 = \frac{R_2}{R_1 + R_2} \times I \ [\text{A}]$$

$$I_2 = \frac{R_1}{R_1 + R_2} \times I \ [\text{A}]$$

$$I = I_1 + I_2 \ [\text{A}]$$

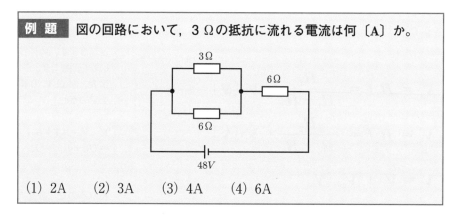

**例 題** 図の回路において，3Ωの抵抗に流れる電流は何〔A〕か。

(1) 2A    (2) 3A    (3) 4A    (4) 6A

**解 説** 回路全体の合成抵抗は，次のように求められます。

$$\frac{3 \times 6}{3 + 6} + 6 = \frac{18}{9} + 6 = 2 + 6 = 8 \ [\Omega]$$

電源電圧 $V$ が 48V，合成抵抗 $R$ が 8Ω なので，回路全体に流れる電流 $I$ は，オームの法則 $I = V / R$ より，$48 \div 8 = 6$ 〔A〕です。

3Ω の抵抗に流れる電流は，回路全体の電流 $I$ を 3Ω と 6Ω の抵抗に分配したものなので，次のように計算できます。

$$I_1 = \frac{R_2}{R_1 + R_2} \times I = \frac{6}{3 + 6} \times 6 = \frac{36}{9} = 4 \ [\text{A}]$$

**解 答** (3)

**82**

# ブリッジ回路

## 1 ブリッジの平衡条件

次のように，並列に接続した回路の間に橋をかけた
ような回路をブリッジ回路といいます。

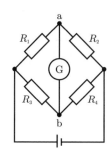

ブリッジ回路では，次の式が重要です。

 $R_1R_4 = R_2R_3$ が成り立つとき，ab 間には
電流が流れない。この状態をブリッジが
「平衡している」という。

$R_1R_4 = R_2R_3$ を，ブリッジの平衡条件といいます。

## 2 ホイートストンブリッジ

ブリッジの平衡条件を利用する
と，抵抗の値を測定することがで
きます。右の回路で，Ⓖは検流計，
⎓ は可変抵抗を表します。$R_a$，
$R_b$ は既知の抵抗，$R_x$ が測定した
い抵抗です。

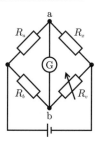

≡補足≡

ブリッジ回路の図
は，次のような形を
している場合もあり
ます。

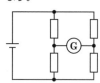

≡補足≡

**可変抵抗**
抵抗値を変えること
ができる抵抗器。

83

可変抵抗 $R_v$ の値を調整して、検流計の値がゼロになるようにします。このとき、ブリッジは平衡しているので、$R_a$, $R_b$, $R_v$, $R_x$ には、次の式が成り立ちます。

$$R_a R_v = R_b R_x \qquad \therefore \ \boldsymbol{R_x} = \frac{\boldsymbol{R_a}}{\boldsymbol{R_b}} \boldsymbol{R_v}$$

このような原理で抵抗の値を測定する回路をホイートストンブリッジといいます。

---

**例 題**　図の回路において、可変抵抗 $R_v$ の値が 12.3 Ω のとき、検流計 Ⓖ がゼロを指した。$R$ の値は何〔Ω〕か。

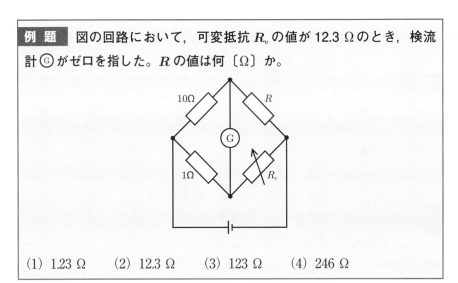

(1) 1.23 Ω　　(2) 12.3 Ω　　(3) 123 Ω　　(4) 246 Ω

---

**解 説**　$R_a = 10$ Ω、$R_b = 1$ Ω、$R_v = 12.3$ Ω のときブリッジの平衡条件が成り立つので、未知の抵抗 $R$ は次のように計算できます。

$$R = \frac{\boldsymbol{R_a}}{\boldsymbol{R_b}} \boldsymbol{R_v} = \frac{10}{1} \times 12.3 = 123 \ 〔Ω〕$$

**解 答**　(3)

# 電力と電力量

## 1 電力とは

　私たちは普段から，電気を使ってお湯を沸かしたり，コンピュータを動かしたり，音楽を聴いたりしています。これらはいずれも，電気のもつエネルギーを利用しています。電気がもつ単位時間当たりのエネルギーを，電力といいます。電力は，次のように電圧×電流で求められます。単位はワット（単位記号：〔W〕）です。

> （覚える）　$P = VI$ 〔W〕

$P$：電力〔W〕　$V$：電圧〔V〕　$I$：電流〔A〕

　上の式は，オームの法則 $V = RI$，$I = V/R$ より，次のように表すこともできます。こちらの式も覚えておいてください。

> （覚える）　$P = RI^2$ 〔W〕　　　$P = \dfrac{V^2}{R}$ 〔W〕

## 2 電力量とは

　抵抗に電流を流すと，抵抗から熱が生じます。電気ポットや電熱器は，ニクロム線という抵抗を電気で発熱させ，お湯を沸かしたり，鍋をあたためたりしているのです。

≡補足≡

$P = VI$ に $V = RI$ を代入すると，

$$P = (RI)I = RI^2$$

また，$P = VI$ に $I = V/R$ を代入すると，

$$P = V\left(\dfrac{V}{R}\right) = \dfrac{V^2}{R}$$

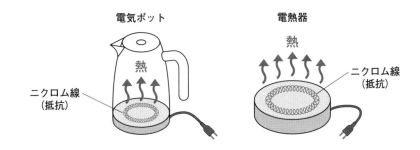

電気によって発生した熱をジュール熱といいます。抵抗 $R$ に電流 $I$ を $t$ 秒間流したときのジュール熱 $H$ は，次の式で表されます。

$$H = RI^2t \ [\mathrm{J}]$$

$H$：ジュール熱〔J〕 $R$：抵抗〔Ω〕 $I$：電流〔A〕 $t$：時間〔秒〕

この式をジュールの法則といいます。ジュール熱の単位にはジュール（単位記号：〔J〕）を使います。

ところで，電力 $P = RI^2$〔W〕なので，ジュールの法則は，

$$H = P \times t \ [\mathrm{J}]$$

のように書き換えることができます。この式は，電力をどのくらい消費したかを表しているので，電力量といいます。電力量の単位には，ジュール〔J〕の代わりにワット秒〔W・s〕やワット時〔W・h〕が使われます。

電力量〔W・s〕＝電力〔W〕×秒〔s〕
電力量〔W・h〕＝電力〔W〕×時間〔h〕

**例 題** 図の回路において，5Ωの抵抗で消費される電力は何〔W〕か。

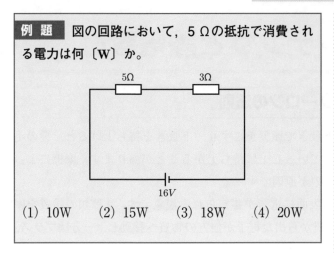

(1) 10W　　(2) 15W　　(3) 18W　　(4) 20W

**解 説** 回路全体の合成抵抗は 5 + 3 = 8〔Ω〕になります。したがってオームの法則 $I = V / R$ により，回路に流れる電流は 16 ÷ 8 = 2〔A〕です。

5Ωの抵抗に 2A の電流が流れるので，この抵抗で消費される電力は次のように計算できます。

$$P = RI^2 = 5 \times 2^2 = 20 \ \text{〔W〕}$$

**解 答** (4)

≡補足≡

**電気ポットの消費電力**

1gの水の温度を1℃上げるには，約4.2〔J〕のジュール熱が必要です。たとえば，200cc(200g)の水を20℃から100℃に熱するのに必要な電力量は，

200 × (100−20) × 4.2 = 67200〔J〕 = 67200〔W・s〕

となります。これを1分間で行う電気ポットの消費電力は，67200〔W・s〕÷ 60〔秒〕= 1120〔W〕です。

# コンデンサと静電容量

## 1 静電気とクーロンの法則

　プラスチックの下敷きで頭髪をこすり，下敷きを持ち上げると，髪の毛が下敷きに吸い付いていっしょに持ち上がることがあります。摩擦によって静電気が発生したのが原因です。

　静電気は，物質の表面に電荷が蓄えられる現象です。2種類の物質を摩擦すると，一方の物質から出た電子が他方の物質へ移動し，一方はプラス，他方はマイナスに帯電します。

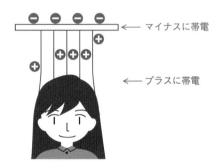

　帯電した物質同士には，互いに引きつけ合ったり，反発したりする力が生じます。この力の大きさは，次の式で表すことができます。

$$F = K \, \frac{q_1 q_2}{r^2} \, (\mathrm{N}) \qquad ※ \, K \, は \, 9 \times 10^9 \, (比例定数)$$

$F$：クーロン力〔N〕（ニュートン）
$q_1$，$q_2$：電荷量〔C〕（クーロン）
$r$：電荷間の距離〔m〕

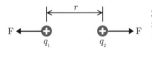

2つの電荷が同じ符号のときは反発する力が生じる

2つの電荷が異なる符号のときは引きつけ合う力が生じる

この式をクーロンの法則といいます。この法則によれば，力の大きさは帯電した電気の量（電荷量）に比例し，2つの帯電体の距離の2乗に反比例します。

## 2 静電容量とは

2枚の金属板を，すき間を少しだけ空けて向かい合わせに並べ，金属板の両側に電圧を加えます。すると，静電気が生じたときのように，一方の金属板にはプラス，もう一方の金属板にはマイナスの電荷が蓄えられます。

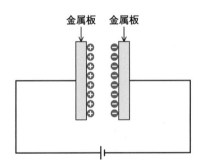

この装置は，平行板コンデンサと呼ばれます。コンデンサは，電気を蓄える働きをする一種の蓄電池として，電気回路に用いられています。

コンデンサが蓄えることができる電気の量を，静電容量といいます。コンデンサの静電容量には，ファラド（単位記号〔F〕）やマイクロファラド（単位記号〔μF〕）という単位が使われます。1マイクロファラドは，百万分の1ファラドです。

$$1\mu\text{F} = \frac{1}{1,000,000}\text{F} \quad 1\text{F} = 1,000,000\mu\text{F}$$

≡ 補足 ≡

**電荷**
物質が帯びている電気のこと。プラスの電荷とマイナスの電荷があります。実際には，物質の電子が不足している状態をプラスの電荷，電子が余っている状態をマイナスの電荷と考えます。

≡ 補足 ≡

**クーロン〔C〕**
電荷量の単位。1アンペアの電流が1秒間に運ぶ電荷の量を，1クーロンとします。

# ③ 合成静電容量

　コンデンサは，回路図では ─┤├─ という記号で表されます。回路に複数のコンデンサを接続したときの，全体の静電容量（合成静電容量）の求め方を覚えておきましょう。合成抵抗を求める式とよく似ているので，難しくありません。

## ①直列接続

　右図のように，複数のコンデンサを直列に接続した場合の合成静電容量は，次の式で表されます。

$$C_1 \quad C_2 \quad C_3$$

覚える

$$C = \cfrac{1}{\cfrac{1}{C_1} + \cfrac{1}{C_2} + \cfrac{1}{C_3}} \, \text{〔F〕}$$

$$C = \frac{C_1 C_2}{C_1 + C_2} \, \text{〔F〕}$$ ← コンデンサが2つだけの場合は，「和分の積」で計算できる

　直列に接続したコンデンサは，2枚の金属板の間の距離を離したのと同じです。静電容量は金属板の間の距離に反比例するので，直列に接続するコンデンサが増えるほど，全体の静電容量は小さくなります。

## ②並列接続

　右図のように，複数のコンデンサを並列に接続した場合の合成静電容量は，次の式で表されます。

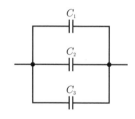

覚える $C = C_1 + C_2 + C_3 \ [\mathrm{F}]$

並列に接続したコンデンサは，2枚の金属板の面積を大きくしたのと同じです。静電容量は金属板の面積に比例するので，並列に接続するコンデンサが増えるほど，全体の静電容量は大きくなります。

**例題** $6\mu\mathrm{F}$ と $12\mu\mathrm{F}$ のコンデンサを直列に接続した場合の合成静電容量は何 $[\mu\mathrm{F}]$ か。

(1) $4\mu\mathrm{F}$　　(2) $6\mu\mathrm{F}$　　(3) $9\mu\mathrm{F}$　　(4) $18\mu\mathrm{F}$

**解説** 2つのコンデンサを直列に接続するので，合成静電容量 $C$ は次のように計算します。

$$C = \frac{C_1 C_2}{C_1 + C_2} = \frac{6 \times 12}{6 + 12} = \frac{72}{18} = 4 \ [\mu\mathrm{F}]$$

**解答** (1)

≡補足≡

**静電容量と電荷の関係**
平行板コンデンサに蓄えられる電荷の量 $Q$ は，静電容量 $C$ が大きいほど，または加える電圧 $V$ が大きいほど多くなります。この関係は，次の式で表されます。

$Q = CV \ [\mathrm{C}]$

≡補足≡

**静電エネルギー**
コンデンサが蓄える電気エネルギーを静電エネルギーといい，次の式で求められます。

$W = \dfrac{1}{2} CV^2 \ [\mathrm{J}]$

$W$：静電エネルギー $[\mathrm{J}]$
$C$：静電容量 $[\mathrm{F}]$
$V$：電圧 $[\mathrm{V}]$

# 電気と磁気

## 1 電磁石

　電線に電流を流すと，電線の周囲に磁界が発生します。このときの磁界の方向（N極→S極）は，電線を中心に右回りになります。これを，アンペアの右ねじの法則といいます。

　そこで，電線をコイル状にして電流を流すと，アンペアの右ねじの法則により，合成された磁界はコイルの内側を通って一定の方向を向きます。

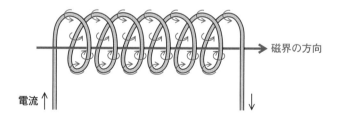

　コイルの中心に鉄心を入れると，一方がN極，他方がS極の電磁石になります。電磁石の磁界の強さは，コイルの巻数と電流の大きさに比例します。

## 2 フレミングの左手の法則

　図のように磁石のN極とS極の間に電線を置いて電流を流すと，磁石による磁界と，電流によって電線に生じる磁界とが合成され，電線を上に押し上げる力が働きます。

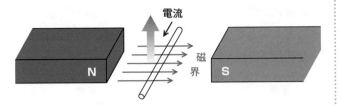

≡補足≡

**ファラデーの法則**
電磁誘導によって生じる誘導起電力の大きさは，コイルの巻数と，単位時間当たりの磁束の変化量に比例します。これをファラデーの法則といいます。

$$e = N\ \frac{\Delta\phi}{\Delta t}\ (\mathrm{V})$$

$e$：誘導起電力
$N$：コイルの巻数
$\Delta\phi$：磁束の変化量
$\Delta t$：時速変化の時間

このように，磁石と電流によって生じる力を電磁力といいます。電磁力の方向は，磁界の方向と電流の方向によって決まります。これらの関係は，フレミングの左手の法則によって表すことができます。

フレミングの左手の法則

電磁力

磁界

電流

## ③ フレミングの右手の法則

　図のように，コイルの中に棒磁石を入れたり出したりすると，コイルに電圧が生じます。この現象を電磁誘導といい，電磁誘導によって発生する電圧を誘導起電力といいます。

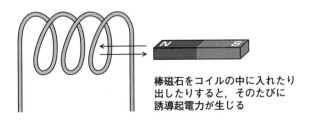

棒磁石をコイルの中に入れたり出したりすると，そのたびに誘導起電力が生じる

　誘導起電力は，磁石をコイルに出し入れしたとき，

コイルの中を通る磁束に変化が生じる瞬間に生じます。磁束の変化が大きいほど，発生する誘導起電力も大きくなります。また，コイルを入れるときと出すときとでは，誘導起電力の向きが逆になります。

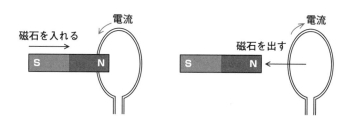

電磁誘導は，磁石を動かす代わりに，固定した磁石の間を切るように電線を上下に動かしても発生します。

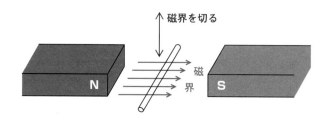

誘導される起電力の向きは，磁界の方向と電線を動かす方向によって決まります。これらの関係は，フレミングの右手の法則によって表すことができます。

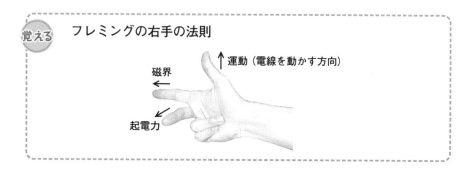

覚える フレミングの右手の法則

94

# 交流回路

## 1 直流と交流

　交流は，電流の大きさや向きが周期的に変化する電気です。電流の変化をグラフで表すと，直流が左図のような水平の直線になるのに対し，交流は右図のような波形になります。

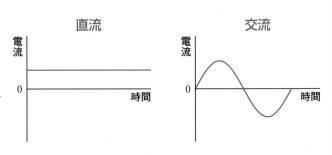

　このような波形のグラフは，三角関数のサイン（正弦）を使った式で表すことができるので，正弦波交流といいます。

　正弦波交流のグラフは，同じ波形の繰り返しです。繰り返し1回分にかかる時間を周期といい，1秒間の繰り返し回数を周波数（単位記号：$\overset{\text{ヘルツ}}{[\text{Hz}]}$）といいます。

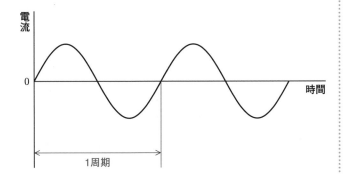

≡補足≡

**AC/DC**
交流は英語でAC（Alternating Current），直流は英語でDC（Direct Current）と略します。電子機器に付属しているACアダプターは，交流を直流に変換する装置です。

≡補足≡

**交流の周波数**
国内では，東日本で50Hz，西日本で60Hzの交流が使われています。

## ② 角速度と位相

　円運動の回転速度を，単位時間当たりに回転する角度で表したものを角速度といいます。角速度の単位にはラジアン毎秒〔rad/s〕が使われます。ラジアン〔rad〕は角度の単位で，360 度 = $2\overset{パイ}{\pi}$ ラジアンになります。

　正弦波の 1 周期は，図のように円運動の 1 回転に対応します。たとえば周波数 50Hz の正弦波は，1 秒間に 50 回転するので，角速度で表すと $2\pi \times 50 = 100\pi$ 〔rad/s〕になります（角速度 = $2\pi \times$ 周波数）。

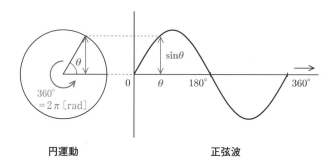

円運動　　　　　　　　　　　　正弦波

　また，周波数が同じ正弦波でも，図のように波形の位置が前後にずれる場合があります。この前後のずれを位相といいます。

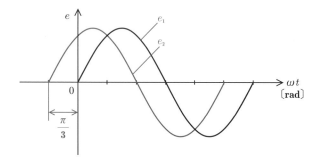

　位相のずれは，回転角の差によって生じます。上のグラフでは，$e_1$ が 0〔rad〕のとき，$e_2$ は $\frac{\pi}{3}$〔rad〕まで進んでいるので，「$e_2$ は $e_1$ より $\frac{\pi}{3}$〔rad〕位相が進んでいる」，または「$e_1$ は $e_2$ より $\frac{\pi}{3}$〔rad〕位相が遅れている」と言うことができます。

# ③ 正弦波交流の瞬時値式

正弦波交流の電圧は，次のような式で表すことができます。

 $e = E_m\sin(\omega t \pm \theta)$ 〔V〕

$e$ ：瞬時値〔V〕
$E_m$：最大値〔V〕
$\omega$ ：角速度〔rad/s〕
$t$ ：時間〔秒〕
$\theta$ ：位相〔rad〕

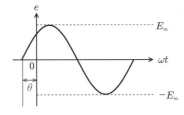

この式で求める電圧は，常に変化している交流のある瞬間の電圧を表したものなので，瞬時値といいます。

最大値 $E_m$ は，この交流の波形がいちばん高くなるときの値です。$\omega t$ は，角速度 $\omega$〔rad/s〕の正弦波の $t$ 秒後の回転角〔rad〕を表します。

$\overset{\text{シータ}}{\theta}$〔rad〕は位相のずれを表し，$\theta = 0$ の波形より位相が進んでいるときはプラス（＋），遅れているときはマイナス（－）になります。

# ④ 正弦波交流の実効値

正弦波交流の電圧や電流は絶えず変化しているため，大きさを表すときには，「その交流と同じだけの働きをする直流の大きさ」に換算します。この値を，その交流の実効値といいます。

交流の実効値は，最大値の $\dfrac{1}{\sqrt{2}}$ です。

---

≡補足≡

**ラジアン**
半径 $r$ の円で，半径と等しい長さの円弧を描いたときの中心角の角度を1ラジアンとします（1ラジアン ≒ 57.5度）。中心角180度の円弧は半径×$\pi$ なので，180度＝$\pi$ ラジアン，360度＝$2\pi$ ラジアンになります。

| 度 | ラジアン |
|---|---|
| 30° | $\dfrac{\pi}{6}$ |
| 45° | $\dfrac{\pi}{4}$ |
| 60° | $\dfrac{\pi}{3}$ |
| 90° | $\dfrac{\pi}{2}$ |
| 180° | $\pi$ |
| 360° | $2\pi$ |

覚える 実効値電圧 $E = \dfrac{E_m}{\sqrt{2}}$〔V〕

「100Vの交流」といえば，特に断りがない限り，実効値が100Vの交流を指します。

なお，前ページの瞬時値の式を実効値 $E$〔V〕を使って表すと，次のようになります。

$$e = \sqrt{2}\ E\sin(\omega t \pm \theta)\ \text{〔V〕}$$

## 5 誘導リアクタンスと容量リアクタンス

交流回路では，抵抗のほかにコイルとコンデンサも電流の流れをさまたげる働きをします。コイルによる抵抗を誘導リアクタンス，コンデンサによる抵抗を容量リアクタンスといい，単位には抵抗と同じオーム〔Ω〕を使います。

誘導リアクタンスと容量リアクタンスの大きさは，それぞれ次の式で求めることができます。

誘導リアクタンス　$X_L = 2\pi fL$〔Ω〕

$X_L$：誘導リアクタンス〔Ω〕　$f$：周波数〔Hz〕　$L$：インダクタンス〔H〕

インダクタンスは，コイルがもつ固有の定数です。この式が示すように，誘導リアクタンスは交流の周波数が大きいほど，またコイルのインダクタンスが大きいほど大きくなります。

また，コイルを使う交流回路では，次ページの図のように，電流の位相が電圧より90度（ $\dfrac{\pi}{2}$ 〔rad〕）遅れます。

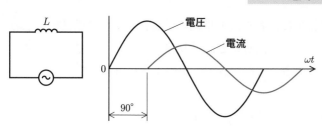

**リアクタンス**
誘導リアクタンスと
容量リアクタンスを
まとめて，単にリア
クタンスという場合
もあります。単位は
抵抗と同じくオーム
〔Ω〕を使います。

$$容量リアクタンス \quad X_C = \frac{1}{2\pi f C} \ \text{〔Ω〕}$$

$X_C$：容量リアクタンス〔Ω〕　$f$：周波数〔Hz〕
$C$：静電容量〔F〕

　容量リアクタンスは交流の周波数が小さいほど，ま
たコンデンサの静電容量が小さいほど大きくなります。
　また，コンデンサを使った交流回路では，電流の位
相が電圧より 90 度（ $\frac{\pi}{2}$〔rad〕）進みます。

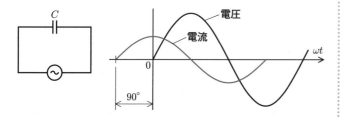

# 6 交流回路のインピーダンス

　抵抗，コイル，コンデンサを直列に接続した，次の
ような交流回路を考えてみましょう。

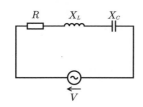

抵抗のみの直列接続では，各抵抗を単純に足し合わせて合成抵抗を求めることができました。しかし，抵抗と誘導リアクタンス，容量リアクタンスは，単純に足し合わせることはできず，次のように計算します。

（覚える）　$Z = \sqrt{R^2 + (X_L - X_C)^2}$ 〔Ω〕

$Z$：インピーダンス〔Ω〕
$R$：抵抗〔Ω〕
$X_L$：誘導リアクタンス〔Ω〕
$X_C$：容量リアクタンス〔Ω〕

　抵抗 $R$，誘導リアクタンス $X_L$，容量リアクタンス $X_C$ をまとめて，インピーダンスといいます。オームの法則は交流回路の電圧と電流，インピーダンスについても成り立ちます。

（覚える）　$I = \dfrac{E}{Z}$ 〔A〕

$I$：実効値電流〔A〕
$E$：実効値電圧〔V〕
$Z$：インピーダンス〔Ω〕

例題　図のような交流回路で，100V の電源を接続したとき，回路に流れる電流は何〔A〕か。

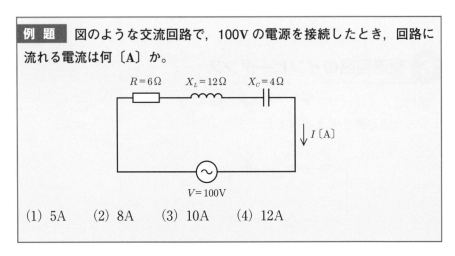

(1) 5A　　(2) 8A　　(3) 10A　　(4) 12A

**解 説** 回路全体の合成インピーダンス $Z$ は，次のようになります。

$$Z=\sqrt{R^2+(X_L-X_C)^2}=\sqrt{6^2+(12-4)^2}$$
$$=\sqrt{36+64}=\sqrt{100}=10\ [\Omega]$$

　合成インピーダンスが 10 Ω，電圧が 100V なので，電流 $I$ はオームの法則により次のように求められます。

$$I=\frac{100}{10}=10\ [A]$$

**解 答** （3）

## 7 交流回路の電力と力率

　交流回路では，電圧と電流で位相がずれることがあるため，単純に電圧×電流では電力を求めることができません。有効に利用できる交流回路の電力＝有効電力は，次の式で求めます。

**覚える** 有効電力　$P=VI\cos\theta\ [W]$

$P$：有効電力〔W〕　$V$：実効値電圧〔V〕
$I$：実効値電流〔A〕　$\cos\theta$：力率

　交流回路では，単純な電圧と電流の積を皮相電力（ひそうでんりょく）といいます。皮相電力は，発電機や変圧器などの電源側が供給する電力の大きさを表します。

　有効電力は，皮相電力×$\cos\theta$で求められます。この $\cos\theta$ を力率（りきりつ）といいます。力率は，供給される電力（皮相電力）のうち，何割を有効に利用できるかを表

≡補足≡

**力率の改善**
一般に，コイルを利用した電気機器（モーターなど）が多いと，誘導リアクタンスが増えて力率が低くなります。力率が低いと，電力が余分に必要になるため，力率を大きくするために回路にコンデンサを接続する方法がとられます。

します。

　力率 $\cos\theta$ は，電圧と電流の位相差 $\theta$ が小さいほど大きくなり，$\theta = 0$ のとき最大の1になります。逆に位相差 $\theta$ が大きいと力率は小さくなり，$\theta = 90°$ のとき最小の0になります。

　力率 $\cos\theta$ は，次のようにインピーダンスから求めることができます。

覚える　力率　$\cos\theta = \dfrac{R}{Z} = \dfrac{R}{\sqrt{R^2 + (X_L - X_C)^2}}$

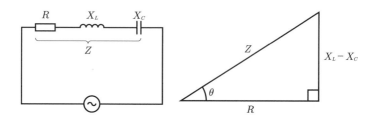

例題　100Vの単相交流電源に，消費電力800W，力率80%の負荷を接続した。このとき負荷に流れる電流は何〔A〕か。

(1) 8A　　(2) 10A　　(3) 24A　　(4) 64A

解説　有効電力（消費電力と同じ）を求める式 $P = VI\cos\theta$ に，問題文の数値を当てはめると，次のようになります。

$$800 = 100 \times I \times 0.8 \quad \therefore I = \frac{800}{100 \times 0.8} = 10 \text{〔A〕}$$

解答　(2)

# チャレンジ問題

［解説］108ページ ［解答一覧］113ページ

## 問1

| 難 | 中 | 易 |

オームの法則を表す式は次のうちどれか。ただし，抵抗を $R$，電流を $I$，電圧を $V$ とする。

(1) $I = \dfrac{R}{V}$　　(2) $V = IR$　　(3) $V = \dfrac{I}{R}$　　(4) $R = VI$

## 問2

| 難 | 中 | 易 |

図の回路において，AB間の合成抵抗の値として正しいものは次のうちどれか。

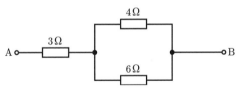

(1) 3.4 Ω　　(2) 5.4 Ω　　(3) 8.0 Ω　　(4) 10.0 Ω

## 問3

| 難 | 中 | 易 |

図の回路において，AB間の合成抵抗の値として正しいものは次のうちどれか。

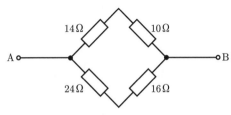

(1) 15 Ω　　(2) 16 Ω　　(3) 30 Ω　　(4) 64 Ω

難　中　**易**

図の回路において，AB 間の合成抵抗が 10 Ω であるとき，$R$ の値として正しいものは次のうちどれか。

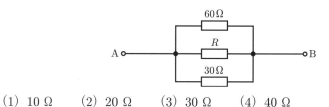

(1) 10 Ω 　　(2) 20 Ω 　　(3) 30 Ω 　　(4) 40 Ω

難　中　**易**

図のような回路に流れる電流 $I$〔A〕の値として，正しいものは次のうちどれか。

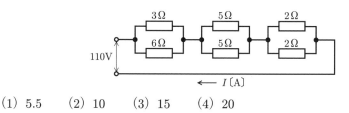

(1) 5.5 　　(2) 10 　　(3) 15 　　(4) 20

難　中　**易**

図の回路において，スイッチ S を開いた状態で AB 間に 100V の電圧を加え，電流計Ⓐで流れる電流を計測した。次に，S を閉じた状態で同様に100V の電圧を加えた。このときの電流計Ⓐの指示値は，S を開いた状態のときの何倍になるか。

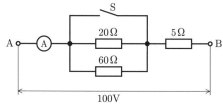

(1) 2 倍 　　(2) 4 倍 　　(3) 5 倍 　　(4) 10 倍

### 問7

| 難 | 中 | 易 |

図に示すホイートストンブリッジ回路において,各辺の抵抗が $P = 4\,\Omega$, $Q = 3\,\Omega$, $R = 6\,\Omega$ のとき, 検流計Ⓖの指示値が $0\,\mathrm{A}$ を示した。このときの抵抗 $X$ の値として正しいものは次のうちどれか。

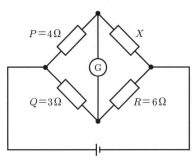

(1) $2\,\Omega$　　(2) $4\,\Omega$　　(3) $8\,\Omega$　　(4) $10\,\Omega$

### 問8

| 難 | 中 | 易 |

$4\,\Omega$ と $12\,\Omega$ の抵抗を並列に接続した直流回路がある。この回路に $30\mathrm{V}$ の電圧を加えたときの消費電力〔$\mathrm{W}$〕の値として, 正しいものは次のうちどれか。

(1) $60\mathrm{W}$　　(2) $100\mathrm{W}$　　(3) $300\mathrm{W}$　　(4) $900\mathrm{W}$

### 問9

| 難 | 中 | 易 |

$10\,\Omega$ の抵抗に $3\mathrm{A}$ の電流が $1$ 時間流れたとき, 発生する熱量〔$\mathrm{kJ}$〕の値として, 正しいものは次のうちどれか。

(1) $324\mathrm{kJ}$　　(2) $540\mathrm{kJ}$　　(3) $900\mathrm{kJ}$　　(4) $1,112\mathrm{kJ}$

### 問10

| 難 | 中 | 易 |

静電容量がそれぞれ $5\mu\mathrm{F}$, $12\mu\mathrm{F}$ 及び $20\mu\mathrm{F}$ のコンデンサを並列に接続したときの合成静電容量の値として, 正しいものは次のうちどれか。

(1) $3\mu\mathrm{F}$　　(2) $9\mu\mathrm{F}$　　(3) $18\mu\mathrm{F}$　　(4) $37\mu\mathrm{F}$

難　中　**易**

コイルと棒磁石を使用して，図のような実験を行った。実験結果の説明として，正しいものは次のうちどれか。

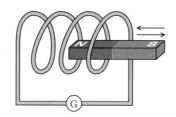

(1) 磁石を動かしてコイルの中に出し入れすると検流計の針が振れ，磁石を静止してもしばらくは一定の値を指示した。

(2) 磁石をコイルの中に入れたときと出したときとでは，検流計の針の振れが逆になった。

(3) 磁石を動かす速度を変えてみると，磁石をゆっくり動かすほど，検流計の針の振れが大きくなった。

(4) 磁石を固定してコイルのほうを動かすと，検流計の針は振れなかった。

難　中　**易**

実効値110Vの正弦波交流の最大値電圧〔V〕の値として，正しいものは次のうちどれか。

(1) 144　　(2) 155　　(3) 190　　(4) 220

難　中　**易**

負荷が誘導リアクタンスのみの交流回路における電圧と電流の関係について，正しいものは次のうちどれか。

(1) 電流は電圧より位相が90°遅れる。

(2) 電流は電圧より位相が90°進む。

(3) 電流は電圧より位相が180°遅れる。

(4) 電流は電圧より位相が180°進む。

## 問14

難 | 中 | 易

図のような回路に流れる電流〔A〕の値として，正しいものは次のうちどれか。

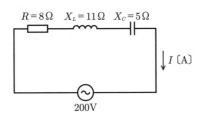

(1) 10　　(2) 15　　(3) 20　　(4) 24

## 問15

難 | 中 | 易

消費電力800Wの電動機を100Vで運転したところ，10Aの電流が流れた。電動機の力率〔%〕の値として正しいものは次のうちどれか。

(1) 70%　　(2) 80%　　(3) 90%　　(4) 100%

## 問16

難 | 中 | 易

静電容量の単位として正しいものは次のうちどれか。

(1) ジュール
(2) ファラド
(3) ヘンリー
(4) ワット秒

**問1**　オームの法則を言葉で表すと,「抵抗に加わる電圧は電流に比例する」となります。これを式で表せば, $V = IR$ です。

オームの法則の式は, 次のような変形も合わせて覚えておきましょう。

$$V = IR \qquad I = \frac{V}{R} \qquad R = \frac{V}{I}$$

解答（2）　参照 76 ページ

**問2**　まず, 4 Ωと6 Ωの抵抗を並列接続した部分の合成抵抗値を求めます。2つの抵抗を並列接続したときの合成抵抗値は「和分の積」で求められます。

$$\frac{4 \times 6}{4 + 6} = \frac{24}{10} = 2.4 \; (\Omega)$$

並列部分と3 Ωの抵抗は直列に接続されているので, AB間の合成抵抗値は, 次のように計算できます。

$$2.4 + 3 = 5.4 \; (\Omega)$$

解答（2）　参照 77, 78 ページ

**問3**　一見ブリッジ回路のように見えますが, よく見ると直列接続と並列接続を組み合わせているだけです。

14 Ωと10 Ωの抵抗は直列に接続されているので, この部分の合成抵抗は 14 + 10 = 24 Ωです。

24 Ωと16 Ωの抵抗も同様なので, この部分の合成抵抗は 24 + 16 = 40 Ωになります。

24 Ωの抵抗と40 Ωの抵抗が並列に接続されているので, AB 間の合成抵抗

は次のように計算できます。

$$\frac{24 \times 40}{24 + 40} = \frac{24 \times 40}{64} = \frac{\overset{3}{\cancel{24}} \times \overset{5}{\cancel{40}}}{\underset{1}{\cancel{8}} \times \underset{1}{\cancel{8}}} = \frac{3 \times 5}{1 \times 1} = 15 〔Ω〕$$

解答（1）　参照 77，78ページ

**問4**　計算を簡単にするために，60 Ωと 30 Ωの合成抵抗を先に求めます。

$$\frac{60 \times 30}{60 + 30} = \frac{1800}{90} = 20 \ Ω$$

以上より，AB 間の合成抵抗は，20 Ωの抵抗と $R$ を並列に接続したものと同じです。この値が 10 Ωになるので，次の式が成り立ちます。

$$\frac{20R}{20 + R} = 10 \quad \therefore \ R = 20 〔Ω〕$$

解答（2）　参照 77，78ページ

**問5**　まず，回路全体の合成抵抗を求めます。3 つの並列接続部分の合成抵抗をそれぞれ $R_1$, $R_2$, $R_3$ とすると，

$$R_1 = \frac{3 \times 6}{3 + 6} = 2 〔Ω〕 \quad R_2 = \frac{5 \times 5}{5 + 5} = 2.5 〔Ω〕 \quad R_3 = \frac{2 \times 2}{2 + 2} = 1 〔Ω〕$$

したがって回路全体の合成抵抗は，

$$R_1 + R_2 + R_3 = 2 + 2.5 + 1 = 5.5 〔Ω〕$$

電圧は110Vなので，オームの法則により，電流 $I$ の値は次のようになります。

$$I = \frac{V}{R} = \frac{110}{5.5} = 20 〔A〕$$

解答（4）　参照 77，78ページ

### 問6

①スイッチSを開いた状態のとき，回路全体の合成抵抗は 20 Ωと 60 Ωの抵抗の並列接続になるので，次のように計算できます。

$$\frac{20 \times 60}{20 + 60} + 5 = \frac{1200}{80} + 5$$

$$= 15 + 5 = 20 \, (\Omega)$$

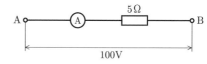

AB間を流れる電流は，オームの法則より 100 ／ 20 ＝ 5 〔A〕になります。

②スイッチSを閉じると，20 Ωと 60 Ωの抵抗は短絡される（抵抗値が 0 になる）ため，回路は右図と同様の状態になります。したがって，回路全体の抵抗は 5 Ωになり，AB間を流れる電流は 100 ／ 5 ＝ 20 〔A〕になります。

　以上より，スイッチSを閉じたときの電流 20A は，開いたときの電流 5A の 4 倍になります。

解答（2）　参照 77，78 ページ

### 問7
検流計Ⓖが 0 を指示したので，次のようなブリッジの平衡条件が成立します。

$$PR = QX$$

$P, Q, R$ に値を当てはめると，

$$4 \times 6 = 3 \times X \quad \therefore X = 8 \, (\Omega)$$

となります。

解答（3）　参照 83 ページ

**問8** 4Ωと12Ωの抵抗を並列に接続したときの合成抵抗は，

$$\frac{4 \times 12}{4 + 12} = \frac{48}{16} = 3 \, (\Omega)$$

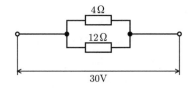

消費電力 $P = VI = V^2/R$ 〔W〕より，

$$P = \frac{V^2}{R} = \frac{30^2}{3} = \frac{900}{3} = 300 \, (\text{W})$$

となります。

解答（3）　参照 85 ページ

**問9** ジュールの法則 $H = RI^2t$ 〔J〕を使って求めます。

$$H = RI^2t = 10 \times 3^2 \times 3600$$
$$= 324000 \, (\text{J}) = 324 \, (\text{kJ})$$

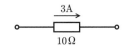

解答（1）　参照 86 ページ

**問10** 並列に接続したコンデンサの合成静電容量は，各静電容量の合計で求めることができます。

$$C = C_1 + C_2 + C_3$$
$$= 5 + 12 + 20 = 37 \, (\mu\text{F})$$

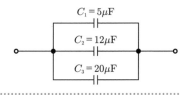

解答（4）　参照 90 ページ

**問11** コイルを貫通する磁束が変化すると，コイルに起電力が発生し，電流が流れます。この現象を電磁誘導といいます。コイルに発生する誘導起電力の大きさは，磁束が変化する速さに比例します。

×（1）磁石を静止すると，起電力も誘導されなくなるので，検流計の針の振れ

は止まります。

○（2）正しい記述です。誘導起電力の向きは，磁束の変化の向きに応じて変わります。

× （3）誘導起電力は，磁束の変化が速いほど大きくなります。

× （4）磁石を固定してコイルを動かしても，コイルを貫く磁束は変化するので，誘導起電力が生じます。

解答（2）　参照 93 ページ

**問12**　正弦波交流の最大値は，実効値の $\sqrt{2}$ 倍になります。したがって，実効値110Vの正弦波交流の最大値は，$110 \times \sqrt{2} \fallingdotseq 155$〔V〕です。

解答（2）　参照 97 ページ

**問13**　コイルによる誘導リアクタンス回路では，電流の位相が電圧より 90°遅れます。

　逆に，コンデンサによる容量リアクタンス回路では，電流の位相が電圧より 90°進みます。

解答（1）　参照 98 ページ

**問14**　回路全体の合成インピーダンス $Z$ は，次の式で求められます。

$$Z = \sqrt{R^2 + (X_L - X_C)^2}\,〔\Omega〕$$

この式に問題の各値を当てはめると，次のようになります。

$$Z = \sqrt{8^2 + (11 - 5)^2} = \sqrt{8^2 + 6^2} = \sqrt{64 + 36} = \sqrt{100}$$
$$= 10\,〔\Omega〕$$

回路全体の合成インピーダンスが 10 Ω，電圧が 200V なので，電流はオームの法則により，次のようになります。

$$I = \frac{V}{Z} = \frac{200}{10} = 20 \text{ [A]}$$

解答（3） 参照 100ページ

**問15** 交流回路の消費電力は，$P = VI\cos\theta$ 〔W〕で求めます。この式に問題文の値を当てはめると，次のようになります。

$$800 = 100 \times 10 \times \cos\theta \quad \therefore \cos\theta = \frac{800}{100 \times 10} = 0.8 = 80 \text{ [%]}$$

解答（2） 参照 101ページ

**問16**

× （1）ジュール〔J〕は，熱量やエネルギーの単位です。

○ （2）ファラド〔F〕は，静電容量の単位です。

× （3）ヘンリー〔H〕は，インダクタンスの単位です。

× （4）ワット秒〔W・秒〕は，電力量の単位です。

解答（2） 参照 89ページ

## 解 答

| 問1 | (2) | 問5 | (4) | 問9 | (1) | 問13 | (1) |
|---|---|---|---|---|---|---|---|
| 問2 | (2) | 問6 | (2) | 問10 | (4) | 問14 | (3) |
| 問3 | (1) | 問7 | (3) | 問11 | (2) | 問15 | (2) |
| 問4 | (2) | 問8 | (3) | 問12 | (2) | 問16 | (2) |

# 電気計測

□ 電圧計と電流計の接続

電圧計は負荷と並列に，電流計は負荷と直列に接続する。

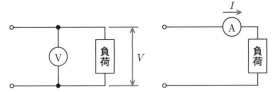

□ 電圧計の倍率器 $R = (n - 1)r〔\Omega〕$

□ 電流計の分流器 $R = \dfrac{r}{n - 1}〔\Omega〕$

□ 接地抵抗の測定 アーステスタ，コールラウシュブリッジ法，
電圧降下法

□ 絶縁抵抗の測定 メガー

□ 指示電気計器

| 交流／直流 | 種類 | 記号 | 交流／直流 | 種類 | 記号 |
|---|---|---|---|---|---|
| 直流用 | 可動コイル形 | | 交流直流両用 | 電流力計形 | |
| 交流用 | 可動鉄片形 | | | 熱電形 | |
| | 誘導形 | | | 静電形 | |
| | 整流形 | | | | |
| | 振動片形 | | | | |

□ 誤差 $\varepsilon = M - T$  □ 百分率誤差 $\varepsilon_0 = \dfrac{M - T}{T} \times 100〔\%〕$

□ 補正 $\alpha = T - M$  □ 百分率補正 $\alpha_0 = \dfrac{T - M}{M} \times 100〔\%〕$

# 電圧計と電流計

## 1 電圧計と電流計の接続

　負荷にかかる電圧を測定するときは，電圧計に負荷と同じ電圧がかかるように，電圧計を負荷と並列に接続します。

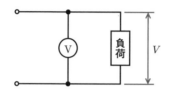

　また，負荷を流れる電流を測定するときは，電流計に同じ量の電流が流れるように，電流計を負荷と直列に接続します。

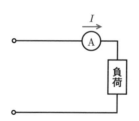

## 2 倍率器

　たとえば，最大目盛が100V，内部抵抗が $100\,\Omega$ の電圧計があったとします。この電圧計で300Vの電圧を測定しようとしても，そのままでは目盛をオーバーしてしまうので測定できません。

≡補足≡

**電圧計の図記号**
直流電圧計

交流電圧計

≡補足≡

**電流計の図記号**
直流電流計

交流電流計

≡補足≡

**内部抵抗**
電圧計や電流計の内部にある抵抗。

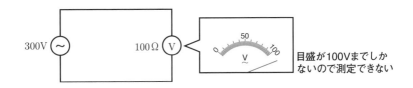

そこで，この電圧計と直列に，200 Ωの抵抗を接続します。すると，電圧計に直接かかる電圧は，

$$\frac{100}{100 + 200} \times 300 = 100 〔V〕$$

となるので，電圧計の目盛は100Vを指します。この数値を3倍に読み替えれば，300Vの電圧を測定できたことになります。

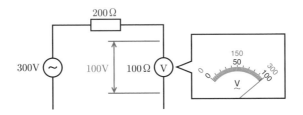

このように，電圧計の最大目盛より大きな電圧を測定するために，電圧計と直列に接続する抵抗を倍率器といいます。

電圧計の内部抵抗を $r$ 〔Ω〕とすると，最大目盛の $n$ 倍の電圧を測定するのに必要な倍率器の抵抗値 $R$ は，

覚える　　$R = (n - 1) r 〔Ω〕$

となります。つまり，最大目盛の $n$ 倍の電圧を測定するには，倍率器の抵抗を内部抵抗の $n - 1$ 倍にします。


## ③ 分流器

電流計で最大目盛より大きな電流を測定する場合には，電流計と並列に

抵抗を接続します。この抵抗を分流器といいます。

　たとえば，最大目盛が10A，内部抵抗が2Ωの電流計で，30Aの電流を測定する場合，電流計と並列に，1Ωの分流器を接続します。すると，電流計に流れる電流は，

$$\frac{1}{2+1} \times 30 = 10 〔A〕$$

となり，電流計の目盛は10Aを指します。この数値を3倍に読み替えれば，30Aの電流を測定できたことになります。

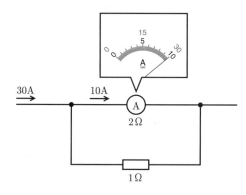

電流計の内部抵抗を $r$〔Ω〕とすると，最大目盛の $n$ 倍の電流を測定するのに必要な分流器の抵抗値 $R$ は，

覚える
$$R = \frac{r}{n-1} 〔Ω〕$$

となります。つまり，最大目盛の $n$ 倍の電流を測定するには，分流器の抵抗を内部抵抗の1／$(n-1)$倍にします。

≡ 補足 ≡
**倍率器の倍率**
電圧計の内部抵抗を $r$，倍率器の抵抗を $R$ とします。電圧計の最大目盛が $V$ で，測定電圧がその $n$ 倍のとき，電圧計の指針が $V$ を指すには，
$$\frac{r}{R+r} \times nV = V$$
が成り立つように，倍率器を接続します。この式より，
$R = (n-1)r$
となるので，倍率器の抵抗 $R$ を内部抵抗 $r$ の $n-1$ 倍にすればよいことがわかります。

≡ 補足 ≡
**分流器の倍率**
電流計の内部抵抗を $r$，分流器の抵抗を $R$ とします。電流計の最大目盛が $I$ で，測定電流がその $n$ 倍のとき，電流計の指針が $I$ を指すには，
$$\frac{R}{R+r} \times nI = I$$
が成り立つように，分流器を接続します。この式より，
$R = r／(n-1)$
となるので，分流器の抵抗 $R$ を内部抵抗 $r$ の $n-1$ 分の1にすればよいことがわかります。

# いろいろな電気計器

## ① アーステスタ（接地抵抗計）

　接地極と大地との間の電気的な抵抗を接地抵抗といいます。アーステスタは接地抵抗を測定します。

　接地抵抗の測定法には，コールラウシュブリッジ法や電圧降下法があります。

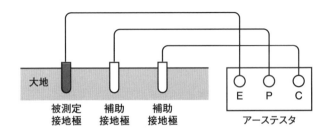

## ② メガー（絶縁抵抗計）

　配線や電気機器は，感電や漏電の危険がないように絶縁されていなければなりません。絶縁状態を検査するには，メガー（絶縁抵抗計）を用いて，絶縁抵抗を測定します。

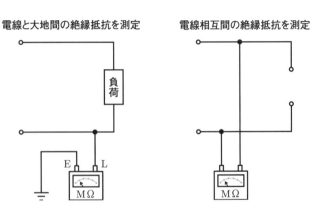

## ③ 計器用変流器（CT）

　計器用変流器は，測定したい電流が大き過ぎて通常の電流計では測定できない場合に，電流計に流れる電流を小さくします。

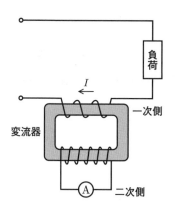

## ④ クランプメータ(差込み型CT付電流計)

　クランプメータは，電線から生じる磁界の電磁誘導作用によって電流を測定する装置です。測定対象の回路に接続する必要がなく，通電したまま測定できるのが特徴です。

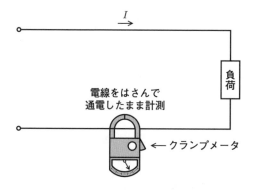

≡ 補足 ≡

**コールラウシュブ リッジ**

ホイートストンブリッジ（83ページ）を改良したもので，交流電流を用いて抵抗値を測定するブリッジ回路。接地抵抗計の回路としてよく利用されています。

≡ 補足 ≡

メガー（絶縁抵抗計）は，本来電流の流れないものに高い電圧をかけ，わずかに流れる微少電流を測定します。旧式のメガーは手回し方式の発電機で発電して測定しましたが，現在は電池式のメガーが主流になっています。

# 指示電気計器

　指示電気計器とは，電流や電圧などの測定したい数値を，目盛板上の指針などで表示する計器です。指示電気計器は，次の3つの装置から構成されます。

　駆動装置…**測定量を駆動トルクに変換して指針などを動かす。**
　制御装置…**駆動トルクに対する制御トルクで，指針を測定量に応じた位置に止める。**
　制動装置…**指針をすばやく静止させる。**

　指示電気計器は，大きく直流用，交流用，交流／直流両用の3種類に分類できます。おもな指示電気計器の種類と動作原理を理解しましょう。

| 直／交流 | 種類 | 記号 | 動作原理／用途 |
|---|---|---|---|
| 直流用 | 可動コイル形 | | 永久磁石の間に置いた可動コイルに直流電流を流し，電磁力で可動コイルを動かす方式。<br>【用途】電流計，電圧計<br> |
| 交流用 | 可動鉄片形 | | 固定コイルに電流を流して，固定鉄片と可動鉄片を磁化し，両者の反発力で可動鉄片を動かす方式。<br>【用途】電流計，電圧計<br> |

| 直／交流 | 種類 | 記号 | 動作原理／用途 |
|---|---|---|---|
| 交流用 | 誘導形 | | 電磁石に交流電流を流し，電磁力によって円板を回転させる方式。<br>【用途】電力量計 |
| | 整流形 | | 整流器で交流を直流に変換し，その電圧や電流を可動コイル形の計器で指示する方式。<br>【用途】電流計，電圧計 |
| | 振動片形 | | 振動片と交流電流との共振を利用する方式。<br>【用途】周波数計 |
| 交流／<br>直流両用 | 電流力計形 | | 固定コイルと可動コイルに電流を流し，コイル間に働く電磁力で可動コイルを動かす方式。<br>【用途】電力計，電流計，電圧計 |
| | 熱電形 | | 熱電対に生じた起電力を可動コイル形の計器で指示する方式。<br>【用途】電流計，電圧計 |
| | 静電形 | | 電極間に生じる静電力を利用する方式。<br>【用途】電圧計（高電圧用） |

≡補足≡

**熱電対**
2種類の金属を接合し，温度差によって接点に起電力が生じるセンサ。

# 測定値と誤差

## 1 誤差

　一般的に言って，電気計器の指針が示した測定値と，実際の値との間には誤差があります。

　測定値を $M$，真の値を $T$ とすると，誤差 $\varepsilon$（イプシロン）は次のように表せます。

覚える 　誤差 $\varepsilon = M - T$

　また，真の値に対する誤差の割合をパーセンテージで表したものを，百分率誤差といいます。

覚える 　百分率誤差 $\varepsilon_0 = \dfrac{\varepsilon}{T} \times 100 = \dfrac{M-T}{T} \times 100 \ [\%]$

　たとえば，真の値が20Aの電流を測定したところ，測定値が19.9Aだった場合の誤差 $\varepsilon$ と百分率誤差 $\varepsilon_0$ は，それぞれ次のように求められます。

　誤差 $\varepsilon = 19.9 - 20 = -0.1$

　百分率誤差 $\varepsilon_0 = \dfrac{-0.1}{20} \times 100$
$$= -0.005 \times 100 = -0.5 \ [\%]$$

## 2 補正

　誤差を真の値に正すことを補正（ほせい）といいます。測定値を $M$，真の値を $T$

とすると，補正 $\alpha$ は，

 補正 $\alpha = T - M = -\varepsilon$

のように，誤差の符号を逆にしたものです。

　また，測定値に対する補正の割合をパーセンテージで表したものを，百分率補正といいます。

 百分率補正 $\alpha_0 = \dfrac{\alpha}{M} \times 100$

$$= \dfrac{T - M}{M} \times 100 \ (\%)$$

≡補足≡

**電気指示計器の階級**

電気指示計器は，精度によって0.2級，0.5級，1.0級，1.5級，2.5級の5階級に区分されます。

| 階級 | 許容誤差 |
|---|---|
| 0.2級 | 定格値の±0.2%以内 |
| 0.5級 | 定格値の±0.5%以内 |
| 1.0級 | 定格値の±1.0%以内 |
| 1.5級 | 定格値の±1.5%以内 |
| 2.5級 | 定格値の±2.5%以内 |

**例題** 真値が11Aの電流を測定したところ，測定値は10Aであった。百分率補正は何〔%〕か。

(1) 8%　　(2) 9%　　(3) 10%　　(4) 11%

**解説** 百分率補正の式に当てはめて計算します。

$$\alpha_0 = \dfrac{T - M}{M} \times 100 = \dfrac{11 - 10}{10} \times 100 = 10 \ (\%)$$

**解答** (3)

# チャレンジ問題

［解説］126 ページ　［解答一覧］127 ページ

## 問1　　　　　　　　　　　　　　　　難　中　**易**

　負荷の電流と電圧を測定するために，電流計Ⓐと電圧計Ⓥを接続する接続方法として，正しいものは次のうちどれか。

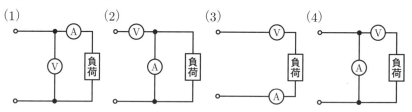

(1)　　　　　　　(2)　　　　　　　(3)　　　　　　　(4)

## 問2　　　　　　　　　　　　　　　　難　中　**易**

　最大目盛が 3V，内部抵抗 20kΩ の直流電圧計を，最大 30V まで測定できるようにするために必要な倍率器の抵抗値〔kΩ〕として，正しいものは次のうちどれか。

(1)　180　　　(2)　193　　　(3)　200　　　(4)　212

## 問3　　　　　　　　　　　　　　　　難　中　**易**

　絶縁抵抗を測定するのに適した電気計器として，正しいものは次のうちどれか。

(1)　回路計
(2)　アーステスタ
(3)　検電器
(4)　メガー

## 問4　　　　　　　　　　　　　　　　難　中　**易**

　直流では適切に作動しない指示電気計器は，次のうちどれか。

(1) 可動コイル形

(2) 可動鉄片形

(3) 電流力計形

(4) 熱電形

### 問5　［難　中　易］

**可動コイル形の目盛に関する記述として，正しいものは次のうちどれか。**

(1) すべての目盛が2乗目盛となる。

(2) すべての目盛が平等目盛となる。

(3) 電流計では平等目盛になるが，電圧計では不平等目盛となる。

(4) 最大値付近の目盛が平等目盛となる。

### 問6　［難　中　易］

**指示電気計器の動作原理とその記号の組合せとして，正しいものは次のうちどれか。**

(1) 可動コイル形

(2) 電流力計形

(3) 可動鉄片形

(4) 誘導形

### 問7　［難　中　易］

**真値が100Vの電圧を測定したところ，測定値は98Vであった。このときの百分率誤差の値として，正しいものは次のうちどれか。**

(1) ＋2.00％　　(2) －2.00％　　(3) ＋2.04％　　(4) －2.04％

# 解 説

**問1**　電圧計は負荷と並列に接続し、電流計は負荷と直列に接続します。

........................................................................

解答（1）　参照 115 ページ

**問2**　倍率器の公式 $R = (n - 1)r \ [\Omega]$ を覚えておけば簡単ですが、次のような回路図で考えても正解は導けます。

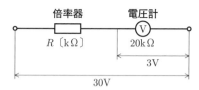

回路に電圧 30V の電圧が加えられたとき、電圧計にかかる分の電圧は、

$$\frac{20}{R + 20} \times 30 \ [\mathrm{V}]$$

で計算できます。これが 3V になればよいので、

$$\frac{20}{R + 20} \times 30 = 3 \quad \therefore R = 180 \ [\mathrm{k}\Omega]$$

となります。

........................................................................

解答（1）　参照 116 ページ

**問3**

× （1）回路計（テスタ）は、回路の導通などを測定します。

× （2）アーステスタ（接地抵抗計）は、接地抵抗を測定します。

× （3）検電器は、電気工事や点検などの作業中に、作業部位が電気を帯びていないかどうかを調べる計測器です。

○ （4）絶縁抵抗計はメガーともいいます。

........................................................................

解答（4）　参照 118 ページ

**問4**　交流回路のみで作動する計器を選びます。

× (1) 可動コイル形は直流回路のみで作動します。

○ (2) 可動鉄片形は交流回路のみで作動します。

× (3) 電流力計形は直流／交流両用です。

× (4) 熱電形は直流／交流両用です。

解答（2）　参照 120 ページ

**問5**　可動コイル形の駆動トルクは電流に比例し，指針は電流の平均値を示します。したがって目盛はすべて均等な平等目盛となります。

解答（2）　参照 120 ページ

**問6**　正しくは次のようになります。

× (1) 可動コイル形

× (2) 電流力計形

○ (3) 可動鉄片形

× (4) 誘導形

解答（3）　参照 120 ページ

**問7**　百分率誤差 $\varepsilon_0$ は，次のように求めます。

$$\varepsilon_0 = \frac{M - T}{T} \times 100 = \frac{98 - 100}{100} \times 100 = -2 \ [\%]$$

解答（2）　参照 122 ページ

# 解答

| 問1 | (1) | 問3 | (4) | 問5 | (2) | 問7 | (2) |
| --- | --- | --- | --- | --- | --- | --- | --- |
| 問2 | (1) | 問4 | (2) | 問6 | (3) | | |

# 3 電気材料・電気機器

## まとめ & 丸暗記

- ☐ 導電材料　銀　銅　金　アルミニウム　鉄　※導電率の高い順

- ☐ 絶縁材料の耐熱クラス
  Ｙ　Ａ　Ｅ　Ｂ　Ｆ　Ｈ　※許容最高温度の低い順

- ☐ 物質の抵抗　$R = \rho \dfrac{l}{A}$〔Ω〕

  断面積
  $A$〔m²〕　　長さ $l$〔m〕

- ☐ 変圧比　$a = \dfrac{E_1}{E_2} = \dfrac{N_1}{N_2} = \dfrac{I_2}{I_1}$

  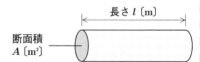

  一次巻線　　磁束　　二次巻線
  $E_1$　　　　　　　$E_2$
  鉄心

- ☐ 変圧器の効率　$\eta = \dfrac{\text{出力}}{\text{出力＋鉄損＋銅損＋漂遊負荷損}} \times 100$〔%〕

- ☐ 鉛蓄電池

  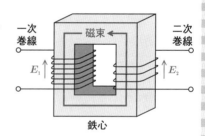

  $$\mathrm{PbO_2} + 2\mathrm{H_2SO_4} + \mathrm{Pb} \underset{\text{充電}}{\overset{\text{放電}}{\rightleftharpoons}} \mathrm{PbSO_4} + 2\mathrm{H_2O} + \mathrm{PbSO_4}$$
  正極　　電解液　負極　　　　　正極　　電解液　負極

# 電気材料

## ① 導電材料

　物質には，電気を通しやすいものと，ほとんど通さないものがあります。電気を通しやすい物質を導体といいます。

　導体は，電線などの導電材料に利用されます。金属を導電率の高い順に並べると，次のようになります。

高い ←──────── 導電率 ────────→ 低い

| 銀 | 銅 | 金 | アルミニウム | 鉄 |

　このうち，資源量や加工のしやすさから，銅やアルミニウムがもっともよく利用されています。

## ② 絶縁材料

　導体の反対に，電気をほとんど通さない物質を絶縁体（不導体）といいます。絶縁体は，電路などで電流を遮断する絶縁材料として利用されます。

　絶縁材料となる物質は，電気を通さないほかに，絶縁耐力や耐熱性が高いことも重要です。

　絶縁耐力は，どのくらい高い電圧まで絶縁状態を保てるかを表したものです。通常は電気を通さない物質でも，高い電圧をかけると絶縁が破れ，電気を通してしまうことがあるため，絶縁材料には，絶縁耐力の高い物質が適しています。

　また，紙，木材，ゴムなどの絶縁材料は熱によって

≡ 補足 ≡

**導電率**
電気の伝わりやすさ。単位はジーメンス毎メートル〔S/m〕で，数値が高いほど電気を通しやすい。

≡ 補足 ≡

**六ふっ化硫黄（SF₆）**
無色・無臭・無毒の気体で，空気より絶縁耐力が高く，電気機器の絶縁媒体として利用されています。地球温暖化の原因と言われる温室効果ガスの一種。

劣化するため，高温では使用できません。JIS 規格は絶縁材料の耐熱性について，許容最高温度に応じて次のような耐熱クラスを定めています。

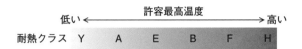

## ③ 抵抗率

　物質の抵抗は，電気が通る距離が長くなるほど大きくなり，また断面積が大きいほど小さくなる性質があります。このことを式で表すと，次のようになります。

覚える
$$R = \rho \, \frac{l}{A} \, (\Omega)$$

$R$：抵抗〔Ω〕　$A$：断面積〔$m^2$〕　$l$：長さ〔m〕

断面積
$A$〔$m^2$〕

長さ $l$〔m〕

　$\rho$ は，長さ 1m，断面積 $1m^2$ における物質の抵抗で，抵抗率といいます（単位は〔Ω・m〕）。
　なお，導線のように断面が円形の場合，その半径を $r$〔m〕とすれば，断面積 $A = \pi r^2$〔$m^2$〕となります。したがって長さ $l$〔m〕，半径 $r$〔m〕の導線の抵抗は，次のように表せます。

$$R = \rho \, \frac{l}{\pi r^2} \, (\Omega)$$

# 変圧器

## 1 変圧比と巻線比

≡補足≡

**磁束**
磁界を形成する磁力
線の束。単位はウェ
ーバー〔Wb〕。

変圧器は，一次巻線，二次巻線と呼ばれるコイルを
図のように鉄心に巻きつけたものです。一次巻線に交
流電圧を加えると，鉄心に磁束が生じて，二次巻線の
中をつらぬきます。この磁束は交流から生じるので，
向きが周期的に変化します。この電磁誘導によって，
二次巻線に起電力が生じます。

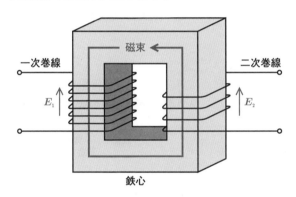

一次巻線の巻数を $N_1$，二次巻線の巻数を $N_2$ とする
と，$N_1$ と $N_2$ の比（巻線比）は，一次巻線の電圧 $E_1$
と二次巻線に生じる起電力 $E_2$ の比に等しくなります。
この比を変圧比といいます。

$$変圧比\ a = \frac{E_1}{E_2} = \frac{N_1}{N_2}$$

また，一次巻線に流れる電流 $I_1$ と二次巻線に流れ

る電流 $I_2$ との比は，変圧比の逆数になります。すなわち，

$$\frac{I_1}{I_2} = \frac{E_2}{E_1} = \frac{N_2}{N_1} = \frac{1}{a}$$

が成り立ちます。

## ② 変圧器の効率

　変圧器の一次側に入力する電力と，二次側が出力する電力は，本来は等しくなるはずです。

　しかし，実際には変圧器の内部で消費されてしまう電力損失があり，出力は入力より少なくなってしまいます。この損失には以下の種類があります。

鉄損…鉄心の磁化にともなう損失
銅損…巻線の抵抗の発熱によって
　　　消費される損失
漂遊負荷損…漏れ磁束による損失

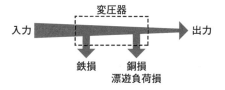

　変圧器の入力に対する出力の割合を変圧器の効率といい，次のように求められます。

覚える

$$効率 \; \eta = \frac{出力}{入力} \times 100$$

$$= \frac{出力}{出力 + 鉄損 + 銅損 + 漂遊負荷損} \times 100 \, (\%)$$

# 蓄電池

## 1 電池の仕組み

　図のように，亜鉛板（Zn）と銅板（Cu）を希硫酸（$H_2SO_4$）に浸して，両者を電線でつなぎます。すると，亜鉛板からプラスの電荷をもった亜鉛イオン $Zn^{2+}$ が溶け出し，亜鉛板に電子が残ります。この電子が電線を伝わって銅板側に集まり，溶液中の水素イオン $H^+$ と結合して水素 $H_2$ となります。

≡補足≡

**正極と負極**
電池では，電位の高い側（陽極）を正極，低い側（陰極）を負極といいます。

**3**
電気材料・電気機器

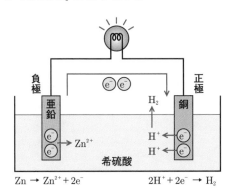

$$Zn \rightarrow Zn^{2+} + 2e^-$$

$$2H^+ + 2e^- \rightarrow H_2$$

　この結果，電線には銅板を正極，亜鉛板を負極とする電流が流れます。これは，ボルタの電池と呼ばれる電池の原理です。

## 2 鉛蓄電池

　電池には，乾電池のように一度放電したら使えなくなってしまう一次電池と，充電することで何度も使用できる二次電池があります。
　鉛蓄電池は，自動車のバッテリーなどに利用されて

いる二次電池の一種で，正極に二酸化鉛（$PbO_2$），負極に鉛（Pb），電解質に希硫酸（$H_2SO_4$）を用いたものです。

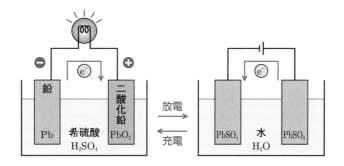

放電時には，電解液中の硫酸（$H_2SO_4$）が両極と反応し，負極は硫酸鉛（$PbSO_4$）に，正極は硫酸鉛（$PbSO_4$）と水（$H_2O$）になります。充電時にはその逆の反応が起こります。

$$PbO_2 + 2H_2SO_4 + Pb \underset{充電}{\overset{放電}{\rightleftarrows}} PbSO_4 + 2H_2O + PbSO_4$$

正極　　電解液　　負極　　　　　正極　　　電解液　　負極

# チャレンジ問題

［解説］137 ページ　［解答一覧］138 ページ

### 問1

| 難 | 中 | 易 |

最もよく電気を通す導体は次のうちどれか。

(1)　アルミニウム

(2)　鉄

(3)　銅

(4)　金

### 問2

| 難 | 中 | 易 |

導体の長さを $l$〔m〕，直径を $D$〔m〕，抵抗率を $\rho$ としたとき，導体の抵抗 $R$〔Ω〕を表す式として，正しいものは次のうちどれか。

(1)　$R = \rho \dfrac{4l}{D^2 \pi}$

(2)　$R = \rho \dfrac{l}{D}$

(3)　$R = \rho \dfrac{l}{4D^2}$

(4)　$R = \dfrac{l}{\rho D^2}$

### 問3

| 難 | 中 | 易 |

電気絶縁の耐熱クラスを許容最高温度の高い順に並べたものとして，正しいものは次のうちどれか。

(1)　B － H － Y － A

(2)　H － B － A － Y

(3)　B － A － Y － H

(4) Y - B - A - H

一次巻線の巻数が 2,000，二次巻線の巻数が 100 の変圧器を用いて，二次端子から 150V の電圧を取り出す場合，一次端子に加える電圧として，正しいものは次のうちどれか。

(1) 1,500V
(2) 2,000V
(3) 3,000V
(4) 5,000V

変圧器に関する記述として，次のうち誤っているものはどれか。
(1) 直流電圧を変圧することはできない。
(2) 変圧器の効率は，鉄損や銅損が小さいほど低下する。
(3) 変圧器に油を入れるのは，主に絶縁と冷却が目的である。
(4) 単相変圧器 2 台を使って，三相交流を変圧することができる。

鉛蓄電池に用いられる正極，負極，電解液の組合せとして，正しいものは次のうちどれか。

|  | 正極 | 負極 | 電解液 |
|---|---|---|---|
| (1) | 二酸化鉛 | 鉛 | 蒸留水 |
| (2) | 二酸化マンガン | 鉛 | 希硫酸 |
| (3) | 二酸化鉛 | 亜鉛 | 蒸留水 |
| (4) | 二酸化鉛 | 鉛 | 希硫酸 |

# 解 説

**問1**　導電率の高さは，（3）銅→（4）金→（1）アルミニウム→（2）鉄の順になります。

解答（3）　参照 129 ページ

**問2**　導体の抵抗は，長さに比例し，断面積に反比例します。したがって，導体の断面積を $A$〔$\mathrm{m}^2$〕とすれば，

$$R = \rho \frac{l}{A}$$

断面積は $A = \pi\,(D／2)^2$ で求められるので，これを上の式に代入すると，

$$R = \rho \frac{l}{\pi\left(\dfrac{D}{2}\right)^2} = \rho \frac{l}{\dfrac{\pi D^2}{4}} = \rho \frac{4l}{\pi D^2}$$

となります。

解答（1）　参照 130 ページ

**問3**　電気絶縁の耐熱クラスには，次のような種類があります。問題文では許容最高温度の高い順に並べたものを尋ねています。

| 耐熱クラス | 許容最高温度 |
|---|---|
| Y | 90℃ |
| A | 105℃ |
| E | 120℃ |
| B | 130℃ |
| F | 155℃ |
| H | 180℃ |

解答（2）　参照 130 ページ

変圧器の一次巻線 $N_1$ と二次巻線 $N_2$ の比は，一次電圧 $E_1$ と二次電圧 $E_2$ の比に等しくなります。

$$\frac{N_1}{N_2} = \frac{E_1}{E_2}$$

一次巻線と二次巻線の比は，$2000 / 100 = 20$。したがって，一次電圧 $E_1$ は二次電圧 $E_2$ の 20 倍になります。

$$E_1 = E_2 \times \frac{N_1}{N_2} = 150 \times 20 = 3000 〔V〕$$

解答（3） 参照 131 ページ

**問5**

○（1）変圧器では直流は変圧できません。

×（2）変圧器の効率は，$\dfrac{\text{出力}}{\text{出力}+\text{鉄損}+\text{銅損}+\text{漂遊負荷損}}$ で表されるため，鉄損や銅損が大きいほど低下します。

○（3）変圧器に入れる絶縁油には，冷却する目的もあります。

○（4）正しい記述です。街中でも，電柱に変圧器が 2 台並んでいるのを見かけることができます。

解答（2） 参照 132 ページ

**問6** 鉛蓄電池は，正極に二酸化鉛（$PbO_2$），負極に鉛（$Pb$），電解液に希硫酸（$H_2SO_4$）を用いた二次電池です。

解答（4） 参照 134 ページ

## 解 答

| 問1 | (3) | 問3 | (2) | 問5 | (2) |
| --- | --- | --- | --- | --- | --- |
| 問2 | (1) | 問4 | (3) | 問6 | (4) |

# 第 3 章

# 消防関係法令

1 消防関係法令（各類に共通する部分）
　　　　　　　　　　　　　　　　　　140
2 消防関係法令（第1類に関する部分）
　　　　　　　　　　　　　　　　　　192

# 1 消防関係法令（各類に共通する部分）

## まとめ & 丸暗記

### □ 特定防火対象物

- 劇場，映画館
- 公会堂，集会場
- キャバレー，カフェー，ナイトクラブ等
- 遊技場，ダンスホール
- 性風俗関連店舗
- カラオケボックス等
- 待合，料理店等
- 飲食店
- 百貨店，マーケット，その他の店舗，展示場
- 旅館，ホテル，宿泊所等
- 病院，診療所，助産所
- 自力避難困難者入所施設
- その他の社会福祉施設
- 幼稚園，特別支援学校
- 蒸気浴場，熱気浴場（サウナ）
- 特定用途部分を含む複合用途防火対象物
- 地下街
- 準地下街

### □ 防火管理者が必要な防火対象物

①収容人員10人以上の自力避難困難者入所施設
②収容人員30人以上の特定防火対象物（①以外）
③収容人員50人以上の非特定防火対象物

### □ 防火対象物点検が必要な防火対象物

①収容人員300人以上の特定防火対象物（準地下街を除く）
②収容人員30人以上の特定1階段等防火対象物
③収容人員10人以上の自力避難困難者入所施設を含む特定1階段等防火対象物

※地下街・準地下街を除く

### □ 防炎防火対象物

①特定防火対象物　②高層建築物
③工事中の建築物　④テレビ，映画スタジオ

### □ 消防用設備等

| 消防の用に供する設備 | 消火設備 | 消火器，簡易消火用具，屋内消火栓設備，スプリンクラー設備，水噴霧消火設備，泡消火設備，不活性ガス消火設備，ハロゲン化物消火設備，粉末消火設備，屋外消火栓設備，動力消防ポンプ設備 |
|---|---|---|
| | 警報設備 | 自動火災報知設備，ガス漏れ火災警報設備，漏電火災警報器，消防機関へ通報する火災報知設備，非常警報器具，非常警報設備 |
| | 避難設備 | 滑り台，避難はしご，救助袋，緩降機，避難橋，誘導灯，誘導標識 |
| 消防用水 | | 防火水槽，貯水池等 |
| 消火活動上必要な施設 | | 排煙設備，連結散水設備，連結送水管，非常コンセント設備，無線通信補助設備 |

### □ 消防用設備等の設置後に届出（完了後4日以内）が必要な場合

①自力避難困難者入所施設
②延べ面積300m²以上の特定防火対象（①以外）
③延べ面積300m²以上で，消防長または消防署長の指定を受けた非特定防火対象物
④特定1階段等防火対象物

### □ 消防設備士等による点検が必要な場合

①延べ面積1,000m²以上の特定防火対象物
②延べ面積1,000m²以上で，消防長または消防署長の指定を受けた非特定防火対象物
③特定1階段等防火対象物
④不活性ガス消火設備を設置した防火対象物

### □ 消防設備士免状の交付・書換え・再交付

| 交付 | 都道府県知事 |
|---|---|
| 書換え | 免状を交付した都道府県知事，居住地または勤務地の都道府県知事 |
| 再交付 | 免状の交付または書換えをした都道府県知事 |

# 防火対象物

## ① 防火対象物とは

　防火対象物とは，火災予防の対象となるもののことで，消防法では「山林または舟車，船きょもしくはふ頭に繋留された船舶，建築物その他の工作物もしくはこれらに属する物」と定義されています。

　防火対象物は，その用途によって次ページの表（消防法施行令別表第1）のように区分されています。大まかに言えば，一戸建て住宅以外のほとんどの建造物はこの表に含まれています。また，その中に収容されているものも防火対象物になります。

## ② 消防対象物との違い

　防火対象物とよく似ていてまぎらわしいものに，消防対象物があります。

　消防対象物は，消防法で「山林または舟車，船きょもしくはふ頭に繋留された船舶，建築物その他の工作物または物件」と定義されています。最後の「または物件」の部分だけが防火対象物と違っていることに注意しましょう。「物件」には一般の土地建物も含まれるので，防火対象物より広範囲のものが該当すると考えられます。

| | 消防対象物 | |
|---|---|---|
| 防火対象物 | 山林または舟車，船きょもしくはふ頭に繋留された船舶，建築物その他の工作物 | もしくはこれらに属するもの |
| | または物件 | |

≡補足≡

**舟車**
ボート，はしけなどの舟や自動車のこと。

≡補足≡

**船きょ**
ドックのこと。

141

# 消防法施行令別表第1

| 項 | 用途 |
|---|---|
| (1) | イ　劇場，映画館，演芸場または観覧場 |
| | ロ　公会堂または集会場 |
| (2) | イ　キャバレー，カフェー，ナイトクラブ等 |
| | ロ　遊技場またはダンスホール |
| | ハ　性風俗関連特殊営業を営む店舗等 |
| | ニ　カラオケボックス等 |
| (3) | イ　待合，料理店等 |
| | ロ　飲食店 |
| (4) | 百貨店，マーケットその他の物品販売業を営む店舗または展示場 |
| (5) | イ　旅館，ホテル，宿泊所等 |
| | ロ　寄宿舎，下宿または共同住宅 |
| (6) | イ　病院，診療所，助産所（入院施設のあるものとないものに区分：次ページ「補足」参照） |
| | ロ　自力避難困難者入所施設（①老人短期入所施設、養護老人ホーム、特別養護老人ホーム、軽費老人ホーム、有料老人ホーム、介護老人保健施設等、②救護施設、③乳児院、④障害児入所施設、⑤障害者支援施設等） |
| | ハ　ロ以外の福祉施設（①老人施設、②更生施設、③助産施設・保育所・幼保連携型認定こども園・児童施設等、④児童発達支援センター等、⑤身体障害者福祉センター等） |
| | ニ　幼稚園または特別支援学校 |
| (7) | 小学校，中学校，義務教育学校，高等学校，中等教育学校，高等専門学校，大学，専修学校，各種学校その他これらに類するもの |
| (8) | 図書館，博物館，美術館等 |
| (9) | イ　蒸気浴場，熱気浴場（サウナ）等 |
| | ロ　イ以外の公衆浴場 |
| (10) | 車両の停車場または船舶もしくは航空機の発着場 |
| (11) | 神社，寺院，教会等 |
| (12) | イ　工場または作業場 |
| | ロ　映画スタジオまたはテレビスタジオ |
| (13) | イ　自動車車庫または駐車場 |
| | ロ　飛行機または回転翼航空機の格納庫 |
| (14) | 倉庫 |
| (15) | 前各項に該当しない事業場 |
| (16) | イ　複合用途防火対象物（雑居ビル）のうち，その一部が特定防火対象物の用途に供されているもの |
| | ロ　イ以外の複合用途防火対象物 |
| (16の2) | 地下街 |
| (16の3) | 準地下街（次ページ「補足」参照） |
| (17) | 重要文化財，史跡等に指定された建造物 |
| (18) | 延長50メートル以上のアーケード |
| (19) | 市町村長の指定する山林 |
| (20) | 総務省令で定める舟車 |

## ③ 特定防火対象物

　防火対象物のうち，不特定多数の人が出入りする施設や，病院，幼稚園などのように避難(ひなん)が難しい人のいる施設については，特に厳重な防火管理が必要です。そのため，これらの施設は特定防火対象物に指定されています。具体的には，前ページの表のうち，色網のついている項目が特定防火対象物になります。

　以下のように，特定防火対象物かどうかがまぎらわしいものもあるので注意しましょう。

| ── 特定防火対象物 ── | ── 非特定防火対象物 ── |
|---|---|
| 旅館，ホテル，宿泊所 病院，保育所，幼稚園 サウナ | 寄宿舎，下宿，共同住宅 小学校，中学校，高校 図書館，美術館，博物館 |

## ④ 複合用途防火対象物

　前ページ表の (1) ～ (15) のうち，2つ以上の用途を含んでいる防火対象物を，複合用途防火対象物といいます。いわゆる「雑居ビル」のことです。

　雑居ビルの中に，特定防火対象物となる用途（特定用途）の部分が含まれている場合は，そのビル全体が特定防火対象物となります（前ページ表 (16) のイ）。

## ⑤ 無窓階

　建築物の地上階のうち，避難上または消火活動上有効な開口部をもたない階を，無窓階(むそうかい)といいます。「窓がない階」という意味ではなく，窓があってもそれらの面積等が基準を満たさなければ無窓階とみなします。

≡補足≡

**病院・診療所・助産所**

令別表第 1(6) 項イは，①特定診療科の病院，②特定診療科の有床診療所，③上記以外の病院・有床診療所・有床の助産所，④無床の診療所・助産所の4つに分類されており，①～③が入院施設あり，④が入院施設なしとなります。

≡補足≡

**自力避難困難者入所施設**

令別表第 1(6) 項ロは、自力での避難が困難な人が多く入所している施設が該当します。なお、「自力避難困難者入所施設」は正式な用語ではありません。

≡補足≡

**準地下街**

地下道と，その地下道に連続して面した建築物の地階を合わせたもの（ただし，特定防火対象物の用途に供される部分が存するものに限る）。

# 火災の予防

## ① 消防の組織

　日本の消防行政は，国や都道府県ではなく，市町村がそれぞれ自分の地域について責任を負うしくみになっています。

　市町村ごとに設置される消防機関には，消防本部と消防団があります。

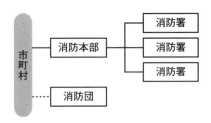

　消防本部は市町村ごとに設置される行政組織で，管内にある複数（1つだけの場合もある）の消防署を統括します。

　一方，消防団は一般市民の団員で構成される消防組織です。ほとんどの市町村には消防本部と消防団の両方が設置されていますが，消防本部のない市町村では，消防団がその地区の消防業務をになっています。

　消防本部の長を消防長，消防署の長を消防署長といいます。また，消防本部や消防署で消防の任にあたる職員を消防吏員といいます。消防吏員は全員が地方公務員です。

　消防長（消防本部がない市町村では，市町村長），消防署長，消防吏員には，火災を予防するために，必要に応じて命令や立入検査を行う権限が与えられています。主なものを理解しておきましょう。

## ② 屋外における火災予防 （消防法第3条）

　消防長・消防署長・その他の消防吏員は，屋外で火災予防上危険であったり，消火活動に支障がある場合に，以下の命令を行うことができます。

・火遊び，喫煙，たき火などの禁止・停止・制限・消火準備

・残火，取灰（かまどから取り出した灰），火粉の始末

・危険物の除去

・放置された物件の整理，除去

消防団長や消防団員には，これらを命じる権限はありません。

## ③ 立入検査 (消防法第4条)

消防長または消防署長は，火災予防のために必要があるときは，関係者に資料の提出や報告を求めたり，消防職員などに立入検査を行わせることができます。

なお，立入検査はあらゆる仕事場・工場・その他の関係ある場所で行えます。ただし，個人の住居については承諾を得た場合や特に緊急の場合に限ります。

## ④ 防火対象物に対する措置命令
(消防法第5条)

消防長または消防署長は，防火対象物の位置・構造・設備や管理状況が火災予防上危険であったり，消火や避難の支障になる等の場合には，権原のある関係者に

≡補足≡

**東京消防庁**

東京消防庁は，東京23区を管轄する特殊な消防本部で，例外的に東京都の機関となっています。国の機関である消防庁とは別組織。

≡補足≡

**関係者**

防火対象物や消防対象物の所有者，管理者または占有者を，まとめて関係者といいます。

≡補足≡

**関係のある場所**

防火対象物や消防対象物のある場所を，それらに関係のある場所といいます。

≡補足≡

**消防団員による立入検査**

消防本部のない市町村では，常勤の消防団員に立入検査をさせることができます。また，火災予防上特に必要があるときは，消防対象物及び期日を指定して，管轄区内の消防団員に立入検査をさせることができます。

対して，防火対象物の改修や移転，除去，工事の停止または中止などを命じることができます。

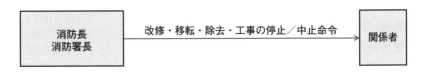

ただし，他の法令によって建築・増築・改築等の許可や認可を受け，その後事情の変更していない建築物等については例外となります。

## ⑤ 消防の同意 (消防法第7条)

建築物を新築・改築するときは，その建物が定められた基準に従っていることを特定行政庁（建築主事を置く市町村長または都道府県知事）に確認してもらわなければなりません。この手続きを建築確認といいます。

実際の建築確認は，市町村長が任命する建築主事や，市町村長から委託された指定確認検査機関と呼ばれる民間機関が行っています。建築確認を求められた建築主事等は，その建築物が消防法上問題ないことについて，さらに所轄の消防長または消防署長の同意を得なければなりません。この手続きを消防同意といいます。

消防同意は，一般建築物の場合は3日以内，その他の建築物の場合は7日以内に，建築主事等に通知します。

# 防火管理者

## 1 防火管理者とは (消防法第8条)

　一定規模以上の防火対象物では，防火管理上必要な業務を行うために，防火管理者を選任しなければなりません。

　防火管理者を選任するのは，その防火対象物の管理について権原をもつ者（＝管理権原者）です。具体的には，建物の所有者やテナントの事業主などが管理権原者となり，防火管理者を選任する義務が生じます。なお，管理権原者自身が防火管理者になってもかまいません。

　管理権原者は，防火管理者を選任または解任したときは，その旨を遅滞なく，所轄消防長または消防署長に届け出なければなりません。

## 2 防火管理者を置かなければならない防火対象物

　防火管理者の選任が必要なのは，多数の人が出入りしたり，勤務していたり，住んでいたりする防火対象物で，次のように定められています。

**覚える　防火管理者の選任が必要な防火対象物**

| | |
|---|---|
| ①自力避難困難者入所施設※1 <br>（令別表1（6）項ロの用途） | 収容人員 10 人以上 |
| ②特定防火対象物（①以外） | 収容人員 30 人以上 |
| ③非特定防火対象物 | 収容人員 50 人以上 |
| ④一定規模以上の新築工事中 <br>の建築物・建造中の旅客船 | |

※1 自力避難困難者入所施設の用途を含む複合用途防火対象物についても同じ

---

**≡補足≡**

**建築主事**
建築確認を行うために市町村または都道府県に設置される公務員。

**≡補足≡**

**指定確認検査機関**
建築確認を行う民間の機関

**≡補足≡**

**権原**
ある行為を正当に行うことができる法律上の根拠のこと。具体的には所有権や賃借権などが該当し，権限ではなく権原と書きます。

**≡補足≡**

**遅滞なく**
「すぐに」という意味。

**≡補足≡**

令別表第1（142ページ）の防火対象物のうち，準地下街，アーケード，山林，舟車については，収容人員にかかわらず防火管理者は必要ありません。ただし，準地下街については統括防火管理者（148ページ）を定めます。

なお，管理権原者が同じ防火対象物が同一敷地内に2つ以上ある場合は，それらを1つの防火対象物とみなして収容人員を合計します。

## ③ 防火管理者の業務

防火管理者が行わなければならない業務には，次のものがあります。

> ・消防計画の作成
> ・消防計画に基づく消火，通報及び避難訓練の実施
> ・消防用設備，消防用水または消火活動上必要な施設の点検及び整備
> ・火気の使用・取扱いに関する監督
> ・避難または防火上必要な構造及び設備の維持管理
> ・収容人員の管理
> ・その他防火管理上必要な業務

## ④ 統括防火管理者 （消防法第8条の2）

雑居ビルや地下街のようにいくつものテナントがある防火対象物では，管理権原者も複数になります。それらのうち，以下のものについては，建物全体の防火管理業務を行う統括防火管理者を選任し，所轄消防長または消防署長に届け出ることが定められています。

覚える　統括防火管理者の選任が必要なもの

| ①高層建築物（高さ31mを超える建築物） | |
|---|---|
| ②自力避難困難者入所施設※1 | 地階を除く階数が3以上で，収容人員が10人以上のもの |
| ③特定防火対象物<br>（②以外） | 地階を除く階数が3以上で，収容人員が30人以上のもの |
| ④特定用途部分を含まない複合用途防火対象物 | 地階を除く階数が5以上で，収容人員が50人以上のもの |
| ⑤地下街 | 消防長または消防署長が指定するもの |
| ⑥準地下街 | |

※1自力避難困難者入所施設の用途を含む複合用途防火対象物についても同じ

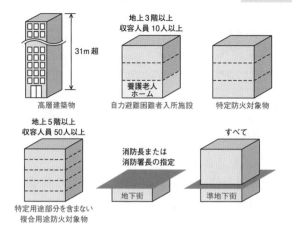

統括防火管理者は，防火対象物全体についての消防計画を作成し，それにもとづく消火訓練・避難訓練の実施，廊下・階段といった避難上必要な共用部分の管理などを行います。

## ⑤ 防火対象物点検 (消防法第8条の2の2)

以下の防火対象物の管理権原者は，建物の防火管理が適切に行われているかについて，防火対象物点検資格者による定期的なチェックを受け，その結果を消防長・消防署長に報告しなければなりません。

防火対象物点検が必要な防火対象物は，以下に該当するものです。

**覚える** 防火対象物点検が必要なもの

| ① 特定防火対象物<br>（準地下街を除く） | 収容人員 300 人以上 |
|---|---|
| ② 特定1階段等防火対象物※ | 収容人員 30 人以上 |
| ③ 地階または3階以上の階に自力避難困難者入居施設がある特定1階段等防火対象物※ | 収容人員 10 人以上 |

※地下街，準地下街を除く

---

≡補足≡

**甲種防火管理者と乙種防火管理者**
防火管理者の資格には甲種と乙種があり，次の防火対象物には，甲種防火管理者を選任しなければなりません。
・自力避難困難者入所施設（収容人員10人以上）
・特定防火対象物（収容人員30人以上）で延べ面積が300m² 以上
・非特定防火対象物（収容人員50人以上）で延べ面積が500m² 以上

≡補足≡

**高層建築物**
高さが31メートルを超えるものを高層建築物というのは，以前の規制で建物に100尺（=約31メートル）の高さ制限があったなごりです。

≡補足≡

**特定1階段等防火対象物**
地階または3階以上の階に特定用途部分があり，避難階（通常は1階）にいたる階段が屋内に1つしかない建物。

1 消防関係法令（各類に共通する部分）

**149**

# 防炎規制

## ① 防炎防火対象物 (消防法第8条の3)

　窓にかかっているカーテンや劇場のどん帳などは，火災発生時に燃えう
つって延焼の原因になることがあります。

　そのためこれらを特定の防火対象物で使用する場合は，一定の基準以上
の防炎性能をもつものでなければなりません。この規制を防炎規制といい
ます。

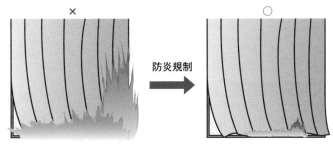

防炎規制 ＝ 延焼の原因となるカーテンなどには，
一定の防炎性能を備えたものを使用すること

　防炎規制を受ける防火対象物（＝防炎防火対象物）の種類は，以下のと
おりです。

覚える

①特定防火対象物（地下街を除く）
②高層建築物（高さ 31m 超）
③工事中の建築物
④テレビスタジオ，映画スタジオ

　工事中の建築物は特定防火対象物ではありませんが，工事用シートを使
うので防炎規制を受けます。また，テレビや映画のスタジオは暗幕や舞台
セットなどを大量に使うため，防炎防火対象物に加えられています。

## ② 防炎対象物品

　防炎規制の対象となる物品には，以下の種類があります。

---

・カーテン
・布製のブラインド
・暗幕
・じゅうたん等
・展示用の合板
・どん帳その他舞台において使用する幕
・舞台において使用する大道具用の合板
・工事用シート

---

　これらの物品を防炎防火対象物で使用する場合には，基準以上の防炎性能が必要です。

≡補足≡

**防炎性能**
炎に接しても燃えにくい性能のこと。

**1**
消防関係法令（各類に共通する部分）

# 危険物施設

## ① 危険物とは

　ここでいう危険物は，消防法で定められたものを指します。具体的にどんな物質が危険物になるかは，消防法の「別表第1」に掲げられています。

| 類別 | 性質 | 主な品名 |
|---|---|---|
| 第1類 | 酸化性固体 | 塩素酸塩類，過塩素酸塩類，無機過酸化物，亜塩素酸塩類，臭素酸塩類，硝酸塩類，よう素酸塩類，過マンガン酸塩類，重クロム酸塩類など |
| 第2類 | 可燃性固体 | 硫化りん，赤りん，硫黄，鉄粉，金属粉，マグネシウム，引火性固体など |
| 第3類 | 自然発火性物質及び禁水性物質 | カリウム，ナトリウム，アルキルアルミニウム，アルキルリチウム，黄りん，アルカリ金属など |
| 第4類 | 引火性液体 | 特殊引火物，第1石油類，アルコール類，第2石油類，第3石油類，第4石油類，動植物油類 |
| 第5類 | 自己反応性物質 | 有機過酸化物，硝酸エステル類，ニトロ化合物，ニトロソ化合物，アゾ化合物，ジアゾ化合物など |
| 第6類 | 酸化性液体 | 過塩素酸，過酸化水素，硝酸など |

　表のように，危険物はその性質によって，第1類～第6類の6種類に区分されています。身近なものでは，ガソリンや灯油，軽油などが，第4類の危険物です。

　また，消防法上の危険物はすべて常温で固体か液体です。気体はありません。たとえば，プロパンガスは消防法上の危険物ではありません。

## ② 製造所等

　危険物には，その危険度に応じて指定数量が決められており，指定数量以上の危険物は，定められた危険物施設以外で貯蔵したり，取り扱うことができません。

　たとえば，ガソリンの指定数量は 200 リットルなので，200 リットル以上のガソリンを貯蔵するのは，原則として危険物施設でなければなりません。

　危険物施設には，大きく製造所，貯蔵所，取扱所の3種類があります。法令では，これらをまとめて「製造所等」といいます。

| 危険物施設 | 内容 |
|---|---|
| 製造所 | 危険物を製造する施設 |
| 屋内貯蔵所 | 容器に入った危険物を屋内に貯蔵する倉庫 |
| 屋外貯蔵所 | 容器に入った危険物を屋外に貯蔵する施設 |
| 屋内タンク貯蔵所 | 屋内のタンクに危険物を貯蔵する施設 |
| 屋外タンク貯蔵所 | 屋外のタンクに危険物を貯蔵する施設 |
| 地下タンク貯蔵所 | 地下タンクに危険物を貯蔵する施設 |
| 簡易タンク貯蔵所 | 簡易タンクに危険物を貯蔵する施設 |
| 移動タンク貯蔵所 | 車両に固定したタンクに危険物を貯蔵する施設（タンクローリー） |
| 給油取扱所 | 自動車等に給油をする取扱所（ガソリンスタンド） |
| 販売取扱所 | 危険物を販売のために取り扱う店舗 |
| 移送取扱所 | 配管やポンプで危険物を移送する施設（パイプライン） |
| 一般取扱所 | 給油・販売・移送以外の危険物取扱所（ボイラー施設，クリーニング工場など） |

### ❸ 製造所等の設置・変更

　危険物を扱う製造所等は，勝手に設置することはできません。

≡補足≡

**仮貯蔵・仮取扱い**
所轄消防長または消防署長の承認を得て，指定数量以上の危険物を，製造所等以外の場所で貯蔵または取り扱うこと。10 日以内に限って認められています。

製造所等を新たに設置したり，既存の製造所等の一部を変更するときは，事前に市町村長等に申請して，許可を得なければなりません。

市町村長等というのは，市町村長，都道府県知事，総務大臣のいずれかです。このうちの誰に申請するかは，製造所等を設置する場所によって，以下のように決まります。

①消防本部及び消防署のある市町村の区域　→　市町村長
②消防本部及び消防署のない市町村の区域　→　都道府県知事
③移送取扱所が，2つ以上の市町村にまたがって設置される場合
　→　都道府県知事
④移送取扱所が，2つ以上の都道府県にまたがって設置される場合
　→　総務大臣

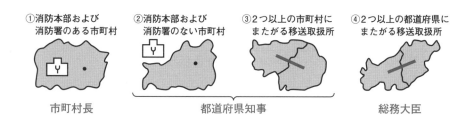

①消防本部および　　②消防本部および　　③2つ以上の市町村に　④2つ以上の都道府県に
　消防署のある市町村　消防署のない市町村　またがる移送取扱所　またがる移送取扱所

市町村長　　　　　　　　都道府県知事　　　　　　　総務大臣

## ④ 危険物取扱者

製造所等での危険物の取扱いは，危険物取扱者が行います。危険物取扱者の資格には甲種，乙種，丙種の3種類があります。

| 甲種危険物取扱者 | すべての危険物を取り扱うことができる。 |
|---|---|
| 乙種危険物取扱者 | 第1類〜第6類のうち，免状に指定された類の危険物のみ取り扱うことができる。 |
| 丙種危険物取扱者 | 第4類危険物の一部のみ取り扱うことができる。 |

危険物取扱者以外の人が，製造所等で危険物を取り扱う場合には，甲種または乙種危険物取扱者の立会いが必要です（丙種危険物取扱者の立会いは不可）。

# 消防用設備等の設置

## 1 消防用設備等の種類 (消防法第17条第1項)

　防火対象物には，火災が発生したときに対処できるように，以下のような設備を技術上の基準に従って設置・維持しなければなりません。これらの設備をまとめて消防用設備等といいます。

　消防用設備等は，大きく「消防の用に供する設備」「消防用水」「消火活動上必要な施設」の3種類に分かれ，さらにそれぞれに次のような種類があります。

≡補足≡

**特殊消防用設備等**
現行の法令が想定していない技術によって，通常の消防用設備等と同等以上の性能をもつ消防用設備等で，総務大臣の認定を受けたもの。

1 消防関係法令（各類に共通する部分）

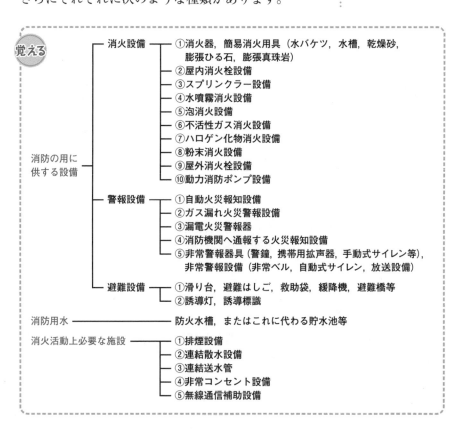

**覚える**

消防の用に供する設備
- 消火設備
  - ①消火器，簡易消火用具（水バケツ，水槽，乾燥砂，膨張ひる石，膨張真珠岩）
  - ②屋内消火栓設備
  - ③スプリンクラー設備
  - ④水噴霧消火設備
  - ⑤泡消火設備
  - ⑥不活性ガス消火設備
  - ⑦ハロゲン化物消火設備
  - ⑧粉末消火設備
  - ⑨屋外消火栓設備
  - ⑩動力消防ポンプ設備
- 警報設備
  - ①自動火災報知設備
  - ②ガス漏れ火災警報設備
  - ③漏電火災警報器
  - ④消防機関へ通報する火災報知設備
  - ⑤非常警報器具（警鐘，携帯用拡声器，手動式サイレン等），非常警報設備（非常ベル，自動式サイレン，放送設備）
- 避難設備
  - ①滑り台，避難はしご，救助袋，緩降機，避難橋等
  - ②誘導灯，誘導標識

消防用水 ── 防火水槽，またはこれに代わる貯水池等

消火活動上必要な施設
  - ①排煙設備
  - ②連結散水設備
  - ③連結送水管
  - ④非常コンセント設備
  - ⑤無線通信補助設備

消防用設備等の設置義務があるのは，防火対象物（142ページ表(1)～(20)）の関係者です。また，消防用設備等の設置工事や整備を行うには，一部を除いて消防設備士の資格が必要になります。

## 2 消防用設備等の設置単位

消防用設備等は，原則として1棟の防火対象物全体を1単位として設置します。ただし，これには次のような例外があります。

### ①防火対象物が開口部のない耐火構造の床または壁で区画されている場合

この場合は，区画された各部分をそれぞれ別の防火対象物とみなして，技術上の基準を適用します。

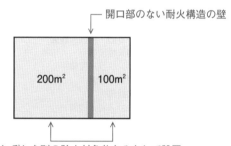

┌── 開口部のない耐火構造の壁

200m² 　 100m²

それぞれを別の防火対象物とみなして設置

たとえば，延べ面積300m²以上の特定防火対象物には，原則として自動火災報知設備の設置が必要です。しかし上図のように耐火構造の壁で区画した場合は，各部分が300m²未満となるため，自動火災報知設備の設置は不要になる場合があります。

### ②複合用途防火対象物の場合

複合用途防火対象物の場合は，原則として同じ用途部分ごとに1つの防火対象物とみなします。

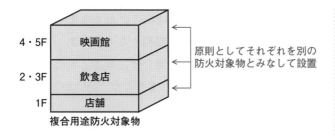

たとえば，上図のように1棟に映画館，飲食店，店舗が混在している場合は，映画館の部分で1つ，飲食店の部分で1つ，店舗の部分で1つの防火対象物とみなして，それぞれに消防用設備等を設置します。

### ③地下街

地下街は，テナントごとに複数の用途に使われていますが，全体として1つの防火対象物とみなします。

また，特定防火対象物の地階で，地下街と一体のものとして消防長または消防署長の指定を受けた場合には，特定の消防用設備等については地下街の一部とみなして設置します（スプリンクラー設備，自動火災報知設備，ガス漏れ火災警報設備，非常警報設備）。

≡補足≡
**複合用途防火対象物の例外**
以下の消防用設備等については，複合用途防火対象物であっても1棟全体を設置単位とします。

・スプリンクラー設備
・自動火災報知設備
・ガス漏れ火災警報設備
・漏電火災警報器
・非常警報設備
・避難器具
・誘導灯

### ④渡り廊下などで防火対象物を接続した場合

渡り廊下や地下連絡路などで2つの防火対象物を接続した場合は，原則としてあわせて1棟とみなされます。ただし，一定の防火措置を講じた場合には，それぞれ別の棟として基準を適用できます。

### ③ 附加条例 (消防法第17条第2項)

その地方または風土の特殊性によっては，通常の設置基準がうまく適用できない場合があります。その場

合には，市町村条例によって，異なる規定を設けることができます。

　なお，条例による規定は，通常の設置基準を緩和するものであってはなりません。たとえば「延べ面積が500m²以上の場合は設置する」という基準を，条例で「300m²以上」とするのは問題ありませんが，「1,000m²以上」にすることはできません。

## 4 既存防火対象物に対する適用除外 (消防法第17条の2の5)

　法令の改正によって設置基準が変更になった場合でも，すでに建っている防火対象物については，改正前の基準法令に従えばよいことになっています。これは，法令が改正されるたびに設備を変更するのは大変だからです。

　ただし，次のいずれかの場合については，既存の防火対象物であっても，現行の基準法令に従わなければなりません。

### ①特定防火対象物の場合

　特定防火対象物については，法令の改正で設置基準が変われば，それに合わせて必要な設備も変更しなければなりません。

### ②一部の消防用設備等

　次の消防用設備等については，常に改正後の基準法令に適合させる必要があります。

- ・消火器及び簡易消火用具
- ・漏電火災警報器
- ・不活性ガス消火設備（一部の基準に限る）
- ・非常警報器具及び非常警報設備
- ・避難器具
- ・誘導灯及び誘導標識
- ・自動火災報知設備（特定防火対象物または重要文化財に設置する場合）
- ・ガス漏れ火災警報設備（特定防火対象物または温泉採取施設に設置する場合）

③基準法令に適合するに至った場合

　関係者が自発的に改正後の基準法令に適合させるのは問題ありません。

④改正前の基準法令に適合していない場合

　そもそも改正前の基準法令に違反していた場合は，改正前ではなく，改正後の基準法令に適合するように設置しなければなりません。

⑤改正後に大規模な増改築・修繕・模様替えをした場合

　基準法令の改正後，床面積1000m² 以上，または延べ面積の2分の1以上を増改築した場合には，増改築後の消防用設備等は改正後の基準法令に従って設置します。大規模な修繕や模様替えを行った場合にも同様です。

## ５ 用途を変更した場合の適用除外 (消防法第17条の3)

　防火対象物の用途を変更して，新しい用途では基準法令に適合しなくなった場合でも，原則として古い用途での基準法令に適合していればいいことになっています。

　ただし，次のいずれかの場合については，新しい用途での基準に適合させる必要があります（①～⑤の詳細は前項と同様です）。

①特定防火対象物に用途変更した場合
②一部の消防用設備等
③基準法令に適合するに至った場合
④用途変更前の基準法令に適合していなかった場合
⑤用途変更後に大規模な増改築・修繕・模様替えをした場合

≡補足≡

**延べ面積**
建物の各階の床面積を合計したもの。

# 消防用設備等の検査と点検

## ❶ 設置したら検査が必要 （消防法第17条の3の2）

　消防用設備等（または特殊消防用設備等）を設置したときには，その旨を消防長または消防署長に届け出て，設置した設備等が技術上の基準に適合しているかどうかの検査を受けます。

### ◆届出・検査が必要な防火対象物

① 延べ面積にかかわらず検査が必要な場合
・カラオケボックス等
・旅館・ホテル・宿泊所
・病院・診療所・助産所（入院施設のあるものに限る）
・自力避難困難者入所施設
・その他の社会福祉施設（宿泊施設のあるものに限る）
・上記の用途部分を含む複合用途防火対象物・地下街・準地下街
・特定1階段等防火対象物（次ページ「補足」参照）
② 延べ面積300m$^2$以上で検査が必要な場合
・①以外の特定防火対象物
・消防長または消防署長の指定を受けた非特定防火対象物

### ◆届出・検査が必要ない消防用設備等

　簡易消火用具，非常警報器具を設置した場合は，届出は必要ありません。

### ◆届け出る人・届出先

　防火対象物の関係者（所有者，管理者または占有者）が，所轄消防長または消防署長に届け出ます。

◆**届出期間**

設置工事の完了から4日以内に届け出ます。

**2 消防用設備等の点検と報告**
（消防法第17条の3の3）

防火対象物に設置した消防用設備等（または特殊消防用設備等）は，定期的に点検を行い，機能などに問題がないかどうかを確認します。また，点検を行ったときは，その結果を消防長または消防署長に報告します。

◆**消防用設備等の点検が必要な防火対象物**

以下の防火対象物については，消防設備士または消防設備点検資格者が点検しなければなりません。

①延べ面積1,000m² 以上の特定防火対象物
②延べ面積1,000m² 以上で，消防長または消防署長の指定を受けた非特定防火対象物
③特定1階段等防火対象物
④全域放出方式の不活性ガス消火設備（二酸化炭素を放出するものに限る）が設置されているもの

上記以外の防火対象物については，防火対象物の関係者が点検を行います。

◆**点検の内容と期間**

点検には，機器点検と総合点検の2種類があります。

| 点検の種類 | 点検期間 | 点検内容 |
|---|---|---|
| 機器点検 | 6か月ごと | 非常電源の作動，外観から判別できる損傷の有無，機能等を確認する。 |
| 総合点検 | 1年ごと | 設備を作動させ，総合的な機能を確認する。 |

≡ **補足** ≡

**特定1階段等防火対象物**

特定防火対象物の用途部分が地階または3階以上の階にあり，その階から地上に出るための階段が，屋内階段1つしかない建物のこと。

**1** 消防関係法令（各類に共通する部分）

## ◆点検結果の報告

　防火対象物の関係者は，点検結果を維持台帳に記録し，消防長または消防署長に報告します。報告期間は以下のとおりです。

| 特定防火対象物 | 1年ごと |
|---|---|
| 非特定防火対象物 | 3年ごと |

## ③ 消防用設備等の設置・維持命令 (消防法第17条の4)

　消防長または消防署長は，消防用設備等が技術上の基準に従って設置されていない場合や，設置されていてもきちんと維持されていない場合には，防火対象物の関係者で権原のある者に対して，設置または維持するため必要な措置を命じることができます。

　これらの措置命令に違反すると，罰則が科せられます。設置命令に違反した場合には1年以下の懲役または100万円以下の罰金。維持命令に違反した場合には30万円以下の罰金または拘留です。

# 消防設備士制度

## ① 消防設備士でなければできない業務
(消防法第17条の5)

消防設備士は，防火対象物や危険物施設に消防用設備等や特殊消防用設備等の設置工事をしたり，整備をするための資格です。これらの業務は，消防設備士の免状がなければ行ってはいけません。

≡補足≡
甲種消防設備士は設置工事を行うため，甲種消防設備士試験は製図試験が含まれます。

① 消防関係法令（各類に共通する部分）

### ◆消防設備士の業務対象設備

消防設備士でなければ工事や整備ができない設備は，以下のとおりです。

覚える

| 区分 | 工事整備対象設備 |
|------|------------------|
| 特類 | 特殊消防用設備等 |
| 第1類 | 屋内消火栓設備，屋外消火栓設備，スプリンクラー設備，水噴霧消火設備 |
| 第2類 | 泡消火設備 |
| 第3類 | 不活性ガス消火設備，ハロゲン化物消火設備，粉末消火設備 |
| 第4類 | 自動火災報知設備，ガス漏れ火災警報設備，消防機関へ通報する火災報知設備 |
| 第5類 | 金属製避難はしご（固定式のみ），救助袋，緩降機 |
| 第6類 | 消火器 |
| 第7類 | 漏電火災警報器 |

甲種（設置工事・整備）

乙種（整備のみ）

上記のうち，消防設備士でなければ設置ができないのは，特類と第1類～第5類の消防用設備等です。これらの設置には，甲種消防設備士の免状が必要です。

また，第6類の消火器と第7類の漏電火災警報器については，設置は消防設備士でなくても行えますが，整備には乙種消防設備士の免状が必要です。

　上記以外の消防用設備等（155ページ参照）の工事・整備については，消防設備士の免状は必要ありません。

◆消防設備士でなくてもできる業務

　以下の業務については，消防設備士でなくても行うことができます。

①軽微な整備
②屋内消火栓設備，スプリンクラー設備，水噴霧消火設備，屋外消火栓設備の電源，水源，配管部分，その他設備の電源部分
③任意に設置した消防用設備等の工事・整備

## ② 消防設備士の免状

　消防設備士の免状には，甲種と乙種の2種類があります。

| 甲種消防設備士 | 工事と整備の両方ができる資格で，対象設備によって特類および第1類～第5類の6種類に分類されます。 |
|---|---|
| 乙種消防設備士 | 整備のみできる資格で，対象設備によって第1類～第7類の7種類に分類されます。 |

## ③ 免状の交付・書換え・再交付

　消防設備士免状の交付・書換え・再交付などの手続きは，次のようになります。

## ◆免状の交付

消防設備士の免状は，消防設備士試験の合格者に対して，都道府県知事が交付します。

## ◆免状の書換え

免状の記載事項（氏名，本籍など）に変更が生じたとき，または免状に貼付されている写真が撮影後10年を経過したときは，必要な書類とともに，免状を交付した都道府県知事か，居住地または勤務地の都道府県知事に，免状の書換えを申請します。

## ◆免状の再交付

免状を亡失・滅失・汚損または破損した場合は，その免状を交付または書換えした都道府県知事に，免状の再交付を申請できます。

亡失によって再交付を受けた後，亡失した免状を発見した場合は，その免状を10日以内に再交付を受けた都道府県知事に提出しなければなりません。

## ◆免状の不交付

都道府県知事は，消防設備士試験に合格した者でも，次のいずれかの場合には免状を交付しないことができます。

・免状の返納を命じられてから1年を経過しない者。
・消防法令に違反して罰金以上の刑に処された者で，その執行が終わり，または執行を受けることがなくなった日から起算して2年を経過しない者。

≡補足≡

**消防設備士でなくても工事や整備ができる消防用設備等**

| |
|---|
| 動力消防ポンプ装置 |
| 簡易消火用具 |
| 非常警報器具・非常警報設備 |
| 滑り台，避難橋 |
| 誘導灯，誘導標識 |
| 消防用水 |
| 無線通信補助設備 |
| 非常コンセント設備 |
| 排煙設備 |
| 連結散水設備 |
| 連結送水管 |
| 消火器（整備は不可） |
| 漏電火災警報器（整備は不可） |

**1 消防関係法令（各類に共通する部分）**

## ◆免状の返納

都道県知事は，消防設備士が法令の規定に違反した場合に，免状の返納を命じることができます。

##  消防設備士の義務等

### ◆消防設備士の責務

消防設備士は，その責務を誠実に行い，工事整備対象設備等の質の向上に努めなければならないとされています。

### ◆免状の携帯義務

消防設備士は，その業務に従事するときは，消防設備士免状を携帯しなければなりません。

### ◆着工届出義務

甲種消防設備士は，設置工事に着手する 10 日前までに，着工届を消防長または消防署長に届け出なければなりません。

着工届は防火対象物の関係者ではなく，工事を行う消防設備士の義務であることに注意しましょう。

### ◆講習の受講

すべての消防設備士は，技術の進展や基準法令の改正に対応するために，都道府県知事が行う講習を受講しなけなければなりません。

講習は免状の交付を受けた年度（4 月 1 日〜3 月 31 日）が過ぎてから 2 年以内，または最後に受講した年度が過ぎてから 5 年以内ごとに受講します。受講しなかった場合は免状の返納を命じられることがあります。

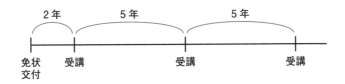

# 検定制度

## 1 検定制度とは

　検定制度は，一部の消防用機械器具について，その形状や構造，材質，成分，性能などが，定められた技術上の規格に適合しているかどうかを試験する制度です。この試験を受けて合格していない機械器具は，販売や陳列，工事などに使用することができません。

　検定は，型式承認と型式適合検定の 2 段階で行われます。

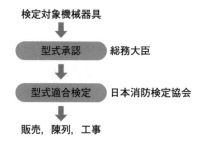

検定対象機械器具
↓
型式承認　　総務大臣
↓
型式適合検定　日本消防検定協会
↓
販売，陳列，工事

### ①型式承認

　型式承認は，対象となる機械器具の型式にかかわる形状等が，総務省令で定める技術上の規格に適合していることを書類審査して承認することです。型式承認は総務大臣が行います。

### ②型式適合検定

　型式適合検定は，対象となる機械器具の個々の形状等が，型式承認で承認されたものと同一かどうかを検定します。

型式適合検定は日本消防検定協会が行い，検定に合格したものには検定合格ラベルを表示できます。このラベルを表示していないものは，販売や陳列，工事などに使用できません。

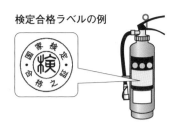

検定合格ラベルの例

## ② 検定対象機械器具

検定の対象となる機械器具は，以下の 12 品目です。

- ・消火器
- ・消火器用消火薬剤（二酸化炭素を除く）
- ・泡消火薬剤（水溶性液体用のものを除く）
- ・感知器・発信機（火災報知設備）
- ・中継器（火災報知設備またはガス漏れ火災警報設備）
- ・受信機（火災報知設備またはガス漏れ火災警報設備）
- ・住宅用防災警報器
- ・閉鎖型スプリンクラーヘッド
- ・流水検知装置
- ・一斉開放弁（大口径のものを除く）
- ・金属製避難はしご
- ・緩降機

　第 1 類消防設備士は，上記のうち，閉鎖型スプリンクラーヘッド，流水検知装置，一斉開放弁の 3 品目を取り扱います。

# チャレンジ問題

［解説］180 ページ　［解答一覧］191 ページ

### 問１　　　　　　　　　　　　　　　　　難　中　易

**消防法に規定する用語について，誤っているものは次のうちどれか。**

(1) 防火対象物とは，山林または舟車，船きょ，もしくはふ頭に繋留された船舶，建築物その他の工作物または物件をいう。

(2) 複合用途防火対象物とは，防火対象物で政令で定める２以上の用途に供されるものをいう。

(3) 関係者とは，防火対象物または消防対象物の所有者，管理者もしくは占有者をいう。

(4) 舟車には，車両も含まれる。

### 問２　　　　　　　　　　　　　　　　　難　中　易

**消防法令における無窓階の定義として，正しいものは次のうちどれか。**

(1) 採光上または排煙上有効な開口部を有しない階

(2) 床が地盤面下にある階で，地上に直通する有効な開口部を有しないもの

(3) 避難上または消火活動上有効な開口部を有しない階

(4) 直接地上へ通じる出入口のない階

### 問３　　　　　　　　　　　　　　　　　難　中　易

**消防法令上，特定防火対象物のみからなる組合せは，次のうちどれか。**

(1) 幼稚園，保育園，小学校

(2) 図書館，美術館，博物館

(3) テレビスタジオ，劇場，映画館

(4) サウナ，カラオケボックス，地下街

消防法令でいう特定防火対象物にならないものは，次のうちどれか。

(1) 飲食店　　(2) 重要文化財　　(3) 公会堂　　(4) デパート

　屋外において火災の予防に危険であると認められる行為を行っている者に対し，火災予防上必要な措置を命ずることができない者は次のうちどれか。

(1) 消防吏員

(2) 消防署長

(3) 消防本部を置かない市町村の長

(4) 消防団長

　屋外における火災の予防または消防活動の障害除去のための措置命令（法第3条）として，誤っているものは次のうちどれか。

(1) 放置された物件の改修または移転

(2) 危険物の除去その他の処理

(3) 火遊び，喫煙，たき火等の禁止，停止もしくは制限

(4) 残火，取灰または火粉の始末

消防法に関する記述として，正しいものは次のうちどれか。

(1) 市町村長が，火災予防のために必要があるときは，関係者に対して資料の提出を命じることができる。

(2) 消防長または消防署長は，火災予防のために必要があるときは，消防職員に命じて制限なくあらゆる場所に立ち入って検査させることができる。

(3) 立入検査を行うときは，事前に関係者に通告しなければならない。

(4) 火災予防のため特に必要があるときは，消防団員（消防本部を置かない市町村においては，非常勤の消防団員）に立入検査をさせることができる。

### 問8　　　　　　　　　　難　中　易

　消防法第7条に規定する消防同意に関する記述として，正しいものは次のうちどれか。
(1) 建築物を新築しようとする者は，建築確認を申請する前に消防同意を得なければならない。
(2) 消防同意は，建築主事または指定確認検査機関が行う。
(3) 建築主事等は，消防同意を得なければ確認をすることができない。
(4) 消防同意の期間は，一般建築物については3日以内，その他の建築物については10日以内である。

### 問9　　　　　　　　　　難　中　易

　防火管理者を選任しなくてもよい防火対象物は次のうちどれか。
(1) 収容人員が40人のレストラン
(2) 収容人員が80人の美術館
(3) 延長50メートル以上のアーケードで，消防長または消防署長が指定するもの
(4) 同一の敷地内にあり，所有者が同じ収容人員40人の工場と，収容人員30人の事務所

### 問10　　　　　　　　　　難　中　易

　防火管理者の業務として，誤っているものは次のうちどれか。
(1) 消防計画の作成
(2) 危険物の取扱作業に関する保安の監督
(3) 消防計画に基づく消火，通報及び避難訓練の実施
(4) 消防用設備等の点検及び整備

## 問11

難 **中** 易

防火対象物点検資格者による点検が必要な防火対象物は，次のうちどれか。ただし，避難階は1階とし，階段はすべて避難階に直通するものとする。

(1) 屋内階段が1である地階を除く階数が2の複合用途防火対象物（1階が展示場，2階が飲食店）で，収容人員が100人のもの。

(2) 屋内階段が2である地階を除く階数が5の共同住宅で，収容人員が400人のもの。

(3) 屋内階段が1である地階を除く階数が2の複合用途防火対象物（地下1階が飲食店，1階と2階が物品販売店舗で，収容人員が50人のもの。

(4) 屋内階段が2である地階を除く階数が3のホテルで，収容人員が100人のもの。

## 問12

難 中 **易**

消防法第8条の3に規定する防炎規制の対象とならない防火対象物は，次のうちどれか。

(1) 複合用途防火対象物の中にある一般事務所

(2) テレビスタジオ

(3) 工事中の図書館

(4) 高さ31mを超える高層マンション

## 問13

難 中 **易**

危険物の製造所等を設置しようとする者が設置許可を申請する申請先として，正しいものは次のうちどれか。

(1) 消防本部及び消防署を置く市町村の区域内に設置する場合は，消防長または消防署長

(2) 消防本部及び消防署のない市町村の区域内に設置する場合は，市町村長

(3) 2以上の市町村の区域にわたって移送取扱所を設置する場合は，都道府県知事

(4) 2以上の都道府県の区域にわたって移送取扱所を設置する場合は，当

該区域内のいずれかを管轄する都道府県知事

**問14** 　　　　　　　　　　　　　　　　　難　中　**易**

　危険物の製造所等における危険物の取扱いについて，誤っているものは次のうちどれか。

(1) 危険物取扱者以外の者は，危険物取扱者の立会いがなければ，たとえ指定数量以下の危険物であっても取り扱うことはできない。

(2) 甲種危険物取扱者は，すべての危険物について自ら取り扱うことができる。

(3) 甲種または乙種危険物取扱者の立会いがあれば，危険物取扱者以外の者でもすべての危険物を取り扱うことができる。

(4) 丙種危険物取扱者は，たとえ免状に指定された種類の危険物の取扱いであっても立ち会うことはできない。

**問15** 　　　　　　　　　　　　　　　　　難　中　**易**

　消防法第17条に規定する消防用設備等に関する記述として，正しいものは次のうちどれか。

(1) 消防の用に供する設備には，消火設備，警報設備，消防用水の3種類がある。

(2) 誘導灯及び誘導標識は，警報設備である。

(3) 水バケツや水槽は，消防用水である。

(4) 動力消防ポンプ設備は，消火設備である。

**問16** 　　　　　　　　　　　　　　　　　難　中　**易**

　消防法施行令に定める「消火活動上必要な施設」に該当しないものは，次のうちどれか。

(1) 携帯用拡声器

(2) 連結送水管

(3) 非常コンセント設備

(4) 無線通信補助設備

消防法第 17 条に定める消防用設備等を設置し，維持しなければならない義務を負う者は，次のうちどれか。

(1) 製造所等の危険物保安監督者

(2) 管理権原者が選任する防火管理者

(3) 防火対象物の関係者

(4) 設置工事及び整備を行う消防設備士

消防法第 17 条第 1 項により，消防用設備等を設置しなければならない防火対象物として，正しいものは次のうちどれか。

(1) 延べ面積 300m² 以上の一戸建て住宅

(2) 一般事務所

(3) 市町村長の指定のない山林

(4) 延長 40m の商店街のアーケード

1 棟の建物内であっても，別の防火対象物とみなして消防用設備等の設置基準を適用する場合は，次のうちどれか。

(1) 床を耐火構造とし，出入口以外の開口部を有しない壁で区画する場合

(2) 開口部のない耐火構造の床または壁で区画する場合

(3) 耐火構造の床または壁で区画し，両者を接続する部分に人が出入りできない開口部を設ける場合

(4) 耐火構造または準耐火構造の床もしくは壁で区画する場合

気候または風土の特殊性に応じて，政令で定める技術上の基準と異なる規定を設けることができるのは，次のうちどれか。

(1) 消防長または消防署長の定める基準

(2) 都道府県知事が定める告示基準

(3) 市町村の条例

(4) 都道府県の条例

### 問21　　　　　　　　　　　　　　　難 中 **易**

　既存の防火対象物に対する消防用設備等の技術上の基準の適用について，誤っているものは次のうちどれか。

(1) 既存の防火対象物の過半を改築した場合は，現行の基準が適用される。

(2) 倉庫を飲食店に用途変更した場合は，現行の基準が適用される。

(3) 重要文化財に設置した自動火災報知設備については，既存防火対象物であっても現行の基準が適用される。

(4) 床面積 1,000m² 以上の図書館には，常に現行の基準が適用される。

### 問22　　　　　　　　　　　　　　　難 中 **易**

　既存防火対象物に設置されている消防用設備等のうち，技術上の基準が改正された場合は，原則としてすべての防火対象物が現行の基準を適用しなければならないものは次のうちどれか。

(1) スプリンクラー設備

(2) 消火器

(3) 排煙設備

(4) 非常コンセント設備

### 問23　　　　　　　　　　　　　　　難 中 **易**

　消防用設備等または特殊消防用設備等の設置工事が完了した場合に，検査を受けなくてもよい防火対象物は次のうちどれか。

(1) 延べ面積 300m² の映画館

(2) 消防長等の指定を受けた，延べ面積 300m² の博物館

(3) 延べ面積 200m² の飲食店

(4) 延べ面積 200m² の養護老人ホーム

| 難 | 中 | 易 |
|---|---|---|

消防用設備等または特殊消防用設備等の設置の届出及び検査に関する記述のうち，正しいものは次のうちどれか。

(1) 設置工事の完了後 4 日以内に届け出なければならない。

(2) 設置工事を施工した消防設備士が届け出る。

(3) 特定防火対象物は，延べ面積に関係なく検査を受けなければならない。

(4) 設置した消防用設備等の種類に関係なく検査を受けなければならない。

| 難 | 中 | 易 |
|---|---|---|

消防用設備等の定期点検を消防設備士または消防設備点検資格者にさせなければならない防火対象物は次のうちどれか。ただし，消防長または消防署長の指定を受けたものを除く。

(1) 延べ面積 1,000m$^2$ の映画館

(2) 延べ面積 800m$^2$ の病院

(3) 延べ面積 1,200m$^2$ の小学校

(4) 延べ面積 900m$^2$ の倉庫

| 難 | 中 | 易 |
|---|---|---|

消防用設備等または特殊消防用設備等の定期点検及び報告に関する記述で，正しいものは次のうちどれか。

(1) 機器点検は 1 年に 1 回以上，総合点検は 3 年に 1 回以上実施する。

(2) 延べ面積が 1,000m$^2$ 未満の防火対象物では，定期点検を行う必要はない。

(3) 点検の結果は，点検後遅滞なく消防長または消防署長に報告しなければならない。

(4) 点検結果の報告先は，消防本部を置かない市町村にあっては，当該市町村長である。

## 問27

難 | 中 | **易**

　防火対象物の消防用設備等が，技術上の基準に従って設置されていない場合に発令される措置命令について，必要な措置を命ずる者と，命ぜられる者の組合せとして正しいものは次のうちどれか。

|   | 命ずる者 | 命ぜられる者 |
|---|---|---|
| (1) | 消防長または消防署長 | 工事・点検を行う消防設備士 |
| (2) | 市町村長 | 工事・点検を行う消防設備士 |
| (3) | 消防長または消防署長 | 防火対象物の関係者で権原を有する者 |
| (4) | 都道府県知事 | 防火対象物の関係者で権原を有する者 |

## 問28

難 | 中 | **易**

　消防法令で設置義務のある消防用設備等のうち，消防設備士でなければ行ってはならない工事として，正しいものは次のうちどれか。

(1) 映画館に非常コンセント設備を設置する工事

(2) 飲食店に消火器を設置する工事

(3) 工場に粉末消火設備を設置する工事

(4) 病院に漏電火災警報器を設置する工事

## 問29

難 | 中 | **易**

　消防設備士の業務に関する記述について，正しいものは次のうちどれか。

(1) 屋内消火栓設備の配管部分の工事には，甲種または乙種の消防設備士免状が必要である。

(2) 乙種消防設備士が業務に従事するときは，消防設備士免状を携帯しなくてもよい。

(3) 乙種消防設備士は，都道府県知事が行う講習を受講しなくてもよい。

(4) 消防設備士は，その責務を誠実に行い，工事整備対象設備等の質の向上に努めなければならない。

難　中　**易**

　消防設備士免状に関する記述として，消防法令上誤っているものは次の
うちどれか。

(1)　免状の記載事項に変更が生じた場合は，免状を交付した都道府県知事，
　　または居住地もしくは勤務地を管轄する都道府県知事に書換えを申請
　　する。

(2)　亡失により免状の再交付を受けた後，亡失した免状を発見した場合は，
　　その免状を 10 日以内に再交付を受けた都道府県知事に提出しなけれ
　　ばならない。

(3)　消防長または消防署長は，消防設備士が法令に違反したときには免状
　　の返納を命じることができる。

(4)　消防設備士免状は，交付を受けた都道府県以外に，全国の都道府県で
　　有効である。

難　中　**易**

　消防用設備等の着工届に関する記述について，正しいものは次のうちど
れか。

(1)　乙種消防設備士には，着工届を行う義務はない。

(2)　着工届は，施行する場所を管轄する都道府県知事に対して行う。

(3)　着工届の届出期間は，工事を完了した日から 10 日以内である。

(4)　着工届を怠ると，防火対象物の関係者にも罰則がある。

難　中　**易**

　消防の用に供する機械器具等の検定に関する記述のうち，正しいものは
次のうちどれか。

(1)　型式承認は，日本消防検定協会が行う。

(2)　検定対象機械器具等であっても，海外から輸入されたものについては，
　　型式適合検定を省略できる。

(3)　型式承認を受けていても，型式適合検定に合格しなければ，検定対象

機械器具等を販売することはできない。

(4) 型式適合検定では，検定対象機械器具等の型式に係る形状等が技術上
の基準に適合しているかどうかを書類審査する。

## 問33

難　中　**易**

　次に掲げる消防の用に供する機械器具等のうち，消防法第21条の2に
規定する検定の対象とされていないものはどれか。

(1) 住宅用防災警報器

(2) 非常警報設備のうち非常ベル

(3) 金属製避難はしご

(4) 火災報知設備の受信機

## 問34

難　中　**易**

　次に掲げる消防の用に供する機械器具等のうち，消防法第21条の2に
規定する検定の対象とされていないものはどれか。

(1) 消火器

(2) 流水検知装置

(3) 開放型スプリンクラーヘッド

(4) 一斉開放弁

# 解　説

**問1**　防火対象物と消防対象物の違いに注意します。

**防火対象物**…山林または舟車，船きょ，もしくはふ頭に繋留された船舶，建築
　　　　　物もしくはこれらに属するもの
**消防対象物**…山林または舟車，船きょ，もしくはふ頭に繋留された船舶，建築
　　　　　物または**物件**

（1）は防火対象物ではなく，消防対象物の定義です。

解答（1）　参照 141 ページ

．．．．．．．．．．．．．．．．．．．．．．．．．．．．．．．．．．．．．．．．．．．．．．．．．．．．．．．．．．．．．．．．．．．．．．．．．．

**問2**　無窓階とは，建築物の地上階のうち，「避難上または消火活動上
有効な開口部を有しない階」をいいます。窓がないという意味ではなく，窓はあっ
ても，その開口部が一定の基準を満たしていなければ無窓階とみなされ，防火
上の基準がより厳しくなります。

解答（3）　参照 143 ページ

．．．．．．．．．．．．．．．．．．．．．．．．．．．．．．．．．．．．．．．．．．．．．．．．．．．．．．．．．．．．．．．．．．．．．．．．．．

**問3**　特定防火対象物には，防火対象物のうち，特に不特定多数の人が
出入りするものや，避難の困難なものが指定されます。

× （1）幼稚園と保育園は特定防火対象物ですが，小学校は非特定防火対象物で
　　　す。
× （2）図書館，美術館，博物館は，いずれも非特定防火対象物です。
× （3）劇場と映画館は特定防火対象物ですが，テレビスタジオは非特定防火対
　　　象物です。
○ （4）サウナ（熱気浴場），カラオケボックス，地下街は，いずれも特定防火
　　　対象物です。

解答（4）　参照 142 ページ

**問4**　重要文化財は特定防火対象物ではありません。

解答（2）　参照 142 ページ

**問5**　消防長（消防本部のない市町村の場合は市町村長），消防署長その他の消防吏員は，屋外において火災の予防に危険であると認める行為者等に対し，火災予防上必要な措置（火遊び，喫煙，たき火の禁止等）を命ずることができます（消防法第3条第1項）。命令権者には，消防団長や消防団員は含まれていません。

解答（4）　参照 144 ページ

**問6**　屋外において火災予防や消防活動に支障がある場合に，消防長等が命ずることができる措置命令には，次のものがあります（消防法第3条第1項）。

①**火遊び，喫煙，たき火，火を使用する設備の使用等の禁止，停止，制限またはこれらの行為を行う場合の消火準備**

②**残火，取灰または火粉の始末**

③**危険物等の除去その他の処理**

④**放置された物件の整理または除去**

放置された物件の改修などを命ずることはできません。

解答（1）　参照 145 ページ

**問7**　消防長等は，火災予防のために必要があるときは，関係者に対して資料の提出や報告を求めたり，消防職員に命じて立入検査を行わせることができます（消防法第4条）。

× （1）消防本部のない市町村であれば，市町村長でも資料の提出を命じることができますが，そうでなければ消防長または消防署長に権限があります。

× （2）個人の住居を立入検査できるのは，承諾を得た場合か，火災発生のおそれが大きく特に緊急の必要がある場合に限られます。

× （3）立入検査には，原則として事前通告や時間的制限は必要ありません。

○（4）立入検査を行うのは，原則として消防職員（消防本部のない市町村では常勤の消防団員でも可）です。ただし，火災予防のため特に必要があるときは，消防対象物及び期日または期間を指定して，管轄区域内の消防団員に立入検査をさせることができます（消防法第4条の2）。

解答（4）　参照 145ページ

**問8**　消防同意とは，建築確認の際に，その建築物の計画が防火に関する法令に違反していないことについて，消防長または消防署長が同意する手続きです。

× （1）消防同意を得るのは建築主ではなく，建築主事等です。

× （2）消防同意を行うのは，消防長（消防本部がない市町村では市町村長）または消防署長です。

○ （3）正しい記述です。

× （4）消防同意の期間は，一般建築物については3日以内，その他の建築物については7日以内です。

解答（3）　参照 146ページ

**問9**　防火管理者の選任が必要なのは，①収容人員10人以上の自力避難困難者入所施設，②収容人員30人以上の特定防火対象物，③収容人員50人以上の非特定防火対象物です。

○ （1）レストランは特定防火対象物なので，収容人員30人以上なら防火管理者が必要です。

○ （2）美術館は非特定防火対象物なので，収容人員が50人以上なら防火管理者が必要です。

× （3）アーケードには防火管理者の選任は不要です。

○ （4）同一敷地内にあり所有者も同じ建物が複数ある場合は，両方の収容人員を合計します。工場と事務所はどちらも非特定防火対象物なので，収容人員の合計が50人以上なら，防火管理者が必要です。

解答（3）　参照 147ページ

**問10** 　防火管理者が行う業務には，以下のものがあります（消防法第8条第1項）。

・消防計画の作成
・消防計画に基づく消火，通報及び避難訓練の実施
・消防用設備等の点検及び整備
・火気の使用，取扱いに関する監督
・避難または防火上必要な構造及び設備の維持管理
・収容人員の管理
・その他防火管理上必要な業務

　（2）の「危険物の取扱作業に関する保安の監督」は，危険物保安監督者の業務です。

　　　　　　　　　　　　　　　　　　解答（2）　参照 148ページ

**問11** 　地階または3階以上の階に特定用途部分があり，避難階にいたる階段が屋内に1つしかない防火対象物を特定1階段等防火対象物といい，収容人員が30人以上の場合に防火対象物点検が必要になります。

×（1）特定1階段等防火対象物には該当せず，収容人員が300人に満たないので点検の対象外です。

×（2）特定防火対象物ではないので点検の対象外です。

○（3）特定1階段等防火対象物に該当し，収容人員が30人以上なので，点検が必要です。

×（4）特定1階段等防火対象物には該当せず，収容人員が300人に満たないので点検の対象外です。

　　　　　　　　　　　　　　　　　　解答（3）　参照 149ページ

**問12** 　防炎規制の対象になるのは，①高層建築物，②特定防火対象物，③テレビスタジオ，映画スタジオ，④工事中の建築物その他の工作物です。

×（1）一般事務所は特定防火対象物ではないので，防炎規制の対象外です。

○（2）テレビスタジオは防炎規制の対象になります。

○（3）工事中の建築物は，用途に関係なく防炎規制の対象になります。

○（4）高さ31mを超える建築物は，用途に関係なく防炎規制の対象になります。

解答（1）　参照 150 ページ

**問13**　製造所等の設置許可の申請先は，市町村長，都道府県知事，総務大臣のいずれかです。

×（1）消防本部及び消防署を置く市町村の区域内に設置する場合は，市町村長に許可を申請します。

×（2）消防本部及び消防署のない市町村の区域内に設置する場合は，都道府県知事に許可を申請します。

○（3）2以上の市町村の区域にわたって移送取扱所を設置する場合は，都道府県知事に許可を申請します。

×（4）2以上の都道府県の区域にわたって移送取扱所を設置する場合は，総務大臣に許可を申請します。

解答（3）　参照 153 ページ

**問14**　製造所等で危険物を取り扱うには，原則として危険物取扱者の資格が必要です。ただし，危険物取扱者の立会いがあれば，無資格者でも危険物を取り扱うことができます（丙種危険物取扱者の立会いは不可）。

○（1）製造所等において，無資格者が危険物を取り扱う場合は，たとえ指定数量以下であっても危険物取扱者の立会いが必要です。

○（2）甲種危険物取扱者は，すべての類の危険物を取り扱うことができます。

×（3）乙種危険物取扱者は，免状に指定した類の危険物についてのみ，立ち会うことができます。

○（4）丙種危険物取扱者は，いかなる種類の危険物でも，取扱いの立会いはできません。

解答（3）　参照 154 ページ

## 問15

× （1）消防の用に供する設備は，消火設備，警報設備，避難設備の3種類です。

× （2）誘導灯及び誘導標識は，避難設備です。

× （3）水バケツや水槽は，消火設備です。

○ （4）正しい記述です。

解答（4）　参照 155 ページ

## 問16

「消火活動上必要な施設」は，①排煙設備，②連結散水設備，③連結送水管，④非常コンセント設備，⑤無線通信補助設備の5種類です。携帯用拡声器は警報設備のひとつです。

解答（1）　参照 155 ページ

## 問17

防火対象物に消防用設備等を設置し，維持しなければならないのは，その防火対象物の関係者（所有者，管理者または占有者）です。なお，関係者が防火管理者を兼ねる場合は，防火管理者でも義務を負う場合があります。

解答（3）　参照 162 ページ

## 問18

消防法第17条第1項の消防用設備等を設置し，維持しなければならない防火対象物とは，消防法施行令別表第1に掲げる（1）〜（20）の防火対象物です。

× （1）一戸建て住宅は延べ面積には関係なく，防火対象物に含まれません。

○ （2）一般の事務所は設置，維持の対象になります。

× （3）市町村長の指定のある山林が対象となります。

× （4）アーケードは延長50m以上が対象となります。

解答（2）　参照 142 ページ

## 問19

消防用設備等を設置する際は，原則として1棟の建物を1つの防火対象物とみなして設置基準を適用します。ただし，建物内を開口部のない耐火構造の床または壁で区画した場合は，それぞれの区画を1つの防火対象物

とみなすことができます（消防法施行令第8条）。

解答（2）　参照 156 ページ

**問20**　　市町村は，その地方の気候または風土の特殊性により，政令で定める技術上の基準だけでは防火の目的を達成するのが難しいと認める場合には，条例によって基準と異なる規定を設けることができます（消防法第17条第2項）。このような条例を附加条例といいます。

　附加条例は，政令による技術上の基準を緩和するものであってはなりません。

解答（3）　参照 157 ページ

**問21**　　基準法令が改正されても，既存の防火対象物は，原則として従前の技術上の基準に従えばよいとされています（消防法第17条の2の5）。ただし，これにはいくつかの例外があります。

①特定防災対象物の場合
②一部の消防用設備等
③基準法令に適合するに至った場合
④改正前の基準法令に適合していない場合
⑤改正後に大規模な増改築をした場合

○（1）既存防火対象物の床面積 1,000m$^2$ 以上，または延べ面積の2分の1以上を増改築した場合は，新たに現行の基準が適用されます。

○（2）既存防火対象物の用途を，特定防火対象物に変更した場合は，新たに現行の基準が適用されます。

○（3）消火器，自動火災報知設備，漏電火災警報器等，一部の消防用設備等については，常に現行の基準が適用されます。

×（4）特定防火対象物には，常に現行の基準が適用されます。ただし，図書館は特定防火対象物ではないので，この場合は従前の基準でかまいません。

解答（4）　参照 158 ページ

**問22**　　既存防火対象物であっても現行の基準を適用しなければならない

消防用設備等は，消火器及び簡易消火用具，避難器具，自動火災報知設備，ガス漏れ火災警報設備，不活性ガス消火設備，漏電火災警報器，非常警報器具及び非常警報設備，誘導灯及び誘導標識です（消防法施行令第34条）。

したがって（2）の消火器が正解です。

解答（2）　参照 158ページ

**問23**　届出・検査が必要な防火対象物は，①自力避難困難者入所施設，②延べ面積300m²以上の特定防火対象物，③延べ面積300m²以上で，消防長または消防署長の指定を受けた非特定防火対象物，④特定1階段等防火対象物です（消防法施行令第35条第1項）。

× (1) 延べ面積300m²以上の特定防火対象物では，検査が必要です。

× (2) 延べ面積300m²以上の非特定防火対象物で，消防長または消防署長の指定を受けたものは，検査が必要です。

○ (3) 飲食店は特定防火対象物ですが，延べ面積が300m²未満なので検査は不要です。

× (4) 自力避難困難者入所施設では，延べ面積にかかわらず検査が必要です。

解答（3）　参照 160ページ

**問24**

○ (1) 正しい記述です。設置工事の完了後4日以内に，消防長または消防署長に届け出ます。

× (2) 届出を行うのは，防火対象物の関係者です。

× (3) 特定防火対象物（カラオケボックス，旅館，病院，自力避難困難者入所施設等を除く）は，延べ面積300m²以上の場合に検査が必要です。

× (4) 簡易消火用具および非常警報器具を設置した場合は，検査は必要ありません。

解答（1）　参照 160ページ

**問25**　消防用設備等の定期点検を，消防設備士または消防設備点検資格者に行わせなければならないものは次のとおりです。

①延べ面積 1,000m² 以上の特定防火対象物

②延べ面積 1,000m² 以上の非特定防火対象物で，消防長または消防署長の指定
を受けたもの

③特定 1 階段等防火対象物

④不活性ガス消火設備（二酸化炭素）を設置したもの

（1）～（4）のうち，特定防火対象物は（1）と（2）ですが，（2）は延べ
面積が 1,000m² 未満なので，（1）が正解となります。

解答（1）　参照 161 ページ

### 問26

× （1）機器点検は 6 か月に 1 回以上，総合点検は 1 年に 1 回以上実施します。

× （2）延べ面積が 1,000m² 未満の防火対象物では，防火対象物の関係者が
定期点検を行う必要があります。

× （3）点検結果の報告は，特定防火対象物では 1 年に 1 回，非特定防火対象
物では 3 年に 1 回です。

○ （4）正しい記述です。

解答（4）　参照 161 ページ

### 問27

消防用設備等の設置・維持命令（消防法第 17 条の 4）は，消防
長（消防本部を置かない市町村では市町村長）または消防署長が，防火対象物
の関係者で権原を有する者に対して発令します。

なお，設置命令に違反した場合は 1 年以下の懲役または 100 万円以下の罰金，
維持命令に違反した場合は 30 万円以下の罰金または拘留が科せられます。

解答（3）　参照 162 ページ

**問28** 消防設備士でなければ設置工事できない消防用設備等は，次のとおりです。

| 必要免状 | 工事対象設備 |
|---|---|
| 甲種特類 | 特殊消防用設備等 |
| 甲種第1類 | 屋内消火栓設備，屋外消火栓設備，スプリンクラー設備，水噴霧消火設備 |
| 甲種第2類 | 泡消火設備 |
| 甲種第3類 | 不活性ガス消火設備，ハロゲン化物消火設備，粉末消火設備 |
| 甲種第4類 | 自動火災報知設備，ガス漏れ火災警報設備，消防機関へ通報する火災報知設備 |
| 甲種第5類 | 金属製避難はしご（固定式のみ），救助袋，緩降機 |

以上から，（3）粉末消火設備の設置工事には，甲種第3類消防設備士の免状が必要です。

なお，第6類の消火器と第7類の漏電火災警報器には乙種の免状しかないので，整備には免状が必要ですが，設置工事については免状がなくても行えます。

解答（3）　参照 163 ページ

**問29**

× （1）屋内消火栓設備，スプリンクラー設備，水噴霧消火設備，屋外消火栓設備の電源・水源・配管部分の工事と，その他の設備の電源部分の工事には，消防設備士免状は必要ありません。

× （2）乙種消防設備士にも免状の携帯義務があります。

× （3）乙種消防設備士にも5年に1回の受講義務があります（免状交付後，初回受講のみ2年以内）。

○ （4）正しい記述です。

解答（4）　参照 164，166ページ

**問30** 免状の返納を命じることができるのは都道府県知事です。

解答（3）　参照 165，166ページ

○（1）着工届は，設置工事を行う甲種消防設備士が行います。乙種消防設備士は整備のみを行うので，着工届の義務はありません。

×（2）着工届の届出先は，消防長（消防本部のない市町村は市町村長）または消防署長です。

×（3）届出は，工事に着工する 10 日前までに行います。

×（4）着工届の義務は消防設備士が負うので，怠った場合でも防火対象物の関係者に罰則はありません。

解答（1）　参照 166 ページ

×（1）型式承認は総務大臣，型式適合検定は日本消防検定協会が行います。

×（2）海外から輸入されたものについても，型式適合検定を受ける必要があります。

○（3）正しい記述です。

×（4）型式承認についての説明です。

解答（3）　参照 167 ページ

　検定対象機械器具等には，以下の 12 品目です。非常警報設備は検定対象ではありません。

①消火器

②消火器用消火薬剤（二酸化炭素を除く）

③泡消火薬剤（水溶性液体用のものを除く）

④火災報知設備の感知器または発信機

⑤火災報知設備またはガス漏れ火災警報設備に使用する中継機

⑥火災報知設備またはガス漏れ火災警報設備に使用する受信機

⑦住宅用防災警報器

⑧閉鎖型スプリンクラーヘッド

⑨流水検知装置

⑩一斉開放弁（大口径のものを除く）

⑪金属製避難はしご

⑫緩降機

**解答（2）　参照** 168ページ

**問34**　第1類消防設備士が取り扱う検定対象機械器具等には，閉鎖型スプリンクラーヘッド，流水検知装置，一斉開放弁があります。開放型スプリンクラーヘッドは検定対象品ではありません。

**解答（3）　参照** 168ページ

# 解 答

| | | | | | | | |
|---|---|---|---|---|---|---|---|
| 問1 | (1) | 問10 | (2) | 問19 | (2) | 問28 | (3) |
| 問2 | (3) | 問11 | (3) | 問20 | (3) | 問29 | (4) |
| 問3 | (4) | 問12 | (1) | 問21 | (4) | 問30 | (3) |
| 問4 | (2) | 問13 | (3) | 問22 | (2) | 問31 | (1) |
| 問5 | (4) | 問14 | (3) | 問23 | (3) | 問32 | (3) |
| 問6 | (1) | 問15 | (4) | 問24 | (1) | 問33 | (2) |
| 問7 | (4) | 問16 | (1) | 問25 | (1) | 問34 | (3) |
| 問8 | (3) | 問17 | (3) | 問26 | (4) | | |
| 問9 | (3) | 問18 | (2) | 問27 | (3) | | |

# 2 消防関係法令（第1類に関する部分）

## まとめ & 丸暗記

### ☐ 屋内消火栓設備の設置

| 地下街 | 劇場・映画館 | 神社・寺院／事務所 | その他 | 指定可燃物 |
|---|---|---|---|---|
| 延べ面積150m² | 地・無・4階：100m²<br>延べ面積：500m² | 地・無・4階：200m²<br>延べ面積：1000m² | 地・無・4階：150m²<br>延べ面積：700m² | 750倍 |

耐火建築または準耐火＋内装の場合：×2
耐火建築＋内装の場合：×3

※地・無・4階：地階・無窓階・4階以上の階の床面積

### ☐ 屋外消火栓設備の設置

| 建築物の種類 | 1階と2階の床面積の合計 |
|---|---|
| 耐火建築物 | 9000m²以上 |
| 準耐火建築物 | 6000m²以上 |
| その他の建築物 | 3000m²以上 |

### ☐ スプリンクラー設備の設置

◆特定防火対象物に設置する場合

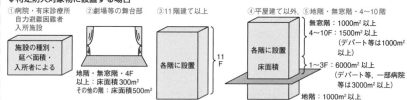

①病院・有床診療所
　自力避難困難者
　入所施設

施設の種別・
延べ面積・
入所者による

②劇場等の舞台部

地階・無窓階・4F
以上：床面積300m²
その他の階：床面積500m²

③11階建て以上

各階に設置

④平屋建て以外、⑤地階・無窓階・4～10階

各階に設置
床面積

無窓階：1000m²以上
4～10F：1500m²以上
（デパート等は1000m²
以上）
1～3F：6000m²以上
（デパート等、一部病院
等は3000m²以上）
地階：1000m²以上

⑥複合用途防火対象物
※特定用途部分が以下の場合に設置

特定用
途部分
の合計：
3000m²
以上

床面積

無窓階：
1000m²以上
4～10F：
1500m²以上
（デパート等は
1000m²以上）

地階：
1000m²以上

⑦地下街・準地下街

延べ面積1000m²以上

※準地下街では，特定用途部分
500m²以上の場合に限る

◆特定防火対象物以外に設置する場合

① 11階以上の各階
②天井高さ10m超・延べ面積700m²以上のラック式倉庫
③指定可燃物を指定数量の1000倍以上貯蔵・取り扱う場合

### ☐ 水噴霧消火設備の設置（床面積）

| 道路の用に供される部分 | 屋上 | 600m²以上 |
|---|---|---|
| | 屋上以外 | 400m²以上 |
| 駐車の用に供される部分 | 1階 | 500m²以上 |
| | 屋上 | 300m²以上 |
| | 地階・2階以上 | 200m²以上 |

# 屋内消火栓設備・屋外消火栓設備の設置

≡補足≡
屋内消火栓設備の設置工事については，消防法施行令11条に規定されています。

## 1 屋内消火栓設備の設置基準

　屋内消火栓設備は，屋内に設置され，延ばしたホースから放水して火災を消火する設備です。

　屋内消火栓設備を設置しなければならない防火対象物は，大きく次の基準に応じて決まります。

①建物全体の延べ面積
②地階・無窓階・4階以上の階の床面積
③耐火構造・準耐火構造の場合
④指定可燃物の貯蔵・取扱い数量

　以下，順番に説明します。

①延べ面積による基準
　以下の防火対象物については，延べ面積（各フロアの床面積の合計）に応じて，屋内消火栓設備を設置するかどうかが決まります。

覚える **延べ面積によって設置が必要**

| 防火対象物 | 延べ面積 |
|---|---|
| 地下街 (令別表第1 (16の2) 項) | 150m² 以上 |
| 劇場，映画館など (令別表第1 (1) 項) | 500m² 以上 |
| 神社，寺院，教会 (令別表第1 (11) 項) | 1000m² 以上 |
| 事務所 (令別表第1 (15) 項) | 1000m² 以上 |
| その他の防火対象物 (令別表第1(2)～(10), (12), (14)項) | 700m² 以上 |

※令別表第1 (13) 駐車場，(16の3) 準地下街，(17) 重要文化財，(18) アーケードについては，延べ面積による設置規定はありません。また，(16)複合用途防火対象物については，各用途部分の基準のうち，もっとも厳しい基準が建物全体に適用されます。

## ②地階・無窓階・4階以上の階

　以下の防火対象物の地階，無窓階，4階以上の階には，その床面積に応じて，屋内消火栓設備の設置義務があります。

覚える　**地階・無窓階・4階以上の階**

| 防火対象物 | 地階・無窓階・4階以上の階 |
|---|---|
| **劇場，映画館など** (令別表第1 (1) 項) | 床面積 $100m^2$ 以上 |
| **神社，寺院，教会** (令別表第1 (11) 項) | 床面積 $200m^2$ 以上 |
| **事務所** (令別表第1 (15) 項) | |
| **その他の防火対象物**<br>(令別表第1 (2) 〜 (10)，(12)，(14) 項) | 床面積 $150m^2$ 以上 |

※令別表第1 (13) 駐車場，(16の2) 地下街，(16の3) 準地下街，(17) 重要文化財，(18) アーケードについては，地階・無窓階・4階以上の階の床面積による設置規定はありません。また，(16) 複合用途防火対象物については，各用途部分のうち，もっとも厳しい基準がその階全体に適用されます。

## ③耐火構造・準耐火構造の場合の基準緩和

　特定主要構造部が耐火構造か，準耐火構造で内装制限（室内の内装仕上げを難燃材料で行うこと）されている防火対象物は，①の延べ面積や②の床面積の数値は2倍読みとします。

　さらに，防火対象物が耐火構造で内装制限されている場合，①の延べ面積や②の床面積の数値は3倍読みとします。

覚える　**耐火構造・内装制限による倍数**

| 建築物の構造 | 延べ面積・床面積の基準 |
|---|---|
| **耐火構造** | 2倍※ |
| **準耐火構造＋内装制限** | |
| **耐火構造＋内装制限** | 3倍※ |

※令別表第1 (6) 項イのうち，入院患者の避難に介助が必要な病院・診療所と，(6) 項ロの自力避難困難者入所施設については，倍数読みの数値と，$1000m^2$ に「防火上有効な措置が講じられた構造を有する部分（消防法施行規則第13条の5の2）」の床面積を加えた数値のうち，どちらか小さいほうの面積以上とします。

　たとえば，映画館には，延べ面積 $500m^2$ 以上で屋内消火栓設備の設置が

必要ですが，準耐火構造で内装制限されている映画館なら，延べ面積 1000m² 以上でよくなります（地階，無窓階，４階以上の階は床面積 200m² 以上）。

さらに，耐火構造で内装制限されている映画館なら，延べ面積 1500m² 以上でなければ，屋内消火栓設備は必要ありません（地階，無窓階，４階以上の階なら床面積 300m² 以上）。

#### ④指定可燃物の数量

防火対象物の種類にかかわらず，指定可燃物（可燃性液体類を除く）を指定数量の 750 倍以上貯蔵したり，取り扱っている場合には，屋内消火栓設備を設定しなければなりません。

## ② １号消火栓と２号消火栓

屋内消火栓設備には，大きく「１号消火栓」「２号消火栓」と呼ばれる種類があります。詳しくは第４章で説明しますが，１号消火栓は従来からある２人以上で操作するタイプ，２号消火栓は１人でも簡単に操作できるようになっているタイプです。

ほとんどの防火対象物は，１号消火栓，２号消火栓のどちらを設置してもよいことになっていますが，以下の防火対象物には，１号消火栓しか設置できません。

①**工場または作業場**（令別表第１(12)イ）
②**倉庫**（令別表第１(14)）
③**指定可燃物を指定数量の 750 倍以上貯蔵または取り扱う建物**

≡補足≡

**特定主要構造部**
建物の主要構造部（壁・柱・床・はり・屋根・階段等）のうち，耐火建築物とする際に耐火構造を求められる部分のこと。主要構造部全体が耐火構造である必要はありません。

≡補足≡

**指定可燃物**
危険物には指定されていないが，火災になると拡大が速かったり，消火が困難になるもの。わら，木毛，紙くずなど。「危険物の規制に関する政令」別表第４に，品名と指定数量が規定されています。

≡補足≡

**１号消火栓と２号消火栓**
「消防法施行令」第11条第３項の第１号に規定されているので１号消火栓，同第２号に規定されているので２号消火栓といいます。

## ◆屋内消火栓設備が必要な防火対象物まとめ

| 項 | 防火対象物 | | 一般 | 地階・無窓階・4階以上の階 | 指定可燃物 |
|---|---|---|---|---|---|
| (1) | イ | 劇場，映画館，演芸場または観覧 | 延べ面積 500m$^2$ 以上 | 床面積 100m$^2$ 以上 | |
| | ロ | 公会堂または集会場 | | | |
| (2) | イ | キャバレー，カフェー，ナイトクラブ等 | | | |
| | ロ | 遊技場またはダンスホール | | | |
| | ハ | 性風俗関連特殊営業を営む店舗等 | | | |
| | ニ | カラオケボックス等 | | | |
| (3) | イ | 待合，料理店等 | | | |
| | ロ | 飲食店 | | | |
| (4) | 百貨店，マーケットその他の物品販売業を営む店舗または展示場 | | | | |
| (5) | イ | 旅館，ホテル，宿泊所等 | 700m$^2$ 以上 | 150m$^2$ 以上 | |
| | ロ | 寄宿舎，下宿または共同住宅 | | | |
| (6) | イ | 病院・診療所・助産所 | | | |
| | ロ | 自力避難困難者入所施設 | | | |
| | ハ | その他の社会福祉施設 | | | |
| | ニ | 幼稚園または特別支援学校 | | | |
| (7) | 小学校，中学校，高等学校，大学，専修学校等 | | | | 指定数量の750倍以上 |
| (8) | 図書館，博物館，美術館等 | | | | |
| (9) | イ | 蒸気浴場，熱気浴場（サウナ）等 | | | |
| | ロ | イ以外の公衆浴場 | | | |
| (10) | 車両の停車場または船舶もしくは航空機の発着場 | | | | |
| (11) | 神社，寺院，教会等 | | 1000m$^2$ 以上 | 200m$^2$ 以上 | |
| (12) | イ | 工場または作業場 | 700m$^2$ 以上 | 150m$^2$ 以上 | |
| | ロ | 映画スタジオまたはテレビスタジオ | | | |
| (13) | イ | 自動車車庫または駐車場 | — | — | |
| | ロ | 飛行機または回転翼航空機の格納庫 | | | |
| (14) | 倉庫 | | 700m$^2$ 以上 | 150m$^2$ 以上 | |
| (15) | 前各号に該当しない事業場 | | 1000m$^2$ 以上 | 200m$^2$ 以上 | |
| (16) | イ | 複合用途防火対象物（雑居ビル）のうち，その一部が特定防火対象物の用途に供されているもの | 用途部分の基準を適用 | 用途部分の基準を適用 | |
| | ロ | イ以外の複合用途防火対象物 | | | |
| (16の2) | 地下街 | | 150m$^2$ 以上 | | |
| (16の3) | 準地下街 | | | | |
| (17) | 重要文化財，史跡等に指定された建造物 | | — | — | |
| (18) | 延長50メートル以上のアーケード | | | | |

# 3 屋外消火栓設備の設置基準

屋外消火栓設備は，建物の周囲に設置され，建物の外側から放水して，主に1階や2階部分の火災を消火する消火設備です。

屋外消火栓設備は，防火対象物の1階と2階の床面積の合計に応じて，次のように設置の有無が決まります。

| 建築物の種類 | 1階と2階の床面積の合計 |
|---|---|
| 耐火建築物 | 9000m$^2$ 以上 |
| 準耐火建築物 | 6000m$^2$ 以上 |
| その他の建築物※ | 3000m$^2$ 以上 |

※地下街，準地下街には，屋外消火栓設備の設置義務はありません。

ただし，上記の建築物にスプリンクラー設備，水噴霧消火設備，泡消火設備，不活性ガス消火設備，ハロゲン化物消火設備，粉末消火設備，動力消防ポンプ設備を基準にしたがって設置している場合は，これらの消火設備の有効範囲については，屋外消火栓設備を設置しないことができます。

≡補足≡

同じ敷地内に隣接して建っている建築物（耐火建築物，準耐火建築物を除く）は，相互間の中心線からの距離が1階で3m以内，2階で5m以内の場合にはひとつの建築物とみなし，床面積を合算して3000m$^2$ 以上であれば屋外消火栓設備の設置対象となります。

# スプリンクラー設備の設置

## ① 特定防火対象物に設置する場合

　スプリンクラー設備は，基本的には特定防火対象物（202ページ表の色網の項目）に設置します。ただし，以下のように細かく設置義務が規定されています。

### ①病院・有床診療所・自力避難困難者入所施設

　令別表第1（6）項イ（142ページ表参照）に規定されている病院・診療所のうち，特定診療科名（内科・整形外科・リハビリテーション科など）の病院と有床の診療所については，延べ面積にかかわらずスプリンクラー設備の設置が必要です。また，令別表第1（6）項ロの自力避難困難者入所施設については，施設の種別に応じて，スプリンクラー設備の設置が必要です。

| 施設の種類 | | 設置条件 |
|---|---|---|
| 特定診療科名（内科・整形外科・リハビリテーション科など）の病院，有床（4床以上）の診療所 | | すべて |
| 自力避難困難者入所施設 | ①老人短期入所施設，養護老人ホームなど<br>③乳児院 | すべて |
| | ②救護施設<br>④障害児入所施設<br>⑤障害者支援施設など | 延べ面積 275m$^2$ 以上または<br>介助がなければ避難できない者を主として入所させる施設 |

### ②劇場等の舞台部

　消防法施行令別表第1（1）項の劇場・映画館等の舞台部には，舞台の

ある階と舞台部の床面積に応じて，以下のようにスプリンクラー設備を設置します。

| 舞台のある階 | 舞台部の床面積 |
|---|---|
| 地階・無窓階・4階以上の階 | 300m² 以上 |
| その他の階 | 500m² 以上 |

### ③11階建て以上の特定防火対象物

特定防火対象物のうち，地階を除く階数が11以上のものは，延べ面積にかかわらず，全部の階にスプリンクラー設備を設置します。

### ④平屋建て以外の特定防火対象物

平屋建て以外の特定防火対象物では，床面積の合計が以下の場合に，各階にスプリンクラー設備を設置します。

| 防火対象物の種類 | 床面積の合計 |
|---|---|
| **百貨店，マーケットその他の店舗，展示場** （令別表第1(4)項） | 3000m² 以上 |
| **①以外の病院・有床診療所，有床の助産所** | |
| **無床診療所・無床助産所** | 6000m² 以上 |
| **その他の特定防火対象物** （令別表第1(1)～(3)項，(5)項イ，(9)項） | |

### ⑤特定防火対象物の地階・無窓階・4階～10階

特定防火対象物の地階，無窓階，4階～10階には，以下の場合にスプリンクラー設備を設置します。

| 別表第 1 | 防火対象物の種類 | | 床面積 |
|---|---|---|---|
| (2) | イ キャバレー，カフェ，ナイトクラブ<br>ロ 遊技場，ダンスホール<br>ハ 性風俗関連店舗<br>ニ カラオケボックス等 | | 1000m² 以上 |
| (4) | 百貨店，マーケットその他の店舗，展示場 | | |
| その他の特定防火対象物<br>（地下街・準地下街を除く）※ | | 地階・無窓階 | 1000m² 以上 |
| | | 4 階以上 10 階以下<br>の階 | 1500m² 以上 |

※令別表第 1 (1) 項，(3) 項，(5) 項イ，(6) 項，(9) 項イ

⑥複合用途防火対象物の特定用途部分

　複合用途防火対象物（雑居ビル）で，特定用途部分の床面積の合計が3000m² 以上ある場合には，特定用途のある階にスプリンクラー設備を設置します。

　また，複合用途防火対象物の地階・無窓階・4 ～ 10 階部分に特定用途部分がある場合には，その階の床面積が上記⑤表に掲げる値以上の場合に，スプリンクラー設備を設置します。

⑦地下街，準地下街

　地下街および準地下街については，以下の場合にスプリンクラー設備を設置します。

| 地下街 | 延べ面積 1000m² 以上 |
|---|---|
| | 自力避難困難者入所施設のある部分 |
| 準地下街 | 延べ面積 1000m² 以上で，特定用途部分の床面積の合計が 500m² 以上 |

# 2 特定防火対象物以外に設置する場合

特定防火対象物以外であっても，以下の場合にはスプリンクラー設備を設置します。

## ① 11階以上の階

建築物の11階以上の階には，防火対象物の種類や床面積にかかわらずスプリンクラー設備を設置します。

## ②ラック式倉庫

天井の高さが10mを超え，延べ面積が700m² 以上のラック式倉庫には，スプリンクラー設備を設置します。

## ③指定可燃物

指定可燃物（可燃性液体を除く）を指定数量の1000倍以上貯蔵または取り扱う建築物は，防火対象物の種類にかかわらず，スプリンクラー設備を設置します。

≡補足≡

**ラック式倉庫**
棚またはこれに類するものを設け，昇降機により収納物の搬送を行う装置を備えた倉庫。

**2**
消防関係法令（第1類に関する部分）

| 項 | 防火対象物 | | 一般 | 地階・無窓階 | 4階以上10階以下 | 11階以上 |
|---|---|---|---|---|---|---|
| (1) | イ | 劇場，映画館，演芸場または観覧場 | 床面積の合計6000m²以上（平屋建て以外）または舞台部床面積500m²以上 | 床面積1000m²以上または舞台部床面積300m²以上 | 床面積1500m²以上または舞台部床面積300m²以上 | 全階 |
| | ロ | 公会堂または集会場 | | | | |
| (2) | イ | キャバレー，カフェー，ナイトクラブ等 | 床面積の合計6000m²以上（平屋建て以外） | 床面積1000m²以上 | 床面積1000m²以上 | 全階 |
| | ロ | 遊技場またはダンスホール | | | | |
| | ハ | 性風俗関連特殊営業を営む店舗等 | | | | |
| | ニ | カラオケボックス等 | | | | |
| (3) | イ | 待合，料理店等 | | | 1500m²以上 | |
| | ロ | 飲食店 | | | | |
| (4) | | 百貨店，マーケットその他の物品販売業を営む店舗または展示場 | 3000m²以上 | | 1000m²以上 | |
| (5) | イ | 旅館，ホテル，宿泊所等 | 6000m²以上 | | 1500m²以上 | |
| | ロ | 寄宿舎，下宿または共同住宅 | — | — | — | 11階以上 |
| (6) | イ | 病院・診療所・助産所 | 種別による | 1000m²以上 | 1500m²以上 | 全階 |
| | ロ | 自力避難困難者入所施設 | 種別による | | | |
| | ハ | その他の社会福祉施設 | 6000m²以上（平屋建て以外） | | | |
| | ニ | 幼稚園または特別支援学校 | | | | |
| (7) | | 小学校，中学校，高等学校，大学，専修学校等 | — | — | — | 11階以上 |
| (8) | | 図書館，博物館，美術館等 | | | | |
| (9) | イ | 蒸気浴場，熱気浴場（サウナ）等 | 6000m²以上 | 1000m²以上 | 1500m²以上 | 全階 |
| | ロ | イ以外の公衆浴場 | | | | 11階以上 |
| (10) | | 車両の停車場または船舶もしくは航空機の発着場 | | | | |
| (11) | | 神社，寺院，教会等 | | | | |
| (12) | イ | 工場または作業場 | | | | |
| | ロ | 映画スタジオまたはテレビスタジオ | | | | |
| (13) | イ | 自動車車庫または駐車場 | | | | |
| | ロ | 飛行機または回転翼航空機の格納庫 | | | | |
| (14) | | 倉庫 | 高さ10m超・延べ面積700m²以上のラック式倉庫 | | | |
| (15) | | 前各号に該当しない事業場 | — | | | |
| (16) | イ | 複合用途防火対象物（雑居ビル）のうち，その一部が特定防火対象物の用途に供されているもの | 特定用途部分の床面積の合計3000m²以上 | 1000m²以上 | 特定用途部分の床面積の合計1500m²以上（(2)(4)項の用途部分は1000m²以上） | 全階 |
| | ロ | イ以外の複合用途防火対象物 | — | — | | 11階以上 |
| (16の2) | | 地下街 | 延べ面積1000m²以上および(6)項ロに供される部分 | | — | — |
| (16の3) | | 準地下街 | 延べ面積1000m²以上かつ特定用途部分の床面積の合計500m²以上 | | | |
| (17) | | 重要文化財，史跡等に指定された建造物 | | | | 11階以上 |
| (18) | | 延長50メートル以上のアーケード | | | | — |

202

# 水噴霧消火設備の設置

水噴霧消火設備は，水を噴霧状に放射して火災を消火する消火設備です。

水噴霧消火設備は，以下の場所に設置します。

## ①防火対象物の一部が道路になっている場合

防火対象物の「道路の用に供される部分」が，以下の床面積以上の場合には，水噴霧消火設備，泡消火設備，不活性ガス消火設備，粉末消火設備のいずれかを設置します。

| 道路の用に供される部分 | 床面積 |
|---|---|
| 屋上 | 600m$^2$ 以上 |
| 屋上以外 | 400m$^2$ 以上 |

## ②防火対象物の一部が駐車場になっている場合

防火対象物の「駐車の用に供される部分」が，以下の床面積以上の場合には，水噴霧消火設備，泡消火設備，不活性ガス消火設備，ハロゲン化物消火設備，粉末消火設備のいずれかを設置します。

| 駐車の用に供される部分 | 床面積 |
|---|---|
| 1階 | 500m$^2$ 以上 |
| 屋上 | 300m$^2$ 以上 |
| 地階または2階以上の階 | 200m$^2$ 以上 |

また，機械装置で10台以上の車両を駐車させるパーキングタワーにも，設置が必要です。

≡補足≡

泡消火設備は第2類消防設備士が取り扱います。また，不活性ガス消火設備，ハロゲン化物消火設備，粉末消火設備は第3類消防設備士が取り扱います。

### ③指定可燃物

　指定可燃物を指定数量の 1000 倍以上貯蔵または取り扱う建築物には，水噴霧消火設備（または，指定可燃物の種類に応じてその他の消火設備）を設置します。

| 指定可燃物の種類 | 対応する消火設備 |
|---|---|
| 綿花類，木毛及びかんなくず，ぼろ及び紙くず，糸類，わら類，再生資源燃料，合成樹脂類（可燃性ゴム製品等） | 水噴霧消火設備，泡消火設備，不活性ガス消火設備 |
| ぼろ及び紙くず（動植物油がしみ込んでいる布または紙及びこれらの製品に限る），石炭・木炭類 | 水噴霧消火設備，泡消火設備 |
| 可燃性固体類，可燃性液体類，合成樹脂類 | 水噴霧消火設備，泡消火設備，不活性ガス消火設備，ハロゲン化物消火設備，粉末消火設備 |
| 木材加工品及び木くず | 水噴霧消火設備，泡消火設備，不活性ガス消火設備，ハロゲン化物消火設備 |

　ただし，スプリンクラー設備を設置した場合は，その有効範囲内については，上記の消火設備の設置を省略できます（可燃性液体類にかかわるものを除く）。

　なお，水噴霧消火設備は以下の部分には設置できません。泡消火設備，不活性ガス消火設備，粉末消火設備等の適切な消火設備を設置します。

- ・飛行機・ヘリコプター等の格納庫
- ・屋上のヘリコプター等の発着場
- ・自動車の修理・整備の用に供される部分（1 階にあっては床面積 $500\mathrm{m}^2$ 以上，地階・2 階以上にあっては床面積 $200\mathrm{m}^2$ 以上）
- ・発電機，変圧器等の電気設備が設置されている部分（床面積 $200\mathrm{m}^2$ 以上）
- ・鍛造場，ボイラー室，乾燥室等多量の火気を使用する部分（床面積 $200\mathrm{m}^2$ 以上）
- ・床面積 $500\mathrm{m}^2$ 以上の通信機器室

# チャレンジ問題

［解説］210 ページ　［解答一覧］214 ページ

## 問1

次の A から E の防火対象物のうち，屋内消火栓設備を設置しなければならない組合せとして，消防法令上，正しいものはどれか。

ただし，防火対象物の主要構造部は耐火構造とし，壁及び天井の室内に面する部分の仕上げは難燃材料とする。

A　地下街で，延べ面積が 1,200m² のもの
B　劇場で，延べ面積が 1,600m² のもの
C　百貨店で，延べ面積が 1,900m² のもの
D　病院で，延べ面積が 2,300m² のもの
E　銀行で，延べ面積が 2,900m² のもの

(1) A，B，D　　(2) A，C，E　　(3) B，C，E　　(4) C，D，E

## 問2

難　中　**易**

屋内消火栓設備を設置しなければならない防火対象物として，正しいものは次のうちどれか。

(1) 主要構造部が耐火構造で，かつ，内装を難燃材料とする延べ面積 1,200m² の映画館。

(2) 主要構造部が準耐火構造で，かつ，内装を難燃材料とする延べ面積 2,000m² の事務所。

(3) 主要構造部が耐火構造で，かつ，内装を可燃材料とする延べ面積 1,000m² の小学校。

(4) 主要構造部が準耐火構造で，かつ，内装を可燃材料とする延べ面積 800m² の教会。

　指定可燃物（可燃性液体類に係るものを除く。）を貯蔵または取り扱う防火対象物のうち，屋内消火栓設備を設置しなければならないのは，当該指定可燃物を危険物の規制に関する政令別表第4で定める数量の何倍以上貯蔵または取り扱う場合か。正しいものを次の中から選べ。

(1) 350 倍　　　(2) 500 倍　　　(3) 750 倍　　　(4) 1,000 倍

　屋内消火栓設備を設置しなければならない防火対象物の階として，消防法令上，正しいものは次のうちどれか。ただし，防火対象物の延べ面積は屋内消火栓設備の設置基準に満たないものとする。また，特定主要構造部は耐火構造とし，壁及び天井の室内に面する部分の仕上げは難燃材料とする。

(1) 映画館の無窓階であって，床面積が 320m² のもの

(2) テレビスタジオの地階であって，床面積が 390m² のもの

(3) 病院の 5 階であって，床面積が 400m² のもの

(4) 事務所の 4 階であって，床面積が 500m² のもの

　消防法令上，消防法施行令第 11 条第 3 項第 1 号に規定する消火栓（いわゆる「1 号消火栓」）を設置しなければならない防火対象物は次のうちどれか。

(1) 駐車場

(2) 工場

(3) 映画館

(4) 百貨店

　屋外消火栓設備を設置しなければならない防火対象物として，消防法令上，正しいものは次のうちどれか。

(1) 地下 1 階，地上 2 階建の耐火構造建築で，延べ面積が 9,000m$^2$ の百貨店

(2) 地上 2 階建の耐火構造建築で，1 階の床面積が 4,000m$^2$，2 階の床面積が 3,000m$^2$ の旅館

(3) 平屋建の準耐火構造建築で，床面積が 5,000m$^2$ の倉庫

(4) 平屋建の木造建築で，床面積が 3,500m$^2$ の寺院

---

### 問7  　難　中　易

　令別表第 1（1）項に掲げる防火対象物で，消防法令上，スプリンクラー設備の設置が義務付けられているものは次のうちどれか。ただし，無窓階はないものとする。

(1) 床面積 250m$^2$ の舞台部が地階にある映画館

(2) 床面積 400m$^2$ の舞台部が 1 階にある公会堂

(3) 床面積 450m$^2$ の舞台部が 2 階にある劇場

(4) 床面積 350m$^2$ の舞台部が 4 階にある集会場

---

### 問8  　難　中　易

　消防法令上，スプリンクラー設備を設置しなければならない階として，誤っているものは次のうちどれか。ただし，無窓階ではないものとする。

(1) 地下 1 階，地上 2 階建てのスーパーマーケットの地階であって，床面積が 1,200m$^2$ のもの

(2) 地上 4 階建てのホテルの 4 階であって，床面積 1,200m$^2$ のもの

(3) 地上 11 階建ての百貨店の 3 階であって，床面積 900m$^2$ のもの

(4) 地上 12 階建ての事務所の 11 階であって，床面積 500m$^2$ のもの

---

### 問9  　難　中　易

　スプリンクラー設備を各階に設置しなければならない防火対象物として，消防法令上，誤っているものは次のうちどれか。

(1) 地上 3 階建てで，床面積の合計が 3,000m$^2$ の百貨店

(2) 平屋建てで，延べ面積が 275m$^2$ の特別養護老人ホーム

(3) 地上 3 階建てで，床面積の合計が 4,000m² の産婦人科の病院

(4) 地上 7 階建てで，床面積の合計が 5,000m² のホテル

## 問10　難　中　易

スプリンクラー設備を設置しなければならない防火対象物またはその部分として，消防法令上，正しいものは次のうちどれか。

(1) 天井の高さが 10m で，かつ，延べ面積が 800m² のラック式倉庫

(2) 延べ面積が 1,500m² の地下街

(3) 特定用途に供される部分の床面積の合計が 2,800m² の複合用途防火対象物（令別表第 1(16) 項イ）の，特定用途部分が存する階

(4) 複合用途防火対象物（令別表第 1(16) 項イ）の 4 階以上 10 階以下の階であって，飲食店の用途に供される部分の床面積が 1,300m² の階

## 問11　難　中　易

指定可燃物（可燃性液体類に係るものを除く。）を貯蔵または取り扱う防火対象物のうち，スプリンクラー設備を設置しなければならないのは，当該指定可燃物を危険物の規制に関する政令別表第 4 で定める数量の何倍以上貯蔵または取り扱う場合か。正しいものを次の中から選べ。

(1) 500 倍　　(2) 750 倍　　(3) 800 倍　　(4) 1,000 倍

## 問12　難　中　易

次の A から E の防火対象物またはその部分のうち，水噴霧消火設備等を設置しなければならないものの組合せとして，消防法令上，正しいものはどれか。

A　屋上にある駐車場で，床面積が 250m² のもの

B　3 階にある駐車場で，床面積が 300m² のもの

C　1 階にある駐車場で，床面積が 420m² のもの

D　地階にある駐車場で，床面積が 150m² のもの

E　車両収容台数が 15 台のパーキングタワー

(1) A，B，D　　(2) A，D，E　　(3) B，C，D　　(4) B，E

**問13**　　　　　　　　　　　　　　　難　中　**易**

次の記述のうち，消防法令上，誤っているものはどれか。

(1) 耐火構造で，1階，2階の床面積の合計が 9,500m² のスーパーマーケットに，屋外消火栓設備を設置した。

(2) 床面積が 240m² の地下駐車場に，不活性ガス消火設備を設置したため，水噴霧消火設備は設置しなかった。

(3) 地上8階建てのマンションで，床面積の合計は 7,000m² だったが，スプリンクラー設備は設置しなかった。

(4) 床面積が 520m² の通信機器室に，水噴霧消火設備を設置した。

# 解 説

**問1**　　一般に，（A）地下街は延べ面積 150m² 以上，（B）劇場は延べ面積 500m² 以上，（C）百貨店，（D）病院は延べ面積 700m² 以上，（E）銀行は延べ面積 1,000m² 以上の場合に屋内消火栓の設置義務があります。ただし，耐火構造で内装が難燃材料仕上げの場合は 3 倍読みになるので，設置義務はそれぞれ次のように変わります。

○ A　地下街　　延べ面積 450m² 以上
○ B　劇場　　　延べ面積 1,500m² 以上
× C　百貨店　　延べ面積 2,100m² 以上
○ D　病院　　　延べ面積 2,100m² 以上
× E　銀行　　　延べ面積 3,000m² 以上

解答（1）　参照 193，194 ページ

**問2**

× （1）映画館は，延べ面積 500m² 以上で屋内消火栓設備の設置が必要です。ただし，建物が耐火構造＋内装制限ありなので，設置義務は 3 倍の 1,500m² 以上となります。

○ （2）事務所は，延べ面積 1,000m² 以上で屋内消火栓設備の設置が必要です。ただし，建物が準耐火構造＋内装制限ありなので，設置義務は 2 倍の 2,000m² 以上となります。

× （3）小学校は，延べ面積 700m² 以上で屋内消火栓設備の設置が必要です。ただし，建物が耐火構造＋内装制限なしなので，設置義務は 2 倍の 1,400m² 以上となります。

× （4）教会は，延べ面積 1,000m² 以上で屋内消火栓設備の設置が必要です。耐火構造も内装制限もないので，倍読みはありません。

解答（2）　参照 193，194 ページ

**問3**　指定可燃物を指定数量の750倍以上貯蔵または取り扱う防火対象物には，屋内消火栓設備を設置します。

解答（3）　参照 195ページ

**問4**　地階・無窓階・4階以上の階で屋内消火栓設備の設置義務があるのは，次の場合です。

①劇場，映画館　　　　　　　　床面積 100m² 以上
②神社，寺院，教会，事務所　　床面積 200m² 以上
③その他の防火対象物　　　　　床面積 150m² 以上

　ただし，耐火構造で内装が難燃材料仕上げの場合は3倍読みになるので，設置義務はそれぞれ次のように変わります。

○（1）映画館の無窓階　　　　　　床面積 300m² 以上
×（2）テレビスタジオの地階　　　床面積 450m² 以上
×（3）病院の5階　　　　　　　　床面積 450m² 以上
×（4）事務所の4階　　　　　　　床面積 600m² 以上

解答（1）　参照 193，194ページ

**問5**　1号消火栓でなければならない防火対象物は，次のいずれかです。

①令別表第1(12)イの工場または作業場
②令別表第1(14)の倉庫
③指定可燃物を指定数量の750倍以上貯蔵または取り扱う施設

　上記以外は，1号消火栓，2号消火栓のどちらでも構いません。

解答（2）　参照 195ページ

**問6**

×（1）耐火構造の建物は，1階と2階の床面積の合計が9,000m² 以上の場合に屋外消火栓を設置します。延べ面積が9,000m² なので，1階と

**211**

2階の床面積の合計は 9,000m$^2$ 未満となります。

× (2) 1階と2階の床面積の合計は 7,000m$^2$ なので，屋外消火栓設備は必要ありません。

× (3) 準耐火構造の建物は，1階と2階の床面積の合計が 6,000m$^2$ 以上の場合に屋外消火栓設備を設置します。

○ (4) 耐火構造・準耐火構造以外の建物は，1階と2階の床面積の合計が 3,000m$^2$ 以上の場合に屋外消火栓を設置します。

........................................................................................

解答（4）　参照 197 ページ

### 問7

スプリンクラー設備を設置しなければならない劇場・映画館等の舞台部は，舞台部が地階・無窓階・4階以上の階にある場合は床面積 300m$^2$ 以上，その他の階にある場合は床面積 500m$^2$ 以上です。

........................................................................................

解答（4）　参照 198 ページ

### 問8

○ (1) 百貨店・マーケットの地階・無窓階・4〜10階には，床面積が 1,000m$^2$ 以上の場合にスプリンクラー設備を設置します。

× (2) ホテルの4〜10階には，床面積が 1,500m$^2$ 以上の場合にスプリンクラー設備を設置します。

○ (3) 11階建以上の特定防火対象物は，各階にスプリンクラー設備を設置します。

○ (4) 特定防火対象物以外の防火対象物は，地上11階以上の各階にスプリンクラー設備を設置します。

........................................................................................

解答（2）　参照 198 〜 201 ページ

### 問9

○ (1) 平屋建て以外の百貨店には，床面積の合計が 3,000m$^2$ 以上の場合にスプリンクラー設備を各階に設置します。

○ (2) 自力避難が困難な者が入所する社会福祉施設には，原則としてスプリンクラー設備を設置します。

○（3）平屋建て以外の病院は，床面積の合計が 3,000m² 以上なら何科であっ
　　てもスプリンクラー設備を各階に設置します。

×（4）平屋建て以外のホテルには，床面積の合計が 6,000m² 以上の場合に
　　スプリンクラー設備を各階に設置します。

　　　　　　　　　　　　　　　　解答（4）　参照 198〜201 ページ

**問10**

×（1）ラック式倉庫は，天井の高さが10mを超え（10m 以上ではない），か
　　つ，延べ面積が700m² 以上の場合にスプリンクラー設備を設置します。

○（2）正解です。延べ面積が 1,000m² 以上の地下街には，スプリンクラー
　　設備を設置します。

×（3）特定用途部分を含む複合用途防火対象物で，特定用途部分の床面積の
　　合計が 3,000m² 以上の場合には，特定用途部分の存する階にスプリ
　　ンクラー設備を設置します。

×（4）特定用途部分を含む複合用途防火対象物の４階から 10 階では，特
　　定用途部分の床面積が 1,500m² 以上（令別表 (2) 項，(4) 項では
　　1,000m² 以上）の場合に，スプリンクラー設備を設置します。

　　　　　　　　　　　　　　　　解答（2）　参照 198〜201 ページ

**問11**　指定可燃物を指定数量の 1,000 倍以上貯蔵または取り扱う防火
対象物には，スプリンクラー設備を設置します。

　　　　　　　　　　　　　　　　解答（4）　参照 201 ページ

**問12**　①道路の用に供される部分，②駐車の用に供される部分，③指定
可燃物を指定数量の 1,000 倍以上貯蔵または取り扱う施設には，水噴霧消火
設備等の消火設備を設置します。

× A　駐車の用に供する屋上部分は，床面積が300m² 以上の場合に設置します。

○ B　駐車の用に供する２階以上の階は，床面積が200m² 以上の場合に設置
　　します。

× C　駐車の用に供する１階部分は，床面積が500m² 以上の場合に設置します。

× D　駐車の用に供する地階部分は，床面積が200m²以上の場合に設置します。

○ E　パーキングタワーは，車両収容台数が10台以上の場合に設置します。

**解答（4）**　**参照** 203 ページ

### 問13

○（1）耐火構造で，1階，2階の床面積の合計が9,000m²以上の防火対象物には，屋外消火栓設備を設置します。

○（2）床面積が200m²以上の地下駐車場には，水噴霧消火設備，泡消火設備，不活性ガス消火設備，ハロゲン化物消火設備，粉末消火設備のいずれかを設置します。

○（3）マンションは特定防火対象物ではないので，11階建て以上でなければ，スプリンクラー設備は不要です。

×（4）床面積500m²以上の通信機器室には，不活性ガス消火設備，ハロゲン化物消火設備，粉末消火設備のいずれかを設置します。水噴霧消火設備は感電のおそれがあるため設置できません。

**解答（4）**　**参照** 197，201，203，204 ページ

# 解 答

| | | | | | | | |
|---|---|---|---|---|---|---|---|
| 問1 | （1） | 問5 | （2） | 問9 | （4） | 問13 | （4） |
| 問2 | （2） | 問6 | （4） | 問10 | （2） | | |
| 問3 | （3） | 問7 | （4） | 問11 | （4） | | |
| 問4 | （1） | 問8 | （2） | 問12 | （4） | | |

# 第 4 章

# 構造と機能，
# 工事と整備

1　屋内・屋外消火栓設備 ························ 216
2　スプリンクラー設備 ·················· 266

# 屋内・屋外消火栓設備

## まとめ & 丸暗記

### ☐ 屋内消火栓

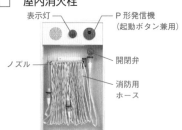

表示灯 ─ P形発信機（起動ボタン兼用）

ノズル ─ 開閉弁

消防用ホース

- 屋内消火栓箱の表面に「消火栓」と表示
- 位置表示灯（取付面と 15° 以上の角度となる方向に沿って 10m 離れたところから識別できる赤色のランプ）
- 始動表示灯（位置表示等の点滅でも可）
- 消火栓開閉弁は床面から高さ 1.5m 以下の位置に設ける。

### ☐ 屋外消火栓

- 屋外消火栓箱は表面に「ホース格納箱」と表示し，屋外消火栓から歩行距離 5m 以内の位置に設ける。
- 赤色の始動表示灯を設ける。
- 消火栓開閉弁は地盤面から高さ 1.5m 以下，深さ 0.6m 以内の位置に設ける。

### ☐ 放水性能

| 消火栓の種類 | 放水圧力 | 放水量 |
|---|---|---|
| 1 号消火栓 | 0.17MPa 以上 | 130L/min 以上 |
| 広範囲型 2 号消火栓 | 0.17MPa 以上 | 80L/min 以上 |
| 2 号消火栓 | 0.25MPa 以上 | 60L/min 以上 |
| 屋外消火栓 | 0.25MPa 以上 | 350L/min 以上 |

### ☐ 水源水量とポンプ吐出量

| 消火栓の種類 | 水源水量 | ポンプ吐出量 |
|---|---|---|
| 1 号消火栓 | 設置個数× 2.6m³ 以上 | 設置個数× 150L/min以上 |
| 広範囲型 2 号消火栓 | 設置個数× 1.6m³ 以上 | 設置個数× 90L/min以上 |
| 2 号消火栓 | 設置個数× 1.2m³ 以上 | 設置個数× 70L/min以上 |
| 屋外消火栓 | 設置個数× 7.0m³ 以上 | 設置個数× 400L/min以上 |

### ☐ 設置位置

| 消火栓の種類 | 水平距離 |
|---|---|
| 1 号消火栓 | 25m 以下 |
| 広範囲型 2 号消火栓 | 25m 以下 |
| 2 号消火栓 | 15m 以下 |
| 屋外消火栓 | 40m 以下 |

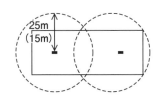

25m (15m)

# 屋内消火栓設備

≡補足≡
図中で使用している
図記号については，
341ページを参照
してください。

## 1 屋内消火栓設備の構成

屋内消火栓設備は，水源，加圧送水装置，屋内消火栓，消防用ホース，起動装置，配管，弁（バルブ）類，非常電源などから構成されています。

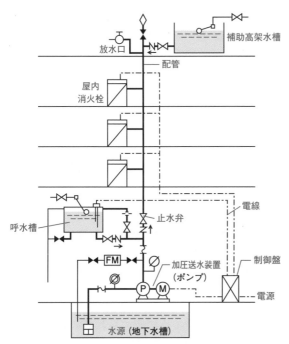

屋内消火栓設備の構成例

火災発生時には，加圧送水装置を起動して水源から水をくみ上げ，屋内消火栓に接続した消防用ホースから放水して，消火作業を行います。

加圧送水装置の起動方法には，自動火災報知設備のP型発信機を押して起動する方式や，開閉弁を開くと起

**217**

動する方式，消防用ホースを延ばすと連動して起動する方式などがあります。

## ❷ 1号消火栓と2号消火栓

　屋内消火栓は，1号消火栓と2号消火栓とに大きく分かれます。また，1号消火栓には易操作性，2号消火栓には広範囲型と呼ばれるタイプがあります。

① 1号消火栓　従来から用いられている方式の消火栓です。使うときは消火栓箱からホースを取り出し，引き延ばしてから消火栓を開いて放水します。そのため，操作には2人以上が必要で，普段からの訓練も必要です。
②易操作性1号消火栓　1号消火栓の操作性を向上させ，1人でも操作可能にしたタイプです。
③2号消火栓　1人でも操作できるように操作性を向上させ，消防用ホースを全部引き延ばさなくても放水をはじめられるようにしたタイプです。1号消火栓に比べると消火能力は低めなので，防火対象物によっては設置できない場合があります（195ページ）。
④広範囲型2号消火栓　設置間隔を1号消火栓と同じにした2号消火栓です。放水量や吐出能力は1号消火栓と2号消火栓の中間になります。1人でも操作できますが，従来の2号消火栓と同様，防火対象物によっては設置できない場合があります。

　屋内消火栓の放水圧力と放水量は次のように定められています。

覚える 屋内消火栓の放水圧力と放水量

| 種類 | 放水圧力 | 放水量 |
|---|---|---|
| 1号消火栓<br>易操作性1号消火栓 | 0.17MPa 以上 0.7MPa 以下 | 130L/min 以上 |
| 広範囲型2号消火栓 | 0.17MPa 以上 0.7MPa 以下 | 80L/min 以上 |
| 2号消火栓 | 0.25MPa 以上 0.7MPa 以下 | 60L/min 以上 |

# 水源

## ① 水源の種類

屋内消火栓設備の水源としては，地下水槽，地上水槽，高架水槽，圧力水槽などが利用されています。また，海や河川，湖沼，池，井戸といった自然の水源が利用される場合もあります。いずれの場合でも，いざというときに必要な水量を確保できることが条件です。

## ② 水源の水量

屋内消火栓設備の水源水量の基準は，法令で次のように定められています。

(覚える) **屋内消火栓設備の水源水量**

| 屋内消火栓の種類 | 水源水量 |
|---|---|
| 1号消火栓 | 設置個数（最大2）× 2.6m³ 以上 |
| 広範囲型2号消火栓 | 設置個数（最大2）× 1.6m³ 以上 |
| 2号消火栓 | 設置個数（最大2）× 1.2m³ 以上 |

設置個数は，屋内消火栓の設置個数が最も多い階における個数とします。たとえば，1号消火栓が1階に1個，2階に3個設置されている場合，設置個数は「3」になります。ただし，計算では設置個数の最大を「2」とするので，必要な水源水量は 2 × 2.6 = 5.2m³ となります。

≡ 補足 ≡
**広範囲型2号消火栓**
広範囲型2号消火栓は，設置間隔が1号消火栓と同じで，ポンプや消火栓箱を1号消火栓から転用できるため，1号消火栓の置き換え用として利用されます。また，従来の2号消火栓より設置間隔を広くとれます。

≡ 補足 ≡
**水源水量の求め方**
水源水量は，消火栓1個が20分以上放水を続けられる量が基準になります。1号消火栓の放水量は1個につき毎分130L以上と定められているので，必要な水源水量は1個当たり130L × 20分 = 2.6m³となります。同様に，2号消火栓の放水量は毎分60L以上なので，必要な水源水量は1個当たり60L × 20分 = 1.2m³となります。1つの階に複数の消火栓がある場合は，最大2個まで同時に使用できる水量を確保します。

# 加圧送水装置

## ① 加圧送水装置の種類

　加圧送水装置は，水に圧力を加えて消火栓に送る装置です。加圧方式によって，ポンプ方式，高架水槽方式，圧力水槽方式などの種類がありますが，ポンプ方式が多く用いられます。

| ポンプ方式 | ポンプによる圧力で送水する方式。 |
|---|---|
| 高架水槽方式 | 高い場所に設置した水槽の落差を利用して送水する方式。 |
| 圧力水槽方式 | 圧力タンクの圧力を利用して送水する方式。 |

## ② ポンプ方式の加圧送水装置

　ポンプ方式の加圧送水装置は，ポンプ，電動機，呼水装置，ポンプ性能試験装置，水温上昇防止用逃し配管，起動用水圧開閉装置，フート弁などから構成されています。

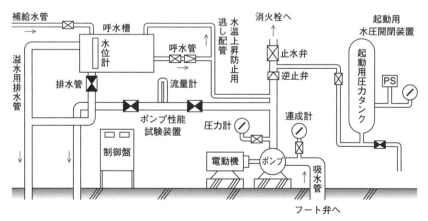

ポンプ方式の加圧送水装置

ポンプは，羽根車の回転による遠心力で，送水するための圧力を得ます。ポンプの吐出量を $Q$〔m³/min〕，全揚程を $H$〔m〕とすれば，ポンプが水に与える動力（水動力）は次のように表せます（13ページ）。

$$N_W = 0.163QH \ \text{〔kW〕}$$

≡補足≡

**揚程**
ポンプで水を揚げることができる高さ。

①**ポンプ吐出量**　ポンプの吐出量（としゅつ）は，次の値以上でなければなりません。

| 屋内消火栓の種類 | ポンプ吐出量 |
|---|---|
| 1号消火栓 | 設置個数（最大2）× 150L/min 以上 |
| 広範囲型2号消火栓 | 設置個数（最大2）× 90L/min 以上 |
| 2号消火栓 | 設置個数（最大2）× 70L/min 以上 |

②**ポンプ全揚程**　ポンプの全揚程は，火災の発生した階まで水をくみ上げるエネルギーに，ノズルから放水するエネルギー（1号消火栓は17m，2号消火栓は25m）を加えます。これに，消防用ホースや配管の摩擦で失われる分を考慮した値とします。

| 屋内消火栓の種類 | ポンプ全揚程 |
|---|---|
| 1号消火栓 広範囲型2号消火栓 | $H = h_1 + h_2 + h_3 + 17$〔m〕以上 |
| 2号消火栓 | $H = h_1 + h_2 + h_3 + 25$〔m〕以上 |

※$H$：全揚程〔m〕　$h_1$：消防用ホースの摩擦損失水頭〔m〕
　$h_2$：配管の摩擦損失水頭〔m〕　$h_3$：落差〔m〕

③**揚程曲線**　ポンプの吐出量が定格吐出量の150％のとき，全揚程は定格全揚程の65％以上とします。

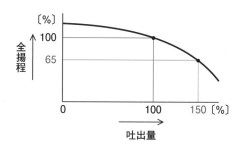

④**専用ポンプ** ポンプは，原則として屋内消火栓設備専用とします。他の消火設備と併用または兼用する場合は，それぞれの消火設備の性能に支障がないようにしなければなりません。

⑤**圧力計・連成計**（れんせい） 吐出側に圧力計，吸込側に連成計を設けます。

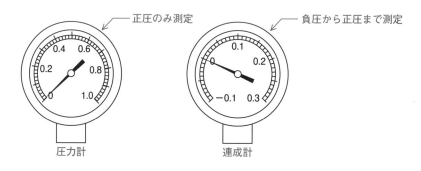

⑥**ポンプ性能試験装置** 流量計とこれに接続される配管で構成される装置で，消火栓から放水することなしに，ポンプ性能を点検できるようにしたものです。

⑦**水温上昇防止用逃し配管**（にが） 加圧送水装置には，締切運転時における水温上昇防止のための逃し配管を設けます。ポンプ内部の水を少量ずつオリフィスから放流し，水温が30℃以上上昇しないようにするものです。

⑧**電動機** ポンプは，電動機(モーター)で動かします。ポンプ効率を$\eta$，伝達係数を$\alpha$とすれば，必要な電動機の出力(軸動力)は，

$$P = \frac{0.163QH}{\eta} \alpha \ [kW]$$

$Q$：ポンプの吐出量〔m³〕
$H$：全揚程〔m〕

で計算できます。吐出量と全揚程に合わせて，適切な出力の電動機を設置します。

⑨**呼水装置** 水源の水位がポンプより低い位置にある場合には，ポンプのケーシングに水を供給するために，呼水装置を設けます。

　呼水装置には，専用の呼水槽（有効水量 100L 以上），溢水用排水管，減水警報装置（呼水槽の貯水量が有効水量の2分の1になる前に警報を発する），減水時に自動的に水を補給する装置を設けます。

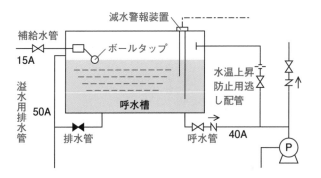

⑩**吸水管** 吸水管はポンプごとに専用とし，ろ過装置を設けます。また，水源の水位がポンプより低い位置にある場合はフート弁を，その他の場合には止水弁を設けます。

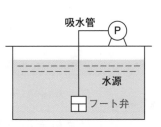

⑪起動用水圧開閉装置　起動用圧力タンクと圧力スイッチなどで構成され，配管内の圧力低下を検知してポンプを起動させます。起動用圧力タンクはポンプ吐出側の逆止弁の二次側に，呼び25以上の止水弁を備えた配管で接続します。

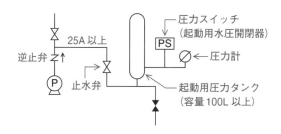

## ③ 高架水槽方式の加圧送水装置

　高架水槽方式の加圧送水装置は，水槽，制御盤，水位計，排水管，溢水用排水管，補給水管，マンホールなどで構成されています。

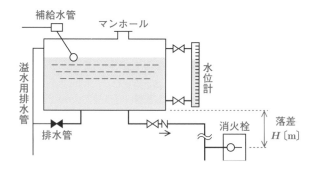

①落差　高架水槽の下端からホース接続口までの垂直距離は，次の式の値以上とします。

| 屋内消火栓の種類 | 高架水槽の落差 |
|---|---|
| 1号消火栓<br>（広範囲型2号消火栓を含む） | $H = h_1 + h_2 + 17$ 〔m〕 以上 |
| 2号消火栓 | $H = h_1 + h_2 + 25$ 〔m〕 以上 |

※ $H$：落差〔m〕　　$h_1$：消防用ホースの摩擦損失水頭〔m〕　　$h_2$：配管の摩擦損失水頭〔m〕

②付属装置　高架水槽には，水位計，排水管，溢水用排水管，補給水管，マンホールを設けます。

≡補足≡

**補助用高架水槽**
配管内に常時水を満たしておくために設ける水槽。

## 4 圧力水槽方式の加圧送水装置

　圧力水槽方式の加圧送水装置は，水槽（圧力タンク），圧力計，水位計，制御盤，排水管，補給水管，マンホールなどで構成されています。

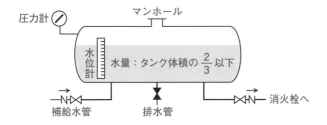

①**圧力**　圧力水槽の圧力は，次の式の値以上とします。

| 屋内消火栓の種類 | 圧力水槽の圧力 |
|---|---|
| 1号消火栓（広範囲型2号消火栓を含む） | $P = p_1 + p_2 + p_3 + 0.17$〔MPa〕以上 |
| 2号消火栓 | $P = p_1 + p_2 + p_3 + 0.25$〔MPa〕以上 |

※ $P$：圧力〔MPa〕　$p_1$：消防用ホースの摩擦損失水頭圧〔MPa〕
　$p_2$：配管の摩擦損失水頭圧〔MPa〕　$p_3$：落差の換算水頭圧〔MPa〕

②**水量**　タンク内の水量は，タンクの体積の3分の2以下とします。

③**付属装置**　圧力水槽には，圧力計，水位計，排水管，給気管，補給水管，マンホールを設けます。

# 配管・バルブ類

## ① 配管

　屋内消火栓設備の配管は，原則として専用配管とします。ただし，屋内消火栓設備を起動すると他の消火設備への送水は遮断されるといった，性能に支障がない構造になっている場合は兼用とすることができます。

①**管径**　配管の管径は，流量や流速，摩擦損失などを考慮した水力計算によって決まります。ただし立上り管については，1号消火栓の場合で呼び径 50mm 以上，広範囲型2号消火栓が呼び径 40mm 以上，2号消火栓が呼び径 32mm 以上とします。

②**耐圧力**　配管の耐圧力は，加圧送水装置の締切圧力の 1.5 倍以上の水圧に耐えるものとします。

③**配管の材質**　配管には，金属製のものと合成樹脂製のものがあり，それぞれ使用できる材質が以下のように定められています。

◆**金属製**

　以下の規格に適合する管（または，同等以上の強度，耐食性，耐熱性をもつもの）。

| JIS 規格番号 | 規格名称 |
|---|---|
| JIS G 3442 | 水配管用亜鉛めっき鋼管（SGPW） |
| JIS G 3448 | 一般配管用ステンレス鋼管 |
| JIS G 3452 | 配管用炭素鋼鋼管（SGP） |
| JIS G 3454 | 圧力配管用炭素鋼鋼管（STPG） |
| JIS G 3459 | 配管用ステンレス鋼管（SUS-TP） |

　このうち，消火配管によく用いられる SGP（JIS G 3452）には，亜鉛めっ

きを行ったもの（白管）と行ってないもの（黒管）があります。

### ◆合成樹脂製

　耐熱性のないVP管（硬質塩化ビニル管）などは使用できません。ただし，気密性，強度，耐食性，耐候性，耐熱性の基準（「合成樹脂製の管及び管継手の基準」平成13年3月消防庁告示第19号）を満たしたものであれば，合成樹脂製の配管を使用できます。

## ② 管継手

　管同士を接続する部品を管継手といい，用途に応じて様々な形状のものがあります。

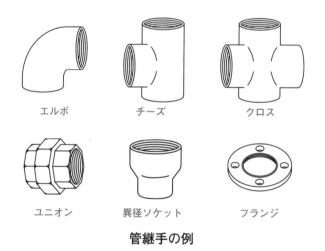

**管継手の例**

エルボ　　チーズ　　クロス

ユニオン　　異径ソケット　　フランジ

　配管との接続方式によって分類すると，屋内消火栓設備の配管に使用できる管継手は，①フランジ継手，②ねじ込み式継手，③溶接式鋼管用継手の3種類があります。

---

≡ 補足 ≡

**兼用配管**
屋内消火栓設備の配管は，連結送水管と兼用になっている場合がよくあります。

≡ 補足 ≡

**呼び径**
管の直径を表す数値。呼び径が50mmの場合を「50A」と表します。ただし，実際の外径と内径は，呼び径とは異なります。

≡ 補足 ≡

**レジューサ**
異なる径の管を接続する継手。異径ソケットと用途は同じですが，ねじ込み式ではなく溶接式です。

---

1

屋内・屋外消火栓設備

### ①フランジ継手

　フランジは平たいドーナツ形の器具で，接続する管の先端に取り付け，ボルトで締め付けて管同士を接続します。配管の途中をフランジで接続しておくと，管の修理や増設がしやすく，機器の交換などが簡単になります。

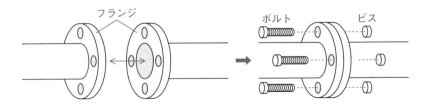

　フランジは，フランジと管との接続方式によって，ねじ込み式と溶接式があります。

### ②ねじ込み式継手

　ねじ込み式継手は，管の先端にねじを切って，管同士を接続します。

### ③溶接式鋼管継手

　管同士を溶接して接続します。

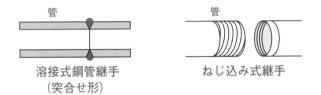

### ④溶接用語

　溶接は、2つの金属を溶融させて結合する操作で、アーク溶接、ガス溶接などの方式があります。溶接に関する主な用語に、以下のものがあります。

- パス：1回分の溶接操作のこと。
- ビード：1回のパスによって成形される溶接金属。
- クレーター：ビードの終端にできるくぼみ。
- スラグ：溶接部に生じる非金属物質。
- スパッタ：溶接中に飛散するスラグや金属粒。
- アンダーカット：溶接部分の端に沿って、母材が溶けすぎたためにできる細い溝のこと。溶接欠陥の一種。
- オーバーラップ：溶けた金属が母材と融合せず、母材の表面に重なった部分のこと。溶接欠陥の一種。

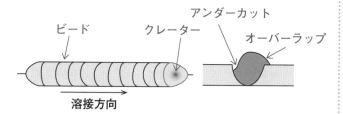

ビード　クレーター　アンダーカット　オーバーラップ

溶接方向

≡補足≡

**配管の識別表示**
工場や学校などでは，バルブの誤操作などを防ぐため，配管の用途や管内の物質を色で表示しています。赤の両側を白で縁取りしてあるのは，消火に用いることを表す消火表示，青は管内に水が流れることを表す物質表示です。

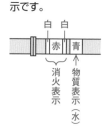

白　白

赤　青

消火表示　物質表示（水）

**③ 可とう管継手**

可とう管継手は，曲げやすい材質でできた管継手で，地震などで生じる配管のずれやねじれを吸収する役割を持ちます。加圧送水装置では，ポンプの吐出側と吸込側の両方に，可とう管継手を設けます。

# 4 バルブ類

加圧送水装置の吐出側直近部分の配管には，止水弁と逆止弁を設けます。

## ①止水弁

止水弁は，水の流れの開閉を行う弁で，開閉弁，仕切弁ともいいます。弁体（ディスク）が弁棒ごと上下する**外ねじ式**と，弁体だけが上下する**内ねじ式**があります。

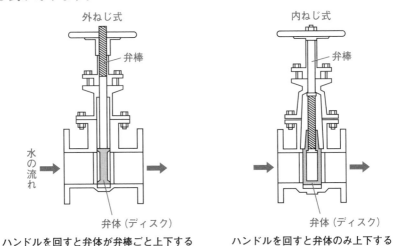

外ねじ式 — 弁棒 — 水の流れ — 弁体（ディスク）
ハンドルを回すと弁体が弁棒ごと上下する

内ねじ式 — 弁棒 — 弁体（ディスク）
ハンドルを回すと弁体のみ上下する

## ②逆止弁

逆止弁は，水が逆方向に流れるのを止めるための弁で，リフト形とスイング形があります。

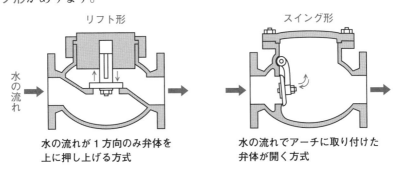

リフト形
水の流れ
水の流れが1方向のみ弁体を上に押し上げる方式

スイング形
水の流れでアーチに取り付けた弁体が開く方式

リフト形は，構造上垂直配管には取り付けできません。スイング形は垂直にも水平にも取り付けできますが，垂直配管の場合，流れが上から下の方向には取り付けできません。

③表示

開閉弁・止水弁には，開閉方向を表示します。また，逆止弁には，流れ方向を表示します。

## 5 鋼材

継手やバルブ、付属部品などの材料には、主に次のような種類があります。

| 品名 | 記号 |
| --- | --- |
| 一般構造用圧延鋼材 | SS |
| 炭素鋼鋳鋼品 | SC |
| ねずみ鋳鉄 | FC |
| ステンレス鋼 | SUS |

一般構造用圧延鋼材は SS 材とも呼ばれます。なかでも引張強さの下限が 400MPa の規格である「SS400」は代表的な鉄鋼材料として、様々な用途に使われています。

# 屋内消火栓

## 1 屋内消火栓の外観

　ビルなどでよく見かける「消火栓」と表示されている金属製の箱を，屋内消火栓箱といいます。扉を開けると，中には消防用ホースやノズル，開閉弁などが収納されています。

　1号消火栓（易操作性1号消火栓を除く）では，消防用ホースは折りたたまれて櫛状のホース架けに掛けられています。2号消火栓と易操作性1号消火栓では，消防用ホースは巻いて収納されているか，リールに巻かれています。

　　1号消火栓　　　　易操作性1号消火栓　　　　2号消火栓

　消防用ホースとノズル，消防用ホースと開閉弁は，結合金具によって接続されています。

## 2 屋内消火栓の設置位置

　屋内消火栓は建物の階ごとに，その階の各部分からホース接続口までの水平距離が，1号消火栓と広範囲型2号消火栓では25m以下，2号消火栓では15m以下になるように設けます。設置場所は階の出入り口や階段の近くなど消火活動に便利な場所とし，なるべく各階で同じ位置に設けます。

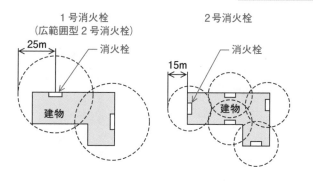

1号消火栓
（広範囲型2号消火栓）

25m

消火栓

建物

2号消火栓

消火栓

15m

建物

≡補足≡

**自動火災報知設備**
火災の発生を感知して，非常ベルやサイレンを鳴らす設備。感知器，発信機，受信機，音響装置などで構成されます。設置・整備には第4類消防設備士の資格が必要です。

また，屋内消火栓の開閉弁は，床面からの高さが1.5m以下の位置に設けます。

≡補足≡

**P型発信機**
自動火災報知設備の一部で，火災が起こったとき，押しボタンを押して火災信号を発信する装置。

## ③ 屋内消火栓の使用方法

屋内消火栓を使用するには，まず，加圧送水装置のポンプを起動します。加圧送水装置の制御盤からも起動できますが，火災が発生したときにすぐ使用できるように，屋内消火栓側から遠隔起動できるようになっています。

### ① 1号消火栓（易操作性1号消火栓以外）の場合

屋内消火栓箱の内部やその近くに設けられた押しボタンなどで起動します。一般的には，自動火災報知設備のP型発信機と連動している方式が多く採用されています。

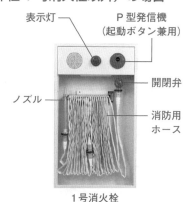

表示灯
P型発信機
（起動ボタン兼用）
開閉弁
ノズル
消防用ホース

1号消火栓

ポンプが起動したら消防用ホースを引き出し，ノズルを火元に向けて開閉弁を開けると放水がはじまります。

②易操作性1号消火栓・2号消火栓の場合

　易操作性1号消火栓や2号消火栓（広範囲型を含む）では，開閉弁の開放や，消防用ホースを引き出す操作と連動して加圧送水装置のポンプが起動します。また，ノズル側にも開閉装置がついており，ノズルを火元に向けて開閉装置を操作すると放水がはじまります。

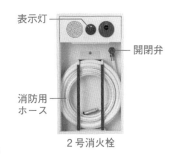

表示灯

開閉弁

消防用
ホース

2号消火栓

　なお，1号消火栓・2号消火栓とも，遠隔操作でポンプを停止することはできません。停止するときは，加圧送水装置の制御盤の停止スイッチを直接操作します。

# ④ 屋内消火栓箱の表示

　屋内消火栓箱には，次のような表示を設けます。

①**消火栓の表示**　屋内消火栓箱の表面に，「消火栓」と表示します。

②**表示灯**　屋内消火栓箱の上部に，赤色の表示灯を設けます。表示灯は取付面と15°以上の角度となる方向に沿って10m離れたところから容易に識別できるものとします。

③**始動表示灯**　加圧送水装置の始動を示す赤色のランプを，屋内消火栓箱の内部またはその直近の箇所に設けます。ただし，②の表示灯の点滅によって加圧送水装置の始動を示すことができる場合には省略できます。

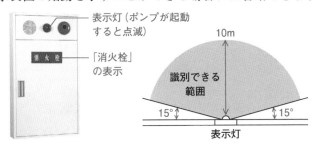

表示灯（ポンプが起動
すると点滅）

「消火栓」
の表示

10m

識別できる
範囲

15°　　　15°

表示灯

# 5 消防用結合金具

消防用ホースと消火栓の開閉弁とは，結合金具で接続します。結合金具には差込式とねじ式があり，それぞれ基準が定められています。

≡補足≡

結合金具は消防用ホース同士をつないで長さを延長する場合にも使用します。

### ①差込式結合金具

差し口と受け口で構成され，差し口の差し金具が受け口のつめとかみ合って両者が結合します。はずすときは差し口の押し輪を押すと，受け口のつめが押し上げられる仕組みになっています。

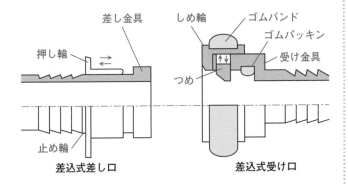

差込式差し口　　　　　差込式受け口

### ②ねじ式結合金具

ねじ式は，差し金具と受け金具をねじで回して結合します。

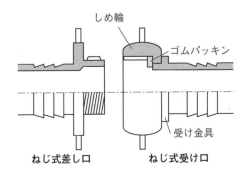

ねじ式差し口　　　ねじ式受け口

235

## 6 消火栓開閉弁

　屋内消火栓の開閉弁は，消防用ホースに接続され，ハンドルを回して消火栓を開閉します。ホース接続口には差込式とねじ式がありますが，近年は差込式が主流になっています。

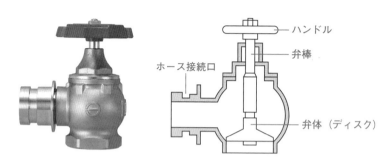

　開閉弁によっては，放水圧力が0.7MPaを超えないように，減圧装置を備えています。


## 7 消防用ホースとノズル

①消防用ホース

　消防用ホースには，平ホース，保形ホースなどの種類があります。このうち，1号消火栓では主に平ホースが，2号消火栓（広範囲型を含む）と易操作性1号消火栓では保形ホースが用いられています。

| 平ホース | ジャケットにゴムまたは合成樹脂の内張りを施したもの。たたんだ状態ではテープのようにたいらなので平ホースといいます。 |
|---|---|
| 保形ホース | ホースの断面が常時円形に保たれるもの。 |

　消防用ホースには，1号消火栓では水平距離25m（2号消火栓では15m）以内の範囲を有効に消火できる長さが必要です。1号消火栓の場合は，一般に15mの消防用ホース2本がよく使用されています。

平ホース

② ノズル

ノズルには，水を棒状に放射するものと，棒状と噴霧放射を切り替えられるものなどがあります。

棒状ノズル　　噴霧ノズル

このほか，広範囲型2号消火栓ではアスピレートノズルと呼ばれる新しいタイプのノズルが用いられています。アスピレートノズルは，放水と同時に空気を吸い込むことで細かい水粒をつくり，棒状と噴霧状の中間の放水を行います。

ノズルの放水圧力の基準は，1号消火栓と広範囲型2号消火栓が0.17MP以上0.7MPa以下，2号消火栓が0.25MPa以上0.7MPa以下です。放水圧力と放水量の関係から，ノズルの口径は1号消火栓で13mm以上，2号消火栓で8mm以上にする必要があります。

また，易操作性1号消火栓と2号消火栓のノズルには，開閉レバーなどの容易に開閉できる装置を設けます。

≡ 補足 ≡

**消防用ホースの呼称**

消防用ホースのおおよその内径（mm）を表したもの。1号消火栓では呼称40または50のものを使用します。

≡ 補足 ≡

**アスピレートノズル**

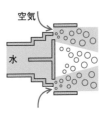

空気

水

# 非常電源・配線

## 1 非常電源の種類

　屋内消火栓設備には，ふだん使用する常用電源のほかに，常用電源が使用できない場合に備えて非常電源を設けなければなりません。

　非常電源には，次の4種類があります。

①非常電源専用受電設備
②自家発電設備
③蓄電池設備
④燃料電池設備

　ただし，延べ面積1000m² 以上の特定防火対象物には，自家発電設備，蓄電池設備，燃料電池設備のいずれかを設置します。

　いずれの非常電源も，点検に便利で，火災等の災害による被害を受けるおそれが少ない箇所に設け，他の電気回路の開閉器または遮断器によって遮断されないようにします。

## 2 非常電源専用受電設備

　電力会社から受電する受電設備を，非常電源として利用する方法です。自家発電や蓄電池設備を設置しないので低コストで済みますが，地震や落雷などで停電してしまうと，電源を供給できない欠点があります。

　受電設備の種類に応じて，次のように設置します。

①高圧または特別高圧で受電するもの（キュービクル式以外）

　高圧または特別高圧で受電する非常電源専用受電設備は，次のいずれかの場所に設置します。操作面の前面には，1m 以上の空地が必要です。

- 不燃材料で造られた壁・床・天井で区画され，窓と出入口に防火戸を設けた専用の室内
- 屋外または耐火構造の建物の屋上で，隣接する建築物から3m以上離す（隣接する建築物が不燃材料で造られ，開口部に防火戸を設ける場合は3m未満でも可）

≡補足≡

**キュービクル式**
金属製の箱 Cubicle の中に，高圧で受電するための機器一式を収めたもの。

1 屋内・屋外消火栓設備

## ②キュービクル式非常電源専用受電設備

　キュービクル式の非常電源専用受電設備は，基準に適合するものを次のいずれかの場所に設置します。

- 不燃材料で区画された変電室（発電室，ポンプ室等）
- 屋外または建築物の屋上

　受電設備の前面には，1m以上の空地が必要です。また，他のキュービクル式以外の自家発電設備や蓄電池設備から，1m以上（屋外に設ける場合は建築物から1m以上）離して設置します。

## ③低圧で受電するもの

　低圧で受電する場合の非常電源専用受電設備は，原則として「配電盤または分電盤の基準」に定める第1

種配電盤または第1種分電盤を設置します。

## ③ 自家発電設備

　自家発電設備は，常用電源が停電すると，ガソリンエンジンやディーゼルエンジンによる自家発電に自動的に切り替わる設備です（停電から電源確立まで40秒以内）。

　自家発電設備の容量は，屋内消火栓設備を有効に30分間以上作動できる容量でなければなりません。

## ④ 蓄電池設備

　蓄電池設備は，常用電源が停電すると，鉛蓄電池やアルカリ蓄電池による非常電源に自動的に切り替わる設備です。

　容量は自家発電設備と同様に，屋内消火栓設備を有効に30分間以上作動できる容量とします。

## ⑤ 燃料電池設備

　燃料電池設備は，水素と酸素の化学反応によって電気を発生させる設備です。燃料には都市ガスやLPガスなどが使われます。

　燃料電池設備はキュービクル式のものとし，容量は自家発電設備や蓄電池設備と同様，屋内消火栓設備を有効に30分間以上作動できる容量とします。

## ⑥ 配線

　屋内消火栓設備の表示灯や操作回路の配線や，非常電源の配線は，熱による断線を防ぐため，耐火配線または耐熱配線とします。

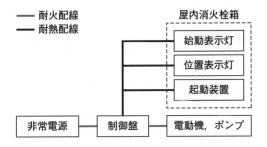

≡補足≡

**直交変換装置を有しない蓄電池設備**
直交変換装置を有しない蓄電池設備では，常用電源が復旧したとき，非常電源から自動電源へ自動的に切り替わる機能が必要です。

## ①耐火配線

- 600V 二種ビニル絶縁電線（HIV 線）相当の電線を使用し，電線を金属管または合成樹脂管に収め，耐火構造の主要構造部に埋設する。
- 埋設が困難な場合などは，MI ケーブルや基準に適合する耐火電線を使用する。

## ②耐熱配線

- 600V 二種ビニル絶縁電線（HIV 線）相当の電線を使用し，金属管工事，可とう電線管工事，金属ダクト工事またはケーブル工事（不燃性のダクトに布設する場合に限る）で施工する（埋設は不要）。
- 基準に適合する耐火・耐熱電線を，ケーブル工事等により施工する。

耐火配線

金属管
耐火構造の壁
HIV 線
10mm以上

耐熱配線

可とう電線管
金属管
HIV 線

# 屋内消火栓設備の試験と点検

## ① 屋内消火栓設備の点検

　消防用設備は，6か月ごとに機器点検，1年ごとに総合点検を行うことが法令で定められています（161ページ）。屋内消火栓設備では，以下の項目を点検します。

| 機能点検 | 水源（貯水槽，水量，水状，給水装置，水位計，圧力計，バルブ類） |
| --- | --- |
| | 加圧送水装置（電動機の制御装置, 起動装置, 電動機, ポンプ, 呼水装置，性能試験装置） |
| | 減圧のための措置 |
| | 配管等（管及び管継手，支持金具及びつり金具，バルブ類，ろ過装置，逃し配管） |
| | 屋内消火栓等（消火栓箱, ホース及びノズル, 消火栓開閉弁, 表示灯，始動表示灯，使用方法の表示） |
| | 耐震措置 |
| 総合点検 | 非常電源に切り替えた状態で加圧送水装置を起動し，任意の屋内消火栓により放水して, ポンプの機動性能, 放水圧力, 放水量，減圧のための措置を確認する。 |

## ② ポンプ性能試験

　ポンプ方式の加圧送水装置には，ポンプの性能試験を行うための装置が付属しています。

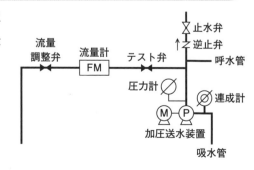

性能試験のおおまかな手順は次のようになります。

①吐出側の止水弁を閉める。
②制御盤により，ポンプを起動する（締切運転）。
③圧力計，連成計，回転計，電圧計，電流計などにより，締切運転時のポンプ性能を確認する。
④テスト弁を開く。
⑤流量計の値がポンプの定格吐出量になるように，流量調整弁を調整する。
⑥圧力計，連成計，回転計，電流計などにより，定格負荷運転時のポンプ性能を確認する。
⑦テスト弁，流量調整弁を閉じ，ポンプを停止する。
⑧止水弁を開放する。

試験の結果，ポンプの吐出量が不足している場合は，以下のような原因が考えられます。

・キャビテーションが発生している。
・フート弁やストレーナに異物等が詰まっている。
・空気を吸い込んでいる。
・モータの電圧や回転数が低い。

## ③ 放水試験

総合試験では，非常電源に切り替えた状態で加圧送水装置を起動し，任意の屋内消火栓から実際に放水して，放水圧力と放水量を確認します。

≡補足≡

**ピトーゲージ**
ピトー管は流速を測定する計器のこと。ピトー管と圧力計を組み合わせたものをピトーゲージと呼んでいます。

≡補足≡

**測定時のピトー管の位置**
棒状放水ノズルの圧力測定は、ピトー管の先端を、ノズル先端からノズル径の1/2だけ離した位置に置いて測定します（次ページ図参照）。

≡補足≡

**キャビテーション**
水の静圧が局部的に低下すると、その部分の水が蒸発して気泡が発生し、その気泡が消滅するときの衝撃で振動などが生じる現象。

### ①放水圧力の測定

放水圧力の測定方法には、①ノズルの先にピトーゲージを取り付けて計測する方法（棒状放水ノズルの場合）と、②消防用ホースとノズルの間に媒介金具を取り付ける方法（噴霧ノズルの場合）の 2 通りがあります。

測定した放水圧力が、1 号消火栓、易操作性 1 号消火栓、広範囲型 2 号消火栓の場合は 0.17MPa 以上 0.7MPa 以下、2 号消火栓の場合は 0.25MPa 以上 0.7MPa 以下であれば正常です。

### ②放水量の算定

放水量は、実際に計測するのではなく、放水圧力とノズルの口径から、次の計算式を使って算定します。

$$Q = KD^2\sqrt{10P}$$

- $Q$：放水量〔L/min〕
- $D$：ノズル口径〔mm〕
- $P$：放水圧力〔MPa〕
- $K$：1 号消火栓（易操作性 1 号消火栓を除く）では 0.653、その他の消火栓では型式ごとに指定された定数

算出された放水量 $Q$ が、1 号消火栓の場合は 130L/min 以上、2 号消火栓の場合は 60L/min 以上、広範囲型 2 号消火栓の場合は 80L/min であれば正常です。

# 屋外消火栓設備

## 1 屋外消火栓設備の構成

　屋外消火栓設備は，建築物の1階・2階部分を屋外から消火するための設備です。基本的な構成は屋内消火栓設備と同じで，水源，加圧送水装置，配管，屋外消火栓，消防用ホース，ノズル，非常電源などから構成されています。

防火対象物

ホース格納箱　ホース格納箱　地上式消火栓　器具格納式消火栓　ポンプ室

地下式消火栓

Ⓟ　Ⓜ

## 2 水源・加圧送水装置

　屋外消火栓設備の水源，加圧送水装置は，基本的に屋内消火栓設備の基準に準じます。ただし，水源の水量，放水量，放水圧力，ポンプ吐出量の値は，以下のようになります。

| 水源水量 | 設置個数（最大2）× 7.0m³ 以上 |
|---|---|
| 放水量 | 350L/min 以上 |
| 放水圧力 | 0.25MPa 以上 0.6MPa 以下 |
| ポンプ吐出量 | 設置個数（最大2）× 400L/min 以上 |

≡補足≡

**屋外消火栓設備の全揚程**

$H = h_1 + h_2 + h_3 + 25$〔m〕

$h_1$：消防用ホースの摩擦損失水頭〔m〕
$h_2$：配管の摩擦損失水頭〔m〕
$h_3$：落差〔m〕

1 屋内・屋外消火栓設備

# ③ 屋外消火栓

　屋外消火栓の形状には，①器具格納式消火栓，②地上式消火栓，③地下式消火栓の3種類があります。

## ①器具格納式消火栓

　屋内消火栓の1号消火栓と同形の消火栓で，消火栓箱の中に開閉弁，消防用ホース，ノズルなどが格納されています。操作方法も屋内消火栓と同じです。

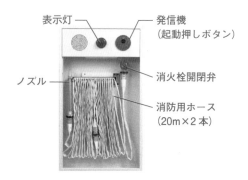

表示灯

発信機
（起動押しボタン）

ノズル

消火栓開閉弁

消防用ホース
（20m×2本）

## ②地上式消火栓

　ホース接続口が1つだけの単口形と，2つある双口形があります。

　ホース接続口のキャップをとって消防用ホースを接続し，ホースを延ばしてから，開栓器を回してバルブを開きます。ホースやノズル，開栓器，加圧送水装置の起動装置は，別途屋外消火栓箱に収納します。

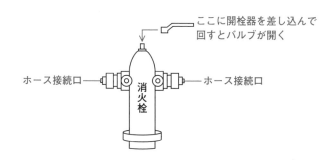

ここに開栓器を差し込んで
回すとバルブが開く

ホース接続口

ホース接続口

消火栓

③地下式消火栓

　地面の下につくった格納ピット内に収めるタイプです。地上式と同様，単口形と双口形があります。

　使用するときは，専用ハンドルを使ってピットのふたを開け，消火栓に消防用ホースを取り付けます。ホースを延ばしたら，消火栓キーハンドルを差し込んでバルブを開きます。消防用ホースやノズル，加圧送水装置の起動装置は，別途屋外消火栓箱に収納します。

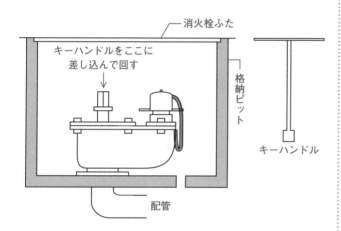

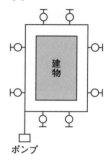

≡補足≡

屋外消火栓設備の配管は，図のように建物の周囲を環状に構成するのが一般的です。

1

屋内・屋外消火栓設備

## ④ 屋外消火栓の設置

　屋外消火栓は，建物の各部分からあるホース接続口までの水平距離が40m以下となるように設置し，見やすい箇所に「消火栓」と表示した標識を設けます。

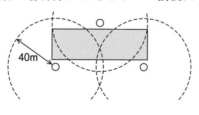

　また，消火栓開閉弁は，器具格納式または地上式消火栓の場合，地盤面から高さ1.5m以下，地下式消火

栓の場合で，深さ 0.6m 以内の位置に設けます。

## ⑤ 屋外消火栓箱の設置

　屋外消火栓箱は表面に「ホース格納箱」と表示し，消防用ホースやノズル，開栓器などを格納しておきます。

　屋内消火栓設備と違って，位置を示す表示灯は必要はありません。ただし，加圧送水装置の始動を示す赤色の表示灯を，屋外消火栓箱の内部またはその直近に設ける必要があります。

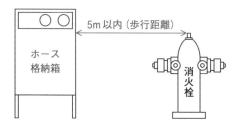

　また，屋外消火栓箱は，消火栓から歩行距離で5m以内の箇所に設けます。ただし，屋外消火栓に面する建築物の外壁の見やすい箇所に設ける場合はこの限りではありません。

## ⑥ 消防用ホース・ノズル

　屋外消火栓設備の消防用ホースは，呼称 50 または 65 で，長さ 20m のものを 2 本使用します。

　ノズルの構造は屋内消火栓設備と同様ですが，放水圧力と放水量の制限から，ノズル口径は 19mm 以上となります。

# パッケージ型消火設備

## 1 パッケージ型消火設備とは

　パッケージ型消火設備は，消火薬剤，加圧用ガス容器，ホース，ノズルなどが1つの格納箱に収納された消火設備です。火災発生時には，人の操作によってホースを延ばし，ノズルから消火薬剤を放射して消火を行います。

　パッケージ型消火設備には，放水性能や消火薬剤の種類によって，Ⅰ型とⅡ型の2種類があります。

　一部の防火対象物では，屋内消火栓設備の代わりとして，パッケージ型消火設備を設置することが認められています。パッケージ型消火設備では配管や水源などが不要なので，屋内消火栓設備に比べて設置が簡単で，工事費も削減できる利点があります。

## 2 パッケージ型消火設備の設置

　屋内消火栓設備の代わりに，パッケージ型消火設備を設置できる防火対象物は，以下のものです。

≡補足≡

パッケージ型消火設備とパッケージ型自動消火設備（308ページ）は，異なる消火設備です。紛らわしいので注意しましょう。

屋内・屋外消火栓設備

①Ⅰ型を設置できる防火対象物

| 耐火建築物 | 地階を除く階数が6以下で，かつ，延べ面積3000m$^2$以下のもの$^※$ |
|---|---|
| 耐火建築部以外 | 地階を除く階数が3以下で，かつ，延べ面積2000m$^2$以下のもの$^※$ |

※地階，無窓階，火災のとき煙が著しく充満するおそれのある場所を除く。

②Ⅱ型を設置できる防火対象物

| 耐火建築物 | 地階を除く階数が4以下で，かつ，延べ面積1500m$^2$以下のもの$^※$ |
|---|---|
| 耐火建築部以外 | 地階を除く階数が2以下で，かつ，延べ面積1000m$^2$以下のもの$^※$ |

※地階，無窓階，火災のとき煙が著しく充満するおそれのある場所を除く。

# ③ パッケージ型消火設備の設置基準

　パッケージ型消火設備は，以下の基準にしたがって設置します。

①水平距離　防火対象物の階ごとに，その階の各部分から1のホース接続口までの水平距離が，Ⅰ型にあっては20m以下，Ⅱ型にあっては15m以下となるように設置します。

②防護面積　防護する部分の面積は，Ⅰ型にあっては850m$^2$以下，Ⅱ型にあっては500m$^2$以下とします。

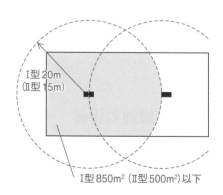

Ⅰ型850m$^2$（Ⅱ型500m$^2$）以下

# チャレンジ問題

［解説］259 ページ　［解答一覧］265 ページ

### 問1　｜ 難 ｜ 中 ｜ 易 ｜

　屋内消火栓の設置個数が，最も多い階で3個である屋内消火栓設備がある。この屋内消火栓設備の水源水量の最小値として，正しいものは次のうちどれか。ただし，設置する屋内消火栓は1号消火栓とする。

(1)　2.4m³　　(2)　3.6m³　　(3)　5.2m³　　(4)　7.8m³

### 問2　｜ 難 ｜ 中 ｜ 易 ｜

　ポンプを用いる加圧送水装置について，誤っているものは次のうちどれか。

(1)　ポンプには，吐出側に圧力計，吸込側に連成計を設ける。
(2)　ポンプの吐出量が定格吐出量の150％である場合における全揚程は，定格全揚程の65％以上とする。
(3)　締切運転時における圧力上昇防止のための逃し配管を設ける。
(4)　定格負荷運転時のポンプの性能を試験するための配管設備を設ける。

### 問3　｜ 難 ｜ 中 ｜ 易 ｜

　ポンプを用いる加圧送水装置の性能試験の方法として、次のうち適切でないものはどれか。

(1)　ポンプ吐出側の止水弁は閉止した状態で行う。
(2)　性能試験用のテスト弁は、ポンプを起動する前に全開にしておく。
(3)　弁の開閉は、圧力計や流量計等の損傷を防止するため徐々に行う。
(4)　定格吐出量になるように流量調整弁を調整し、定格負荷運転時のポンプ性能を確認する。

屋内消火栓設備で用いるポンプ方式の加圧送水装置の構造について，誤っているのは次のうちどれか。

(1) 1号消火栓を用いる場合のポンプ吐出量は，設置個数が最も多い階における設置個数（2を超えるときは2）に150L/minを乗じて得た量以上の量とする。

(2) 2号消火栓を用いる場合のポンプ吐出量は，設置個数が最も多い階における設置個数（2を超えるときは2）に60L/minを乗じて得た量以上の量とする。

(3) ノズルの先端における放水圧力が0.7MPaを超えないための措置を講じること。

(4) 水源の水位がポンプより低い位置にあるものにあっては，フート弁及び呼水装置を設けること。

ポンプ方式の加圧送水装置の構造について，消防庁告示で定められた事項として，誤っているものは次のうちどれか。

(1) 取扱い操作，点検及び部品の取替えが容易にできるものであること。

(2) 回転する部分または高温となる部分であって，人が触れるおそれのある部分は，点検及び部品の取替えを容易にするため，カバー等を設けないこと。

(3) 電気配線，電気端子，電気開閉器等の電気部品は，湿気または水により機能に異常が生じないように措置が講じられたものであること。

(4) 水中に設置するポンプにあっては，吸込口にステンレス鋼またはこれと同等以上の強度及び耐食性を有するものを材料とするろ過装置を設けたものであること。

### 問6

難　中　**易**

加圧送水装置の呼水装置に関する記述として，誤っているものは次のうちどれか。

(1) 呼水槽の材質は，鋼板，合成樹脂またはこれらと同等以上の強度及び耐熱性を有するものとすること。
(2) 呼水槽の有効水量は，原則として100L以上とすること。
(3) 減水警報装置の発信部は，呼水槽の貯水量が有効水量の3分の1になる前に，警報を発するための信号を発信するものであること。
(4) 呼水管には逆止弁及び止水弁を設けること。

### 問7

難　**中**　易

ポンプ方式の加圧送水装置の電動機に関する記述として，正しいものは次のうちどれか。

(1) 電動機は，交流誘導電動機とすること。
(2) 始動方式はじか入れ始動であること。
(3) 電動機は，確実に動作するもので，十分な耐久性を有し，部品の取替えが容易にできないものであること。
(4) 水中に設ける電動機にあっては，密封式とすること。

### 問8

難　中　**易**

加圧送水装置の吸水管に関する記述として，誤っているものは次のうちどれか。

(1) 吸水管は，ポンプごとに専用とすること。
(2) フート弁には，ろ過装置を設けること。
(3) フート弁は，鎖，ワイヤー等で手動により開閉することができるものであること。
(4) 水源の水位がポンプより低い位置にある場合はフート弁を，その他のものにあっては逆止弁を設けること。

難　中　**易**

圧力水槽または高架水槽を用いる加圧送水装置に関する記述として，誤っているものは次のうちどれか。

(1) 圧力水槽には，圧力計，水位計，排水管，補給水管，給気管，水温上昇防止用逃し配管及びマンホールを設けること。

(2) 圧力水槽の水量は，当該圧力水槽の体積の3分の2以下であること。

(3) 圧力水槽の加圧用の気体は，圧縮空気，窒素ガス等とすること。

(4) 高架水槽には，水位計，排水管，溢水用排水管，補給水管及びマンホールを設けること。

難　中　**易**

日本産業規格（JIS）に定める鋼管記号のうち、圧力配管用炭素鋼鋼管を表しているものは次のうちどれか。

(1) SGPW

(2) SUS-TP

(3) SGP

(4) STPG

難　中　**易**

屋内消火栓設備の配管に関する記述として，正しいものは次のうちどれか。

(1) 立上り管に，リフト形の逆止弁を取り付けることはできるが，スイング形の逆止弁を取り付けることはできない。

(2) 1号消火栓を用いる場合，主配管のうち立上り管は，管の呼びで32mm 以上のものとする。

(3) 配管の耐圧力は，加圧送水装置の締切り圧力の1.2倍以上の水圧に耐えるものとする。

(4) 配管には，基準に適合する合成樹脂製の管を用いることができる。

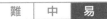

## 問12

難　中　易

屋内消火栓設備の放水性能について，消防法令上，正しいものは次のうちどれか。

(1) 1号消火栓の場合は，所定の個数の屋内消火栓を同時に使用した場合に，それぞれのノズルの先端において，放水圧力が0.17MPa以上で，かつ，放水量が130L/min以上であること。

(2) 2号消火栓の場合は，所定の個数の屋内消火栓を同時に使用した場合に，それぞれのノズルの先端において，放水圧力が0.25MPa以上で，かつ，放水量が90L/min以上であること。

(3) 屋外消火栓設備の場合は，所定の個数の屋外消火栓を同時に使用した場合に，それぞれのノズルの先端において，放水圧力が0.25MPa以上で，かつ，放水量が300L/min以上であること。

(4) スプリンクラー設備の補助散水栓の場合は，所定の個数の補助散水栓を同時に使用した場合に，それぞれのノズルの先端において，放水圧力が0.17MPa以上で，かつ，放水量が130L/min以上であること。

## 問13

難　中　易

消防法施行令第11条第3項第1号に定める屋内消火栓設備（1号消火栓）の設置について，消防法令上，誤っているものは次のうちどれか。

(1) 防火対象物の階ごとに，その階の各部分から1のホース接続口までの歩行距離が25m以下となるように設ける。

(2) 開閉弁は，床面からの高さが1.5m以下の位置に設ける。

(3) 屋内消火栓箱の内部又はその直近の箇所に，加圧送水装置の始動を明示する赤色の表示灯を設ける。

(4) 屋内消火栓箱の上部に，取付け面と15度以上の角度となる方向に沿って10m離れたところから容易に識別できる赤色の灯火を設ける。

## 問14

消防法施行令第 11 条第 3 項第 2 号イに定める屋内消火栓設備（2 号消火栓）の設置について，消防法令上，誤っているものは次のうちどれか。

(1) 防火対象物の階ごとに，その階の各部分から 1 のホース接続口までの水平距離が 15m 以下となるように設けること。
(2) 加圧送水装置は，屋内消火栓箱の内部またはその直近の箇所に設けられた操作部（自動火災報知設備の P 型発信機を含む。）から遠隔操作できるものであること。
(3) 消防用ホースは，延長及び格納の操作が容易にできるよう収納されていること。
(4) ノズルには，容易に開閉できる装置を設けること。

## 問15

易操作性 1 号消火栓の設置について，消防法令上，誤っているものは次のうちどれか。

(1) 加圧送水装置は，開閉弁の開放，消防用ホースの延長操作等と連動して起動すること。
(2) ノズルには，容易に開閉できる装置を設けること。
(3) 階のすべての屋内消火栓（設置個数が 2 を超えるときは，2 個の屋内消火栓）を同時に使用した場合に，それぞれのノズルの先端において，放水圧力が 0.25MPa 以上で，かつ，放水量が 60L/min 以上であること。
(4) 防火対象物の階ごとに，その階の各部分から 1 のホース接続口までの水平距離が 25m 以下となるように設けること。

## 問16

延べ面積 1,000m$^2$ 以上の特定防火対象物に屋内消火栓設備を設置する場合，非常電源として用いることができないものは次のうちどれか。

(1) 非常電源専用受電設備
(2) 自家発電設備

(3) 蓄電池設備

(4) 燃料電池設備

### 問17 | 難 | 中 | 易 |

消火設備の非常電源として用いる**自家発電設備**について，**誤っているも
の**は次のうちどれか。

(1) 点検に便利で，かつ，火災等の災害による被害を受けるおそれが少な
い箇所に設けること。

(2) 他の電気回路の開閉器または遮断器によって遮断されないこと。

(3) 容量は，屋内消火栓設備を有効に 20 分以上作動できるものであること。

(4) 常用電源が停電してから電圧確立及び投入までの所要時間は，40 秒
以内であること。

### 問18 | 難 | 中 | 易 |

**屋内消火栓設備の非常電源回路の配線**について，**消防法令上**，**誤ってい
るもの**は次のうちどれか。

(1) 電線を金属管に収め，耐火構造とした主要構造部に埋設する。

(2) 電線に引込用ビニル絶縁電線を使用する。

(3) 開閉器，過電流保護器その他の配線機器は，耐熱効果のある方法で保
護する。

(4) MI ケーブルを使用し，ケーブル工事によって施設する。

### 問19 | 難 | 中 | 易 |

**屋外消火栓設備の設置**について，**誤っているもの**は次のうちどれか。

(1) 水源の水量は，屋外消火栓の設置個数（2 を超えるときは 2 とする。）
に 7.0m³ を乗じて得た量以上の量となるように設けること。

(2) 屋外消火栓は，建築物の各部分から 1 のホース接続口までの水平距離
が 25m 以下となるように設けること。

(3) 屋外消火栓及び屋外消火栓箱は，避難の際通路となる場所等屋外消火
栓設備の操作が著しく阻害されるおそれのある箇所に設けないこと。

(4) 屋外消火栓設備には，非常電源を付置すること。

**屋外消火栓設備の設置について，正しいものは次のうちどれか。**

(1) 屋外消火栓の開閉弁は，地盤面からの高さが 1.5m 以下の位置または地盤面からの深さが 0.6m 以内の位置に設けること。

(2) 加圧送水装置のポンプ吐出量は，屋外消火栓の設置個数（2 を超えるときは 2 とする。）に 350L/min を乗じて得た量以上の量とすること。

(3) 屋外消火栓箱は，原則として屋外消火栓からの水平距離が 5m 以内の箇所に設けること。

(4) 地盤面下に設けられる屋外消火栓箱のホース接続口は，地盤面からの深さが 0.5m 以内の位置に設けること。

屋内消火栓設備の放水試験を実施したところ，ノズルの先端において所定の放水圧力が得られなかった。考えられる原因として適切なものは次のうちどれか。なお，加圧送水装置はポンプ方式とし，ポンプ吐出量は正常値であるものとする。

(1) 水温上昇防止用逃し配管から排水されている。

(2) ポンプ吐出側の止水弁が全開になっている。

(3) 性能試験装置のテスト弁が全開している。

(4) フート弁のろ過装置に異物が付着している。

ポンプを用いる加圧送水装置において、ポンプを運転したところ、規定の吐出量が出なかった。原因として最も不適切なものは次のうちどれか。

(1) 空気を吸い込んでいる。

(2) キャビテーションが発生している。

(3) フート弁に異物が詰まっている。

(4) 連成計が故障している。

# 解　説

**問1**　1号消火栓を用いる屋内消火栓の水源水量は，設置個数 × 2.6m$^3$ 以上とします。ただし，設置個数が2を超える場合は，2とします。

以上から，水源水量の最小値は 2 × 2.6 = 5.2m$^3$ です。

解答（3）　参照 219 ページ

**問2**　逃し配管は，締切運転時における水温上昇を防止するために設けます。

解答（3）　参照 222 ページ

**問3**

○（1）吐出側の止水弁は閉止します。

×（2）性能試験用のテスト弁は、ポンプを起動する前は閉じておき、ポンプを起動してから開きます。

○（3）弁の開閉を急激に行うと、圧力計や流量計が損傷するおそれがあります。

○（4）定格負荷運転時の性能を確認する際には、吐出量が定格吐出量になるように調整します。

解答（2）　参照 242 ページ

**問4**　屋内消火栓設備のポンプ吐出量は，

**1号消火栓**：設置個数（2を超えるときは2）× 150L/min 以上
**2号消火栓**：設置個数（2を超えるときは2）× 70L/min 以上

とします。

解答（2）　参照 221 ページ

　消防庁告示「加圧送水装置の基準」からの出題。回転する部分や高温となる部分で，人が触れるおそれのある場合は，安全上支障のないようにカバーを設けるなどの措置を講じます。

「加圧送水装置の基準」の規定するポンプの構造に関する主な基準は，以下のとおりです。

---

- 取扱い操作，点検及び部品の取替えが容易にできるものであること。
- 潤滑油を必要とする軸受部は，外部から油面を点検でき，かつ，補給のための注油または給油口を設けたものであること。
- 回転する部分または高温となる部分であって，人が触れるおそれのある部分は，安全上支障のないようにカバーを設けるなどの措置が講じられていること。
- 腐食するおそれのある部分は，有効な防食措置を施したものであること。
- 水中に設置するポンプにあっては，吸込口にステンレス鋼またはこれと同等以上の強度及び耐食性を有するものを材料とするろ過装置を設けたものであること。
- ポンプ本体の配管接続部に設けられる継手は，JIS B 2220 または JIS B 2239（特定水道連結型スプリンクラー設備は JIS B2301, JIS B 2302, JIS B 2308 でも可）に適合するものであること。
- 電気配線，電気端子，電気開閉器等の電気部品は，湿気または水により機能に異常が生じないように措置が講じられたものであること。
- 架台等への取付ボルト及び基礎ボルトは，地震による震動等に対し十分な強度を有するものであること。
- ポンプは，その機能に有害な影響を及ぼすおそれのある付属装置を設けたものでないこと。

---

解答（2）

**問6**　減水警報装置は，貯水量が2分の1になる前に警報を発します。

ポンプの呼水装置に関する基準は，消防庁告示「加圧送水装置の基準」で，次のように規定されています。

---

- 呼水装置は，呼水槽，溢水用配水管，排水管（止水弁を含む），呼水管（逆止弁及び止水弁を含む），減水警報装置の発信部及び呼水槽に水を自動的に補給する装置により構成されるものであること。

- 呼水槽の材質は，鋼板，合成樹脂またはこれらと同等以上の強度及び耐熱性を有するものとし，腐食するおそれがある場合は有効な防食処理を施したものであること。
- 呼水槽の有効水量は，100L 以上とすること。ただし，フート弁の呼び径が 150 以下の場合にあっては，50L 以上とすることができる。
- 呼水装置の配管口径は，補給水管にあっては呼び 15 以上，溢水用配水管にあっては呼び 50 以上，呼水管にあっては呼び 40 以上であること。
- 減水警報装置の発信部は，呼水槽の貯水量が有効水量の 2 分の 1 になる前に，音響により警報を発するための信号を発信するものであること。
- 呼水槽に水を自動的に補給する装置は，呼水槽が減水した場合において，水道，高架水槽等からボールタップ等により自動的に水を補給するものであること。

解答（3） 参照 223 ページ

**問7** 消防庁告示「加圧送水装置の基準」からの出題です。

× （1）電動機には，交流電動機のほか，直流電動機も使用できます。

× （2）電動機の始動時に流れる電流を抑えるために，スターデルタ始動などの始動方式が採用されています。じか入れ始動は出力の小さい電動機（11kW 未満）でのみ用いられる始動方式です。

× （3）電動機は，確実に動作するもので，十分な耐久性を有し，取扱い操作や点検，部品の取替えが容易にできるものとします。

○ （4）水中に設ける電動機にあっては，密封式とします。

解答（4） 参照 222 ページ

**問8** 水源の水位がポンプより低い位置にある場合はフート弁を，その他のものにあっては止水弁を設けます。

解答（4） 参照 223 ページ

**問9** 圧力水槽に，水温上昇防止用逃し配管は必要ありません。

解答（1） 参照 225 ページ

**問10** 圧力配管用炭素鋼鋼管は STPG です。

| 鋼管記号 | 鋼管 |
|---|---|
| SGP | 配管用炭素鋼鋼管 |
| SGPW | 水配管用亜鉛メッキ鋼管 |
| STPG | 圧力配管用炭素鋼鋼管 |
| SUS-TP | 配管用ステンレス鋼鋼管 |

解答（4） 参照 226 ページ

**問11**

× （1） 構造上，リフト形の逆止弁を縦配管に取り付けることはできません。スイング形の逆止弁は，縦配管にも横配管にも取り付けできます。

× （2） 主配管のうち立上り管は，1 号消火栓の場合で呼び 50mm 以上，2 号消火栓の場合で呼び 32mm 以上とします。

× （3） 配管の耐圧力は，加圧送水装置の締切り圧力の 1.5 倍以上の水圧に耐えるものとします。

○ （4） 配管には，「合成樹脂製の管及び管継手の基準」に適合する合成樹脂製の管を用いることができます。

解答（4） 参照 227 ページ

**問12** 各消火設備の放水圧力と放水量は，次のようになります。なお，補助散水栓はスプリンクラー設備がカバーできない部分の消火を行うための消火栓で，放水圧力と放水量は 2 号消火栓と同じです（298 ページ）。

| 種類 | 放水圧力 | 放水量 |
|---|---|---|
| 1 号消火栓 | 0.17MPa 以上 | 130L/min 以上 |
| 広範囲型 2 号消火栓 | 0.17MPa 以上 | 80L/min 以上 |
| 2 号消火栓 | 0.25MPa 以上 | 60L/min 以上 |
| 屋外消火栓 | 0.25MPa 以上 | 350L/min 以上 |
| 補助散水栓 | 0.25MPa 以上 | 60L/min 以上 |

解答（1） 参照 218，245 ページ

**問13**　屋内消火栓は，階の各部分から1のホース接続口までの水平距離（歩行距離ではない）が，1号消火栓と広範囲型2号消火栓では25m以下，2号消火栓では15m以下となるように設けます。

　　　　　　　　　　　　　　　　　　解答（1）　参照 232ページ

**問14**　2号消火栓の加圧送水装置は，開閉弁の開放，消防用ホースの延長操作等と連動して起動するようになっています。

　　　　　　　　　　　　　　　　　　解答（2）　参照 234ページ

**問15**　易操作性1号消火栓は，操作性は2号消火栓と同等ですが，放水性能や設置位置については1号消火栓の基準にしたがいます。すなわち，所定の個数を同時に使用した場合の各ノズルの先端において，放水圧力は0.17MPa以上，放水量は130L/min以上とします。

　　　　　　　　　　　　　　　　　　解答（3）　参照 218ページ

**問16**　屋内消火栓設備等の非常電源としては，①非常電源専用受電設備，②自家発電設備，③蓄電池設備，④燃料電池設備のいずれかを設置します。ただし，延べ面積が1,000m$^2$以上の特定防火対象物には，自家発電設備，蓄電池設備，燃料電池設備のいずれかを設置します。

　　　　　　　　　　　　　　　　　　解答（1）　参照 238ページ

**問17**　自家発電設備の容量は，屋内消火栓設備を有効に30分以上作動できるものとします。

　　　　　　　　　　　　　　　　　　解答（3）　参照 240ページ

**問18**　非常電源回路の配線には，600V二種ビニル絶縁電線（HIV線）またはこれと同等以上の耐熱性を有する電線を使用し，耐火構造とした主要構造部に埋設します。ただし，MIケーブルまたは消防庁長官が定める基準に適合する電線を使用する場合は，露出工事でもかまいません。

　引込用ビニル絶縁電線（DV線）は耐熱電線ではないので，非常電源の配線

には使用できません。

（2）　参照 241 ページ

**問19**　屋外消火栓は，建築物の各部分から 1 のホース接続口までの水平距離が，40m 以下となるように設けます。

（2）　参照 247 ページ

**問20**

○（1）屋外消火栓の開閉弁は，器具格納式や地上式消火栓の場合は地盤面から高さ 1.5m 以下，地下式消火栓の場合は地盤面から深さ 0.6m 以内の位置に設けます。

×（2）加圧送水装置のポンプ吐出量は，設置個数（最大 2）に 400L/min を乗じて得た量以上とします。

×（3）屋外消火栓箱は，屋外消火栓から歩行距離で 5m 以内の箇所に設けます。ただし，屋外消火栓に面する建築物の外壁の見やすい箇所に設ける場合は，5m 以上とすることができます。

×（4）地下式消火栓のホース接続口は，地盤面から深さ 0.3m 以内の位置に設けます。

（1）　参照 245，247，248 ページ

地上式消火栓

地下式消火栓

## 問21

× (1) 水温上昇防止用逃し配管は，ポンプの運転時は常に排水されています。

× (2) ポンプ吐出側の止水弁は，通常全開になっています。

○ (3) 正解です。性能試験装置のテスト弁が全開になっていると，そこから排水されるため，所定の放水圧力が得られない可能性があります。

× (4) ポンプ吐出量は正常なので，吸水管には異常がないと考えられます。

解答（3）　参照 243 ページ

## 問22

○ (1) ポンプの配管に空気が混入することを「エア噛み」などといい、十分な吐出量や流量が得られない原因となります。

○ (2) キャビテーションとは、水の静圧が局部的に低下したために、その部分の水が蒸発して気泡が発生し、その気泡が消滅するときの衝撃で振動などが生じる現象です。

○ (3) フート弁に異物が詰まっていると、ポンプに吸水ができず吐出量が低下します。

× (4) 連成計が故障しても吐出量には影響しません。

解答（4）　参照 242 ページ

## 解答

| | | | | | | | |
|---|---|---|---|---|---|---|---|
| 問1 | (3) | 問7 | (4) | 問13 | (1) | 問19 | (2) |
| 問2 | (3) | 問8 | (4) | 問14 | (2) | 問20 | (1) |
| 問3 | (2) | 問9 | (1) | 問15 | (3) | 問21 | (3) |
| 問4 | (2) | 問10 | (4) | 問16 | (1) | 問22 | (4) |
| 問5 | (2) | 問11 | (4) | 問17 | (3) | | |
| 問6 | (3) | 問12 | (1) | 問18 | (2) | | |

# 2 スプリンクラー設備

## まとめ & 丸暗記

### □ スプリンクラーヘッドの防護範囲

| ヘッドの種類 | 防火対象物 | | 水平距離 |
|---|---|---|---|
| 標準型ヘッド（高感度ヘッド以外） | ラック式倉庫 | ラック等を設けた部分 | 2.5m 以下 |
| | | その他の部分 | 2.1m 以下 |
| | 地下街 | 厨房その他火気を使用する設備または器具を設置する部分 | 1.7m 以下 |
| | | その他の部分 | 2.1m 以下 |
| | 準地下街 | 厨房その他火気を使用する設備または器具を設置する部分 | 1.7m 以下 |
| | | 耐火構造 | 2.3m 以下 |
| | | 耐火構造以外 | 2.1m 以下 |
| | 指定可燃物貯蔵・取扱施設 | | 1.7m 以下 |
| | その他 | 耐火建築物 | 2.3m 以下 |
| | | 耐火建築物以外 | 2.1m 以下 |
| 小区画型ヘッド | 宿泊室，病室等 | | 2.6m 以下（13m² 以下） |
| 側壁型ヘッド側 | 宿泊室，廊下，通路等 | | 水平方向の両側 1.8m 以内<br>前方 3.6m 以内 |
| 開放型スプリンクラーヘッド | 劇場等の舞台部 | | 1.7m 以下 |
| 放水型スプリンクラーヘッド | 高天井部分 | | ヘッドの性能に応じ有効に消火できる範囲 |

### □ スプリンクラーヘッドの放水性能

| 種類 | | 放水圧力 | 放水量 |
|---|---|---|---|
| 閉鎖型スプリンクラーヘッド | 標準型ヘッド | 0.1MPa 以上 | 80L/min 以上[※1] |
| | 小区画型ヘッド | 0.1MPa 以上 | 50L/min 以上 |
| | 側壁型ヘッド | 0.1MPa 以上 | 80L/min |
| 開放型スプリンクラーヘッド | | 0.1MPa 以上 | 80L/min 以上 |
| 放水型スプリンクラーヘッド | | 消防庁長官が定める基準による | |

※1　ラック式倉庫は 114L/min

### □ 水源水量とポンプ吐出量

| 種別 | | 水源水量の計算式 | ポンプ吐出量 |
|---|---|---|---|
| 閉鎖型スプリンクラーヘッド | 標準型ヘッド | ヘッド個数× 1.6〔m³〕[※1] | 90L/min[※2] |
| | 小区画型ヘッド | ヘッド個数× 1.0〔m³〕[※3] | 60L/min |
| | 側壁型ヘッド | ヘッド個数× 1.6〔m³〕 | 90L/min |
| 開放型スプリンクラーヘッド | | ヘッド個数× 1.6〔m³〕[※3] | 90L/min |

※1　ラック式倉庫のうち，等級ⅢまたはⅣで水平遮へい板が設けられているものは
　　 × 2.28m³，その他のものは× 3.42m³。
※2　ラック式倉庫の場合は 130L/min
※3　特定施設水道連結型スプリンクラー設備では× 1.2m³（壁・天井の室内に
　　 面する部分の仕上げについて火災予防上支障があると認められる場合は×
　　 0.6m³）とする。

### □ 標準型ヘッドの設置基準

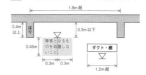

# スプリンクラー設備の構成

## 1 スプリンクラー設備の種類

　スプリンクラー設備は，火災が発生すると天井に設置されたスプリンクラーヘッドから放水する消火設備で，水源，加圧送水装置，配管，スプリンクラーヘッド，自動警報装置，非常電源などから構成されています。

　スプリンクラーヘッドには，①閉鎖型スプリンクラーヘッド，②開放型スプリンクラーヘッド，③放水型スプリンクラーヘッドがあり，どのスプリンクラーヘッドを用いるかによって構成が異なります。また，これらとは別に，④特定施設水道連結型スプリンクラー設備という種類のスプリンクラー設備があります。

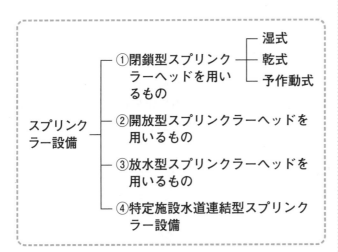

## 2 閉鎖型スプリンクラーヘッドを用いた構成

　閉鎖型スプリンクラーヘッドは，平常時は感熱部に

≡補足≡

実際には，ひとつの建物に，閉鎖型スプリンクラーヘッドと開放型スプリンクラーヘッド，放水型スプリンクラーヘッドを混在して用いる場合があります。

よって放水口が閉止されています。火災が発生すると，その熱によって各ヘッドの感熱部が破壊され，放水口が開放されます。一般的な建築物に設置されるのはこのタイプです。

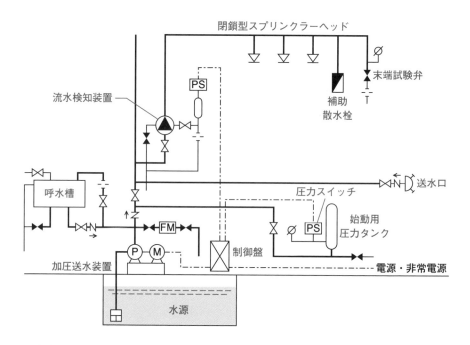

　閉鎖型スプリンクラーヘッドを用いる設備では，ヘッドが開放されたことを感知するため，配管に流水検知装置（圧力検知装置）を設けます。流水検知装置には，湿式，乾式，予作動式があります。

### ①湿式流水検知装置
　ポンプ→流水検知装置→スプリンクラーヘッドに至る配管が，常時加圧水で満たされている方式で，最も一般的に用いられている方式です。

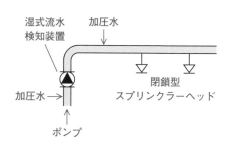

### ②乾式流水検知装置
　平常時は，流水検知装置とスプリンクラーヘッドの間に水を流さず，圧

縮空気を充てんしておく方式です。ヘッドが開放されると圧縮空気の圧力が下がるので，これを検知すると弁が開き，水を流します。この方式は，主に寒冷地で，配管が凍結するおそれのある場所に用いられます。

≡ **補足** ≡

乾式流水検知装置は，配管が凍結するおそれのある寒冷地に適しています。また，予作動式流水検知装置は，呉服店やコンピュータ室など，スプリンクラー設備の誤作動で大きな損害の生じる場所に適しています。

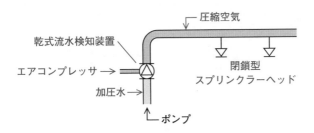

### ③予作動式流水検知装置

スプリンクラーヘッドとは別に，熱や煙を感知する火災感知装置を設ける方式です。

流水検知装置とスプリンクラーヘッドの間には，ふだんは乾式と同じく圧縮空気が充てんされています。火災感知装置が火災を検知すると予作動弁が開放され，流水検知装置→スプリンクラーヘッド間に水が流れます。その後，スプリンクラーヘッドが作動すると放水がはじまります。この方式では，予作動弁が開放しない限り放水されないので，スプリンクラーヘッドの誤作動によって電子機器が破損したり，商品がだめになったりするのを防止できます。

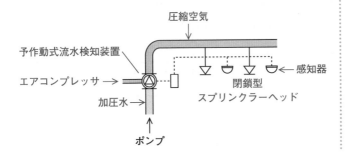

閉鎖型スプリンクラーヘッドを用いる設備では，火災の感知から放水，警報，加圧送水装置（ポンプ）の起動までをすべて自動で行います。

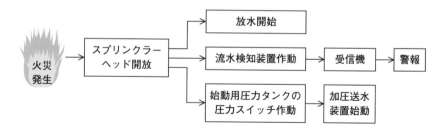

## ③ 開放型スプリンクラーヘッドを用いた構成

開放型スプリンクラーヘッドは，閉鎖型のような感熱部をもたず，平常時も開放されています。火災が発生すると，自動火災報知設備などと連動して一斉開放弁が開放され，一定区域内のヘッドから一斉に放水されます。天井が高いために熱を感知しにくい舞台部などに設けられます。

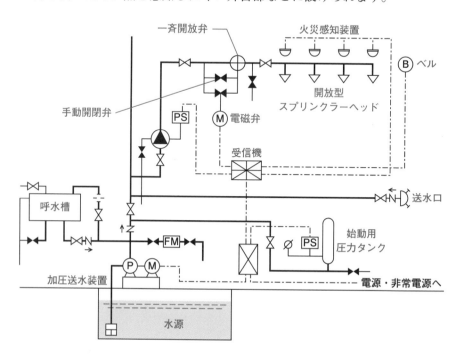

開放型スプリンクラーヘッドを用いる設備は，起動から消火まですべて自動で行われます。また，火災を発見した人が手動操作で起動することもできます。

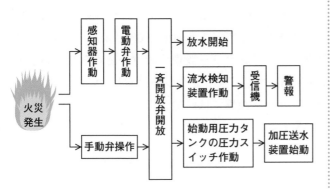

## ④ 放水型スプリンクラーヘッドを用いた構成

放水型スプリンクラーヘッドは，大規模な屋内展示場やドーム球場のような，天井の高い大空間で発生した火災を，火災感知装置で感知し，そこに向けて放水します。ヘッドには固定ヘッドと可動ヘッドがあります。

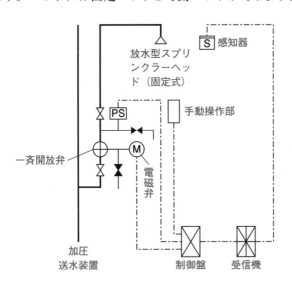

**特定施設水道連結型スプリンクラー設備**

　所定の自力避難困難者入所施設や病院・有床診療所には，スプリンクラー設備の設置が義務づけられています（198ページ）。ただし，設置者の費用負担を軽くするため，小規模な施設（基準面積 1000m$^2$ 未満）については，水道に連結した簡易型のスプリンクラー設備の設置が認められています。このタイプを特定施設水道連結型スプリンクラー設備といいます。

　このタイプのスプリンクラー設備では，加圧送水装置や流水検知装置，非常電源などを省略できます。

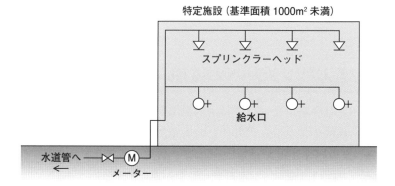

# スプリンクラーヘッドの構造と機能

## 1 閉鎖型スプリンクラーヘッドの構造

　閉鎖型スプリンクラーヘッドは，火災による熱を感知する感熱部を備えています。平常時には閉栓していますが，熱を感知すると感熱部が破壊され，放水口が開放されます。放水口から噴き出した水は，デフレクターによって分散されます。

火災による熱でヒュージブルリンクが溶け，放水口をふさいでいた部品がはずれる。

放水口から噴き出した水はデフレクターに当たって散布される。

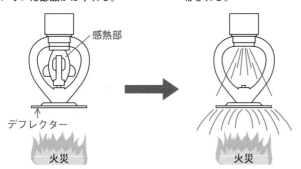

①ヘッドの形状

　閉鎖型スプリンクラーヘッドの形状には，フレーム型（馬蹄型），マルチ型，フラッシュ型（埋込型）があります。また，フレーム型には放水口が下向きのものと上向きのものがあり，取付けの向きが異なります。

　初期の頃はフレーム型が使われていましたが，その後，室内に取り付けても目立たないマルチ型や，天井から突き出す部分が少ないフラッシュ型が開発されました。

≡補足≡

**検定合格証**
閉鎖型スプリンクラーヘッドは検定対象機械器具です（168ページ）。検定に合格した製品には，次のような検定合格証が表示されています。

3mm

なお，閉鎖型以外のスプリンクラーヘッドは検定対象ではないので，検定合格証はありません。

≡補足≡

**デフレクター**
放水口から噴出する水の方向をそらして，水を飛散させる装置。

| フレーム型下向き | フレーム型上向き | マルチ型 | フラッシュ型 |

　一般に，ふだん最も目にする機会が多いのは，フラッシュ型のスプリンクラーヘッドです。フラッシュ型は，天井に埋め込んで設置するので，室内の美観を損ねないで済みます。


②ヘッドの種別

　閉鎖型スプリンクラーヘッドは，規格の違いによって標準型ヘッドと小区画型ヘッド，側壁型ヘッドに区分されています。

| 標準型ヘッド | 同心円状に散水するヘッド。一般的な建築物に設置するタイプです。 |
|---|---|
| 小区画型ヘッド | 標準型より放水量が少ないタイプ。ホテルや共同住宅，病院などの宿泊室や居間，寝室，病室などに設置します。また，特定施設水道連結型スプリンクラー設備にも用いられます。 |
| 側壁型ヘッド | 半円状に散水するヘッドで，壁に横向きに取り付けるタイプです。ホテルや共同住宅，病院などの宿泊室や廊下，通路などに設置します。 |

③感熱部

　ヘッドの感熱部には，ヒュージブルリンクまたはグラスバルブが用いられます。

| ヒュージブルリンク | 易融性（溶けやすい性質）の金属や物質で組み立てられた感熱体で，熱をあてると溶けて破壊・変形します。 |
|---|---|
| グラスバルブ | ガラス球の中にエーテルなどの液体を封入したもので，熱によって破裂します。 |

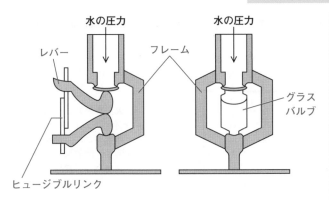

水の圧力 レバー フレーム 水の圧力 グラスバルブ ヒュージブルリンク

≡ 補足 ≡

閉鎖型スプリンクラーヘッドのマルチ型は，下側に感熱部が付いています（熱を感知すると外れる）。開放型スプリンクラーヘッドのマルチ型には感熱部がないので，閉鎖型と区別できます。

# ② 開放型スプリンクラーヘッドの構造

　開放型スプリンクラーヘッドは，閉鎖型スプリンクラーヘッドのような感熱部がなく，放水口が常時開放されたものです。劇場などの舞台部は天井が高くて熱流が届きにくいため，開放型スプリンクラーヘッドを設置します。

　開放型スプリンクラーヘッドには，フレーム型（上向き，下向き），マルチ型があります。フラッシュ型はありません。

≡ 補足 ≡

小区画型ヘッドは，水がより水平方向に広がるようになっているので，壁面を高い位置で濡らすことができ，障子やふすまなどに燃え移った火災に有効です。

フレーム型下向き　　フレーム型上向き　　マルチ型

　開放型スプリンクラーヘッド自体は熱を感知しないため，設備には別途火災感知装置が必要です。火災感知装置には，自動火災報知設備の熱感知器や煙感知器などが使われます。また，閉鎖型スプリンクラーヘッドを感知器として利用する場合もあります。

**●火災感知器として閉鎖型スプリンクラーヘッドを用いた設備の構成例**

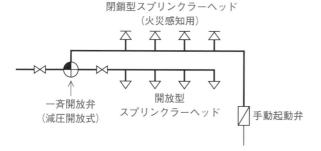

火災を感知した閉鎖型スプリンクラーヘッドが作動すると，一斉開放弁が開き，開放型スプリンクラーヘッドから一斉に放水がはじまる。

　開放型スプリンクラーヘッドは放水口が常時開放されているため，平常時には一斉開放弁（295ページ）を閉じて水を止めておきます。一斉開放弁は，火災が発生したときに開放されてヘッドへ水を送ります。

## ③ 放水型スプリンクラーヘッドの構造

　放水型スプリンクラーヘッドには，固定式と可動式があります。また，放水量によって大型ヘッドと小型ヘッドに分かれます。大型ヘッドは，主に指定可燃物を貯蔵・取り扱う高天井の部分に用いられます。

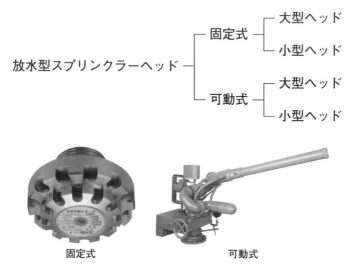

固定式　　　　　　　　可動式

# スプリンクラーヘッドの設置基準

## 1 標準型ヘッドの取付け

　一般的な建築物には，閉鎖型スプリンクラーヘッドを設置します。閉鎖型スプリンクラーヘッドには標準型，小区画型，側壁型の3種類があります。

　ここでは，標準型ヘッドの取り付け基準について説明します。

### ①防護半径

　標準型ヘッドのうち，感度種別が1種で，かつ，有効散水半径が2.6m以上のものを高感度ヘッドといいます。高感度ヘッドとそうでないものとでは，ヘッド1個がカバーする範囲が異なります。

　標準型ヘッドは，天井または小屋裏の各部分から，いずれか1個のスプリンクラーヘッドまでの水平距離が，次の表の値になるように設置します（値が小さいほど，同じ面積に対するヘッドの設置個数が増えることになります）。

**覚える 標準型ヘッド1個当たりの防護半径（原則）**

| 防火対象物 | 高感度ヘッド以外 | 高感度ヘッド |
|---|---|---|
| 耐火建築物 | 2.3m 以下 | $r$〔m〕以下 |
| 耐火建築物以外 | 2.1m 以下 | $0.9 \times r$〔m〕以下 |

※$r$：ヘッドの有効散水半径（2.6 ～ 2.8m）

≡補足≡

**感度種別**
閉鎖型スプリンクラーヘッドの感度試験において，一定温度の気流を流したとき，気流の速度が1.8m/s以下で作動するものを1種，2.5m/s以下で作動するものを2種とします。

2
スプリンクラー設備

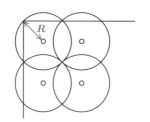

高感度ヘッド以外：$R = 2.3$ 〔m〕以下
高感度ヘッド：$R = r$ 〔m〕以下
※耐火建築物の場合

　ただし，以下の防火対象物については例外として次のように規定されています。

覚える **標準型ヘッド 1 個当たりの防護半径 (例外)**

| 防火対象物 | | | 高感度ヘッド以外 | 高感度ヘッド |
|---|---|---|---|---|
| ラック式倉庫 | ラック等を設けた部分 | | 2.5m 以下 | 設置不可 |
| | その他の部分 | | 2.1m 以下 | 設置不可 |
| 地下街 | 厨房その他火気を使用する設備または器具を設置する部分 | | 1.7m 以下 | $0.75 \times r$ 〔m〕以下 |
| | その他の部分 | | 2.1m 以下 | $0.9 \times r$ 〔m〕以下 |
| 準地下街 | 厨房その他火気を使用する設備または器具を設置する部分 | | 1.7m 以下 | $0.75 \times r$ 〔m〕以下 |
| | その他の部分 | 耐火構造 | 2.3m 以下 | $r$ 〔m〕以下 |
| | | 耐火構造以外 | 2.1m 以下 | $0.9 \times r$ 〔m〕以下 |
| 指定可燃物貯蔵・取扱い施設 | | | 1.7m 以下 | $0.75 \times r$ 〔m〕以下 |

※$r$：ヘッドの有効散水半径（2.6 ～ 2.8m）

## ②設置個数の計算

　たとえば，標準型ヘッド（高感度ヘッド以外）を，$15 \times 20$m の耐火構造の建築物に設置する場合を考えてみましょう。

　前ページの表から，スプリンクラーヘッド 1 個がカバーする範囲は，半径 2.3m 以下となります。ヘッドを正方形に配置する場合，建物全体をすきまなくカバーするには，次のように配置します。

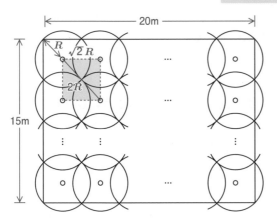

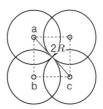

**≡補足≡**

直角三角形abcの一辺abの長さは，

$2R \times \sin45° = 2R \times \dfrac{1}{\sqrt{2}} = \sqrt{2}R$

　4個のヘッドで構成される正方形は，対角線の長さが最大で$2R$となるので，一辺の長さ（ヘッド同士の間隔）は最大$\sqrt{2}\,R$となります。したがって，15×20mの室内に配置するスプリンクラーヘッドは，

縦：$\dfrac{15}{2.3 \times \sqrt{2}} ≒ 4.6 → 5$個

横：$\dfrac{20}{2.3 \times \sqrt{2}} ≒ 6.1 → 7$個

となり，全体では5×7＝35個のスプリンクラーヘッドが必要となることがわかります。

### ③取付け位置の基準

　標準型ヘッドは，次の基準にしたがって取り付けます。

・ヘッドは，取付け面から0.4m以上突き出したはり等によって区画された部分ごとに設けること。ただし，はり等の相互間の中心距離が1.8m以下である場合は設けなくてもよい。
・幅・奥行き等が1.2mを超える給排気用ダクト，棚等がある場合は，

その下面にもヘッドを設けること。
- ・デフレクターと取付け面との距離が 0.3m 以下になるように設けること。
- ・ヘッドの軸心が取付け面に対して直角になるように設けること。
- ・デフレクターの下方 0.45m 以内[※1]と水平方向 0.3m 以内には，何かを設けたり，置いたりしないこと。
- ・開口部に設けるスプリンクラーヘッドは，開口部の上枠から 0.15m以内の高さの壁面に設けること。
- ・乾式または予作動式流水検知装置の二次側には，上向き型ヘッド（デフレクターが取付け部より上方となるスプリンクラーヘッド）を設けること（凍結するおそれがない場合を除く）。

※1　易燃性の可燃物を収納する部分に設ける場合は 0.9m 以内。

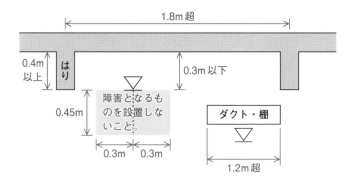

# ❷ 小区画型ヘッドの取付け

　小区画型ヘッドは，ホテルや共同住宅，病院の宿泊室等に設置します。また，自力避難困難者入所施設に設置する特定施設水道連結型スプリンクラー設備でも，小区画型ヘッドを用います。

①防護範囲

　小区画型ヘッドは，天井または小屋裏の各部分から，いずれか 1 個のヘッ

ドまでの水平距離が 2.6m 以下で，かつ，ヘッド1個で防護される部分の面積が 13m² 以下になるように設置します。

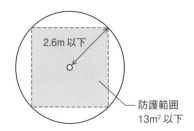

≡ 補足 ≡

**易燃性可燃物**
綿，ウレタンフォーム，マッチ類，化繊類等着火性が高く延焼速度の高いもの，またはそういう状態にあるもの。

**②取付け位置の基準**

　小区画型ヘッドは，次の基準にしたがって取り付けます。

---

- ・ヘッドは天井の室内に面する部分に設けること。
- ・ヘッドは，取付け面から0.4m以上突き出したはり等によって区画された部分ごとに設けること。
- ・幅・奥行き等が1.2mを超える給排気用ダクト，棚等がある場合は，その下面にもヘッドを設けること。
- ・ヘッドのデフレクターと取付け面との距離は，0.3m以下になるように設けること。
- ・ヘッドの軸心が取付け面に対して直角になるように設けること。
- ・デフレクターの下方0.45m以内[※1]と水平方向0.3m以内には，何かを設けたり，置いたりしないこと。
- ・開口部に設けるスプリンクラーヘッドは，開口部の上枠から0.15m以内の高さの壁面に設けること。

---

※1　易燃性の可燃物を収納する部分に設ける場合は 0.9m 以内。

# ③ 側壁型ヘッドの取付け

側壁型ヘッドは，ホテルや共同住宅，病院の宿泊室等や廊下，通路などの壁に設置します。

## ①防護範囲

ヘッド1個当たりの防護範囲は，水平方向の両側に1.8m，前方3.6m以内の床面です。

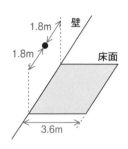

## ②取付け位置の基準

側壁型ヘッドは，次の基準にしたがって取り付けます。

- ・ヘッドは，防護対象物の壁の室内に面する部分に設けること。
- ・ヘッドが取り付け面から0.15m以内となるように設けること。
- ・デフレクターの下方0.45m以内，かつ，水平方向0.45m以内には，何かを設けたり，置いたりしないこと。
- ・ヘッドのデフレクターは，天井面から0.15m以下になるように設けること。

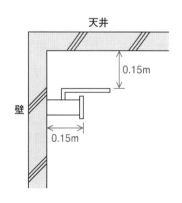

## 4 閉鎖型スプリンクラーヘッドの標示温度

　閉鎖型スプリンクラーヘッドは，誤作動を避けるため，取り付ける場所の周囲の温度に応じて，適切な標示温度のものを取り付ける必要があります。たとえば，周囲温度の高い 厨 房などには，標示温度の高いものを取り付けます。

　取り付ける場所の最高周囲温度に応じたスプリンクラーヘッドの標示温度は，次の表のようになります。

| 取付け場所の最高周囲温度 | ヘッドの標示温度 |
| --- | --- |
| 39℃未満 | 79℃未満 |
| 39℃以上 64℃未満 | 79℃以上 121℃未満 |
| 64℃以上 106℃未満 | 121℃以上 162℃未満 |
| 106℃以上 | 162℃以上 |

## 5 開放型スプリンクラーヘッドの取付け

　開放型スプリンクラーヘッドは，劇場などの舞台部に設置します。

### ①防護範囲

　開放型スプリンクラーヘッドは，劇場などの舞台部の天井または小屋裏の各部分から，いずれか1個のスプリンクラーヘッドまでの水平距離が，1.7m以下になるように設置します。

### ②放水区域

　防護範囲が広い場合は，防護範囲をいくつかの放水区域に分け，放水区域ごとに放水することができます。

≡補足≡

**標示温度の色別**
スプリンクラーヘッドの本体には，標示温度の区分に応じて次のような色別の表示がついています。

| 色別 | 標示温度 |
| --- | --- |
| 黒 | 60℃未満 |
| 無 | 60℃以上 75℃未満 |
| 白 | 75℃以上 121℃未満 |
| 青 | 121℃以上 162℃未満 |
| 赤 | 162℃以上 200℃未満 |
| 緑 | 200℃以上 260℃未満 |
| 黄 | 260℃以上 |

2
スプリンクラー設備

放水区域の数は，1つの舞台部または居室につき4以下とします。ただし，火災時に有効に放水できるものにあっては，居室の放水区域の数を5以上とすることができます。

　2つ以上の放水区域を設けるときは，火災を有効に消火できるように，隣接する放水区域が相互に重複するようにヘッドを配置します。

### ③取付け位置の基準

　開放型スプリンクラーヘッドは，次の基準にしたがって取り付けます。

・開放型スプリンクラーヘッドは，舞台部の天井または小屋裏で室内に面する部分と，すのこまたは渡りの下面の部分に設けること。ただし，すのこまたは渡りの上部に可燃物がない場合は，その天井または小屋裏のスプリンクラーヘッドは省略できる。
・ヘッドの軸心が取付け面に対して直角になるように設けること。
・デフレクターの下方0.45m以内[※1]と水平方向0.3m以内には，何かを設けたり，置いたりしないこと。

※1　易燃性の可燃物を収納する部分に設ける場合は0.9m以内。

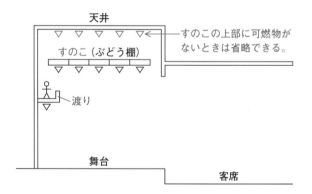

## 6 放水型スプリンクラーヘッドの取り付け

　放水型スプリンクラーヘッドは，次のような高天井の部分に設けます。

| 設置場所 | | 床面から天井までの高さ |
|---|---|---|
| 地下街 | 店舗，事務所等 | 6m 超 |
| | 地下道 | 10m 超 |
| 準地下街 | | 6m 超 |
| 可燃物が大量に存し，消火が困難な部分 | 指定可燃物を貯蔵・取り扱う部分 | 6m 超 |
| | 百貨店等の店舗，展示場 | |
| その他の部分 | | 10m 超 |

## 7 ラック式倉庫等への取付け

　ラック式倉庫は，倉庫内に設けたラックによって，ものを立体的に収納する倉庫です。ラック式倉庫に設けるスプリンクラー設備では，スプリンクラーヘッドも立体的に設ける必要があります。

### ①ヘッドの種類

　ラック式倉庫に設けるスプリンクラーヘッドは閉鎖型スプリンクラーヘッドのうち標準型ヘッドで，有効散水半径2.3m以下，ヘッドの呼びが20のものとします。

### ②ラックを設けた部分

・各部分から1個のヘッドまでの水平距離が2.5m以下になるように設けること。
・ラック式倉庫の等級がⅠ〜Ⅲの場合は4m，Ⅳの場合は6mの高さにつき，1個以上のヘッドを設けること。
・等級及び水平遮へい板の設置状況に応じて，火災を有効に消火できるように設けること。

≡補足≡
**すのこ**
舞台の天井につくった格子状の板で，物を吊ったり，足場として使う。「ぶどう棚」ともいいます。

≡補足≡
**渡り**
舞台の上部に渡した橋で，人が乗り込んで作業できるようにしたもの。照明機材の吊り下げなどに使います。

≡補足≡
**ラック式倉庫の等級**
ラック式倉庫は，指定可燃物の貯蔵量や梱包材の量によって，ⅠからⅣの等級に区分されます。火災が発生したときの規模はⅠが最も大きく，Ⅳが最も小さくなります。

- 他のヘッドから散水された水がかかるのを防止するための措置（被水防止板など）を講ずること。

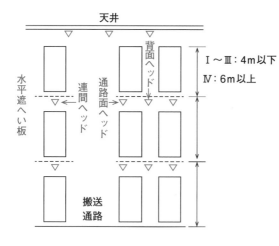

- スプリンクラーヘッドは，ラック等の柱から 0.08m 以上離れた位置に設ける。
- 通路面ヘッドは，搬送通路から 0.45m 以内となるように設ける。

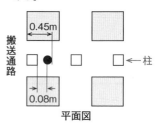

平面図

③ラックを設けた部分以外の部分

- 各部分から1個のヘッドまでの水平距離が2.1m以下になるように設けること。ただし，次の部分には設置を省略できる。
  - 階段，浴室，便所など
  - 通信機器室，電子計算機室など
  - 発電機，変圧器などの電気設備が設置されている場所

④水平遮へい板

ラックを設けた部分には，火災を防止するために，内部を水平に仕切る水平遮へい板を次の基準にしたがって設けます。

- 材質は難燃材料とすること。
- ラックとの間に延焼防止上支障となるすき間を生じないように設けること。
- ラック式倉庫の等級に応じて，次の高さごとに設けること。

| 等級 | 高さ |
|------|------|
| Ⅰ | 4m 以内 |
| Ⅱ・Ⅲ | 8m 以内 |
| Ⅳ | 12m 以内 |

・ラック式倉庫の等級がⅢまたはⅣで，スプリンクラー設備を消防庁長官が定める基準にしたがって設けている場合には，水平遮へい板を省略できる。

## ⑧ 開口部に設置するスプリンクラーヘッド

防火対象物の10階以下の部分で，火災が発生すると延焼のおそれがある部分には，その部分にある窓などの開口部にも，スプリンクラーヘッドを設置します。

ただし，開口部に防火戸またはドレンチャー設備（307ページ）を設置した場合には，スプリンクラーヘッドは必要ありません。また，11階以上の部分にある開口部には，延焼のおそれのあるなしにかかわらず，スプリンクラーヘッドを設置します。

◆開口部に設置する消火設備

| 開口部のある部分 | 消火設備 |
|------|------|
| 10階以下で，延焼のおそれのある部分 | スプリンクラーヘッド，防火戸，ドレンチャー設備のいずれか |
| 11階以上 | スプリンクラーヘッド |

≡補足≡

**延焼のおそれがある部分**

隣地境界線，道路中心線または同一敷地内の2以上の建築物相互の外壁の中心線から，1階にあっては3m以下，2階以上にあっては5m以下の距離にある建築物の部分（建築基準法第2条第6号）。

# 自動警報装置

## 1 自動警報装置の構成

閉鎖型スプリンクラーヘッドが作動すると，配管内の流水が変化します。自動警報装置は，この変化を検知して警報を発する設備です。

自動警報装置は発信部と受信部で構成されます。発信部には流水検知装置（または圧力検知装置）が用いられ，受信部に信号を送ります。受信部は建物の防災センターなどに設置され，表示装置と音響装置などで構成されています。

| 流水検知装置 | 流水を検知して信号を送ります。湿式，乾式，予作動式の３種類があります。 |
|---|---|
| 表示装置 | スプリンクラーヘッドが作動した階や放水区域を表示します。 |
| 音響警報装置 | ベル，サイレン，ウォーターモーターゴングなどで火災を知らせます。自動火災報知設備の地区音響装置で代替することができます。 |

自動警報装置は，特定施設水道連結型以外のスプリンクラー設備には必ず設けます。ただし，自動火災報知設備によって警報を発する設備では，音響警報装置の設置を省略できます。

自動警報装置に関する主な規定には，次のものがあります。

- 自動警報装置は，スプリンクラーヘッドの開放または補助散水栓の開閉弁の開放により警報を発するものとすること。
- 自動警報装置の発信部としては，流水検知装置または圧力検知装置を各階または放水区域ごとに設けること。
- 小区画型ヘッドを用いるスプリンクラー設備の流水検知装置は，湿式のものとすること（特定施設水道連結型を除く）。
- 受信部には，スプリンクラーヘッドまたは火災感知用ヘッドが開放した階または放水区域が覚知できる表示装置を防災センター等に設けること。
- 防火対象物に2以上の受信部が設けられているときは，受信部のある場所相互間で同時に通話できる設備を設けること。

≡補足≡

**ウォーターモーターゴング**
流水検知装置からの水流によって鳴らす水車式のゴング（鐘）。

## ② 湿式流水検知装置

　湿式流水検知装置は，一次側（ポンプ側），二次側（ヘッド側）のどちらの配管も加圧水で満たされているタイプで，①自動警報弁型，②パドル型，③作動弁型があります。

流水検知装置の例（自動警報弁型湿式流水検知装置）

## ①自動警報弁（アラーム弁）型

　放水によって一次側と二次側に圧力差が生じると，スイング形の逆止弁が開き，水がスイッチ側に流れます。これを，圧力スイッチなどで検出して信号を発信します。

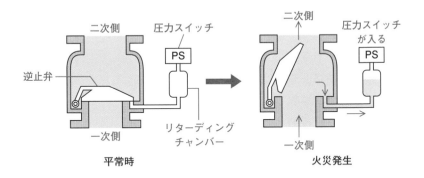

平常時　　　　　　　　　　火災発生

## ②パドル型

　うちわのような形のパドルが水の流れを検知し，マイクロスイッチが作動します。

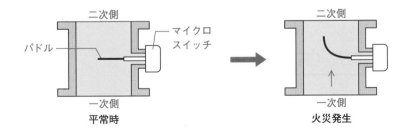

平常時　　　　　　　　　　火災発生

## ③作動弁型

　自動警報弁型と同じ逆止弁構造ですが，弁のシャフトの回転により，マイクロスイッチが作動します。

# 3 乾式流水検知装置

　平常時の乾式流水検知装置は，一次側（ポンプ側）は加圧水，二次側（ヘッ

ド側）は圧縮空気で満たされています。ヘッドが開放されると圧縮空気が排出され，その圧力差によって弁体が開き，加圧水が一次側から二次側に流入します。

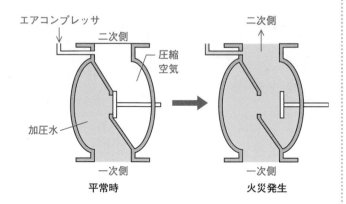

平常時　　　　　火災発生

　乾式流水検知装置を用いるスプリンクラー設備は，二次側に水が入っていないため，ヘッドが開放されてから放水がはじまるまでに時間がかかります。消防法令では，ヘッドが開放されてから1分以内に放水を開始するように定めています。また，配管の腐食や凍結を防ぐため，二次側の配管には亜鉛メッキ等による防食処理を施し，配管内の水を有効に排出できる措置を講じます（次項の予作動式も同様）。

## ④ 予作動式流水検知装置

　スプリンクラーヘッドとは別に，熱や煙を感知する火災感知装置を設けた方式です。流水検知装置→スプリンクラーヘッド間は，ふだんは乾式と同じく圧縮空気が充てんされています。火災感知装置が火災を検知すると予作動弁が開放され，流水検知装置→スプリンクラーヘッド間に水が流れます。その後，スプリンク

≡補足≡

**リターディングチャンバー**
警報の発信を遅らせて誤報を防ぐ装置。ヘッドが開放されなくても，水撃作用などで一時的に弁が開く場合があるため設置されています。ただし，最近では電気式のものが多いため，設置されていないものもあります。

≡補足≡

**検定合格証**
流水検知装置は検定対象機械器具です（168ページ）。検定に合格した製品には，次のような検定合格証が刻印さています。

8mm

ラーヘッドが作動すると放水がはじまります。

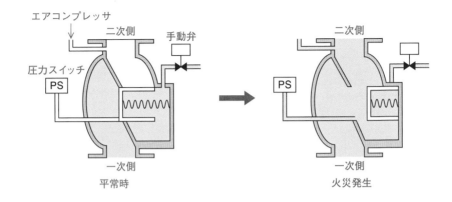

エアコンプレッサ
二次側
手動弁
圧力スイッチ
PS
一次側
平常時

二次側
PS
一次側
火災発生

　予作動式では，予作動弁が開放しない限り放水されないので，スプリンクラーヘッドの誤作動によって電子機器が破損したり，商品がだめになったりするのを防止できます。

## ⑤ 流水検知装置の構造と機能

　「流水検知装置の技術上の規格を定める省令」では，流水検知装置の基準を以下のように定めています。

### ◆共通の基準

- ・流水検知装置の一次側には，圧力計を設けること。
- ・堆積物により機能に支障を生じないこと。
- ・管との接続部は，管と容易に接続できること。
- ・加圧水等の通過する部分は，滑らかに仕上げられていること。
- ・本体及びその部品は，保守点検及び取替えが容易にできること。
- ・弁座面は，機能に有害な影響を及ぼす傷がないこと。
- ・スイッチ類は，防滴のための有効な措置が講じられていること。
- ・感度調整装置は，露出して設けられていないこと。

**2**

スプリンクラー設備

◆湿式流水検知装置の基準

・加圧送水装置を起動させるものにあっては，逆止弁構造を有すること。

◆乾式または予作動式流水検知装置の基準

・開放した弁体は，作動圧力比が1.5以下のものを除き，水撃，逆流等により再閉止しない装置を有すること。
・弁体を開放することなく信号または警報の機能を点検できる装置を有すること。
・一次側と二次側とが中間室で分離されているものにあっては，中間室に溜まる水を外部に自動的に排出する装置を有すること。
・二次側に呼び水を必要とするものにあっては，呼び水の必要水位を確保する装置を有すること。
・二次側に呼び水を必要としないものにあっては，二次側に溜まる水を外部に自動的に排出する装置を有すること。
・二次側に圧力の設定を必要とするものにあっては，加圧空気を補充できること。

≡補足≡

**水撃**
管内を充満して流れる水を急にせき止めたり，開放したりすると，水圧が急上昇すること。水撃により，管が破壊されることがあります。

乾式流水検知装置

予作動式流水検知装置

# ⑥ 末端試験弁

　末端試験弁は，流水検知装置（圧力検知装置）の作動を試験するために，閉鎖型スプリンクラーヘッドを用いる設備に設けます。一次側に圧力計，二次側にオリフィス等の試験用放水口があり，オリフィスからスプリンクラーヘッド１個分に当たる放水を行って，流水検知装置が作動するかどうかを確認します。

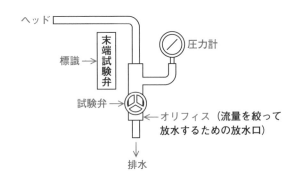

　末端試験弁は，次の規定にしたがって設置します。

- ・末端試験弁は，流水検知装置または圧力検知装置の設けられる配管の系統ごとに１個ずつ，放水圧力が最も低くなると予想される配管の部分に設けること。
- ・末端試験弁の一次側には圧力計が，二次側にはスプリンクラーヘッドと同等の放水性能を有するオリフィス等の試験用放水口が取り付けられるものであること。
- ・直近の見やすい箇所に末端試験弁である旨を表示した標識を設けること。

# 配管・弁類

## ① 一斉開放弁

　一斉開放弁は，開放型スプリンクラーヘッドを用いる設備の放水区域ごとに設けられ，火災が発生したときにその区域内のスプリンクラーヘッドから同時に放水を開始する機能をもちます。

　一斉開放弁には，ピストン室の水を減圧して弁を開放する減圧開放式と，ピストン室の水を加圧して弁を開放する加圧開放式があります。

### ①減圧開放式

　主に，閉鎖型スプリンクラーヘッドを感知用ヘッドとして用いる設備で使用します。感知用ヘッドまたは手動式開放弁が開放されると，ピストン室内の水圧が減少し，ピストンが上がって弁が開放されます。

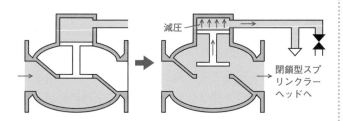

### ②加圧開放式

　主に感知器を使用する設備で使用します。電磁弁または手動開放弁が開放されると，ピストン室に加圧水が入ってピストンを押し上げ，弁を開放する方式です。

2
スプリンクラー設備

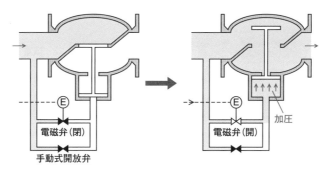

電磁弁（閉）

手動式開放弁

電磁弁（開）

加圧

　一斉開放弁または手動式開放弁は，開放型スプリンクラーヘッドを用い
るスプリンクラー設備に，以下の基準にしたがって設置します。

- ・放水区域ごとに設けること。
- ・弁にかかる圧力は，最高使用圧力以下とすること。
- ・起動操作部は，開放型スプリンクラーヘッドのある階で，火災のと
き容易に接近することができ，かつ，床面からの高さが0.8m以上
1.5m以下の箇所に設けること。
- ・二次側配管の部分に，試験装置を設けること。
- ・手動式開放弁の開放操作に必要な力は，150N以下とすること。

## ② 制御弁の基準

　制御弁は，点検・整備などのために水を一時的に止めたり，消火後や誤
作動時に放水を止めるために設ける弁です。閉鎖型スプリンクラーヘッド
を用いる設備では階ごとに，開放型スプリンクラーヘッドを用いる設備で
は放水区域ごとに，以下の基準にしたがって設置します。

- ・床面から高さ 0.8m 以上 1.5m 以下の箇所に設けること。
- ・みだりに閉止できない措置が講じられていること。
- ・直近の見やすい箇所にスプリンクラー設備の制御弁である旨を表示
した標識を設けること。

# ③ 送水口

　送水口は，消防ポンプ自動車の
ホースと接続して，建物の外部か
らスプリンクラーヘッドに送水する
ための設備です。スプリンクラー
設備では双口形のものを使用しま

す。また，スプリンクラー設備の配管は常時加圧され
ているため，逆流しないように逆止弁が設けられてい
ます。

　送水口は以下の基準にしたがって設置します。

---

- ・専用とすること。
- ・結合金具には呼称 65 の差込式またはねじ式の
  ものを用いること。
- ・地盤面からの高さが 0.5m 以上 1m 以下で，送
  水に支障のない位置に設けること。
- ・加圧送水装置から流水検知装置（圧力検知装置）
  または一斉開放弁（手動式開放弁）までの配管
  に，専用の配管で接続すること。
- ・直近の見やすい箇所にスプリンクラー用送水口
  である旨と送水圧力範囲を標示した標識を設け
  ること。

---

# ④ 補助散水栓

　補助散水栓は，スプリンクラーヘッドがカバーしてい
ない部分を補完するために設ける屋内消火栓です。基
準は2号消火栓と同様ですが，配管や加圧送水装置は，
スプリンクラー設備のものを用います。

≡補足≡

スプリンクラー設備
の送水口は，連結送
水管（309ページ）
の送水口とは配管が
異なるので注意が必
要です。

補助散水栓は，以下の基準にしたがって設置します。

①**防護範囲**　補助散水栓は，防火対象物の階ごとに，その階の各部分から1つのホース接続口までの水平距離が15m以下となるように設けます（スプリンクラーヘッドが設けられている部分に設ける場合を除く）。

②**放水性能**　階ごとに設置されているすべての補助散水栓（ただし，設置個数が2を超える場合は2，隣接する補助散水栓のホース接続口相互の水平距離が30mを超える場合は1）を同時に使用する場合の放水圧力と放水量が，それぞれ次の数値以上とします。

| 放水圧力 | 0.25MPa 以上 |
|---|---|
| 放水量 | 60L/min 以上 |

③**表示**　補助散水栓箱の表面に，「消火用散水栓」と表示します。また，補助散水栓箱の上部に，取り付け面と15°以上の角度となる方向に沿って10m離れたところから容易に識別できる赤色のランプを設けます。

④**ノズル**　ノズルには，容易に開閉できる装置を設けます。

⑤**消火栓開閉弁**　床面からの高さが1.5m以下の位置に設けます。

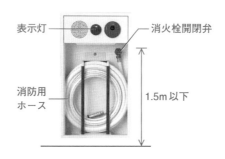

# 放水性能と水源水量

## 1 水源水量の計算

スプリンクラー設備の水源に必要な水量は，スプリンクラーヘッドの種類ごとに，原則として次のように算出します。

**覚える** スプリンクラー設備の水源水量

| 種別 | | 水源水量の計算式 |
|---|---|---|
| 閉鎖型スプリンクラーヘッド | 標準型ヘッド | ヘッド個数 × 1.6 $[m^3]^{※1}$ |
| | 小区画型ヘッド | ヘッド個数 × 1.0 $[m^3]^{※2}$ |
| | 側壁型ヘッド | ヘッド個数 × 1.6 $[m^3]$ |
| 開放型スプリンクラーヘッド | | ヘッド個数 × 1.6 $[m^3]^{※2}$ |

※1　ラック式倉庫のうち，等級ⅢまたはⅣで水平遮へい板が設けられているものは× 2.28m³，その他のものは× 3.42m³とする。
※2　特定施設水道連結型スプリンクラー設備では× 1.2m³（壁・天井の室内に面する部分の仕上げについて火災予防上支障があると認められる場合は× 0.6m³）とする。

計算式に用いるヘッド個数は，防火対象物の種類ごとに最大値が決まっています（次表①〜④）。実際に設置されているヘッド個数がこの個数より少ない場合は，実際の設置個数を用いて算出します。

≡補足≡
スプリンクラー設備の水源水量やポンプ吐出量を計算する問題は，実技試験で出題されます（359ページ参照）。

2 スプリンクラー設備

## ①閉鎖型スプリンクラーヘッドのうち標準型ヘッド

| 防火対象物の種類 | | ヘッド個数の最大値 |
|---|---|---|
| ラック式倉庫 | 等級Ⅰ～Ⅲ | 30（感度1種24） |
| | 等級Ⅳ | 20（感度1種16） |
| 地下街・準地下街 | | 15（高感度型12） |
| 指定可燃物貯蔵施設 | | 20（感度1種16） |
| 百貨店（複合用途施設の百貨店を含む） | | 15（高感度型12） |
| その他 | 地階を除く階数が10以下 | 10（高感度型8） |
| | 地階を除く階数が11以上 | 15（高感度型12） |

※乾式及び予作動式流水検知装置を用いる設備は，上記の数値の1.5倍とする。

　標準型ヘッドのヘッド個数最大値は原則として10個，11階以上や百貨店，地下街では15個になると覚えましょう。指定可燃物貯蔵施設やラック式倉庫ではさらに多くなります。

## ②閉鎖型スプリンクラーヘッドのうち小区画型ヘッド

| 防火対象物の種類 | ヘッド個数の最大値 |
|---|---|
| 自力避難困難者入所施設（延べ面積1000m²未満） | 4 |
| 地階を除く階数が10以下のもの | 8 |
| 地階を除く階数が11以上のもの | 12 |

## ③閉鎖型スプリンクラーヘッドのうち側壁型ヘッド

| 防火対象物の種類 | ヘッド個数の最大値 |
|---|---|
| 地階を除く階数が10以下のもの | 8 |
| 地階を除く階数が11以上のもの | 12 |

※乾式及び予作動式流水検知装置を用いる設備は，上記の数値の1.5倍とする。

④開放型スプリンクラーヘッド

| 防火対象物の種類 | ヘッド個数の最大値 |
|---|---|
| 自力避難困難者入所施設（延べ面積1000m² 未満） | 4 |
| 地階を除く階数が10以下のもの | 最大の放水区域に設置されるヘッド個数×1.6 |
| 舞台部が10階以下の階にあるもの | |
| 舞台部が11階以上の階にあるもの | ヘッドの設置個数が最も多い階のヘッド個数 |

## 2 放水性能

　スプリンクラー設備の放水性能は，前項の水量の計算に用いたヘッド個数を同時に使用した場合に，各ヘッドの先端の放水圧力と放水量が，次の表の数値以上になるようにします。

| スプリンクラーヘッドの種類 | | 放水圧力 | 放水量 |
|---|---|---|---|
| 閉鎖型スプリンクラーヘッド | 標準型ヘッド | 0.1MPa 以上 | 80L/min 以上[1] |
| | 小区画型ヘッド | 0.1MPa 以上 | 50L/min 以上 |
| | 側壁型ヘッド | 0.1MPa 以上 | 80L/min 以上 |
| 開放型スプリンクラーヘッド | | 0.1MPa 以上 | 80L/min 以上 |

※1　ラック式倉庫の場合は114L/min 以上

　なお，ヘッドからの放水圧力は，1MPaを超えないようにします。

## ③ 加圧送水装置の基準

スプリンクラー設備に用いる加圧送水装置の基準は，以下の点を除いて，屋内消火栓のものとほぼ同じです。

### ①加圧送水装置の性能

スプリンクラー設備の加圧送水装置は，方式に応じて，次のような性能のものとします（特定施設水道連結型スプリンクラー設備を除く）。

| 加圧送水装置の方式 | 性能 |
| --- | --- |
| ポンプ方式 | ポンプの全揚程：$H = h_1 + h_2 + 10\mathrm{m}$ |
| 高架水槽方式 | 必要な落差：$H = h_1 + 10\mathrm{m}$ |
| 圧力水槽方式 | 必要な圧力：$P = p_1 + p_2 + 0.1\mathrm{MPa}$ |

$h_1$：配管の摩擦損失水頭〔m〕　$h_2$：落差〔m〕
$p_1$：配管の摩擦損失水頭圧〔MPa〕　$p_2$：落差の換算水頭圧〔MPa〕

### ②ポンプ吐出量

ポンプ方式の加圧送水装置では，ポンプ吐出量が，次の表の数値以上になるようにします。

| スプリンクラーヘッドの種類 | | ポンプ吐出量 |
| --- | --- | --- |
| 閉鎖型スプリンクラーヘッド | 標準型ヘッド | ヘッド個数× 90L/min[※1] |
| | 小区画型ヘッド | ヘッド個数× 60L/min |
| | 側壁型ヘッド | ヘッド個数× 90L/min |
| 開放型スプリンクラーヘッド | | ヘッド個数× 90L/min |

※1　ラック式倉庫の場合は 130L/min 以上

# 水噴霧消火設備

## 1 水噴霧消火設備の構成

水噴霧消火設備は，霧状の水で燃焼物を覆い，冷却効果と水蒸気による窒息効果で火災を消火する消火設備です。主にトンネルや屋内駐車場，指定可燃物の取扱施設に設置されます。

設備の構成は開放型のスプリンクラー設備とよく似ていて，水源，加圧送水装置，一斉開放弁，噴霧ヘッド，火災感知装置などから構成されます。

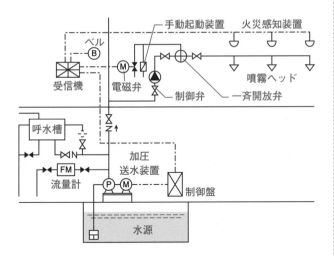

平常時，水は一斉開放弁の一次側までで止まっています。火災感知装置が火災を検知すると一斉開放弁が開き，噴霧ヘッドから水が一斉に放射されます。

≡補足≡

水噴霧消火設備は，設置場所に応じて泡消火設備，不活性ガス消火設備，粉末消火設備などから選択して設置します。

2 スプリンクラー設備

## ② 噴霧ヘッドの構造と機能

噴霧ヘッドは，水を噴霧上に放射するもので，次のような種類があります。

| ①水をデフレクターに当てて放射する | ②直流の水をオリフィスから放射する |
|---|---|
| | |
| ③直流とらせん流を内部で衝突させて放射する | ④らせん流を互いに衝突させて放射する |
| | |

## ③ 水噴霧消火設備の設置基準

水噴霧消火設備の主な設置基準は，以下のとおりです。

①噴霧ヘッドの個数・配置

| 防護対象物 | 設置基準 |
|---|---|
| 指定可燃物取扱施設 | 防護対象物のすべての表面をヘッドの有効防護空間内に包含するように設けること。 |
| 道路または駐車の用に供する部分 | 道路の幅員または車両の駐車位置を考慮して防護対象物を噴霧ヘッドから放射する水噴霧により有効に包含し，かつ，車両の周囲の床面の火災を有効に消火できるように設けること。 |

②水源の水量

| 防護対象物 | 水量 |
|---|---|
| 指定可燃物取扱施設 | 床面積 1m² につき 10L/min を 20 分以上放射できる水量[※1] |
| 道路の用に供する部分 | 道路区画面積が最大になる部分の床面積 1m² につき，20L/min を 20 分以上放射できる水量 |
| 駐車の用に供する部分 | 床面積 1m² につき 20L/min を 20 分以上放射できる水量[※1] |

※1 床面積が 50m² を超える場合は，50m² とする。

③ Y型ストレーナー　水噴霧消火設備は，ヘッドに異物が詰まると正常に機能しなくなるため，ポンプ吐出側に図のようなストレーナーを設けます。

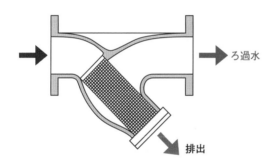

④排水設備　水噴霧消火設備には，排水設備を設けます。

◆道路の用に供する部分

- 道路には排水溝に向かって有効に排水できる勾配をつけること。
- 道路の中央または路端に排水溝を設けること。
- 排水溝は，長さ40m以内ごとに1個の集水管を設け，消火ピットに連結すること。

**305**

- ・ 消火ピットは油分離装置付とし，火災危険の少ない場所に設けること。
- ・ 排水溝と集水管は，加圧送水装置の最大能力の水量を有効に排水で きる大きさと勾配を有すること。

◆駐車の用に供する部分

- ・ 車両が駐車する場所の床面に，排水溝に向かって2／100以上の勾 配をつけること。
- ・ 車両が駐車する場所には，車路に接する部分を除き，高さ10cm以上 の区画境界堤を設けること。
- ・ 消火ピットは油分離装置付とし，火災危険の少ない場所に設けること。
- ・ 車路の中央または両側に排水溝を設けること。
- ・ 排水溝は，長さ40m以内ごとに1個の集水管を設け，消火ピットに 連結すること。
- ・ 排水溝と集水管は，加圧送水装置の最大能力の水量を有効に排水で きる大きさと勾配を有すること。

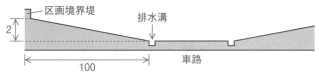

車両が駐車する床面は，排水溝に向かって $\dfrac{2}{100}$ 以上の勾配をつける。

# その他の消火設備

## 1 ドレンチャー設備

ドレンチャー設備は，建物の外周に取り付けたドレンチャーヘッドで水の幕をつくり，飛んでくる火の粉や熱から建物を守る設備です。重要文化財などに設置されるほか，10階以下で延焼のおそれのある部分の開口部に，スプリンクラーヘッドの代わりに設置されます。

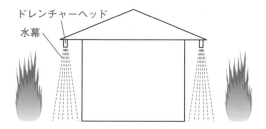

ドレンチャーヘッド
水幕

ドレンチャー設備の構成は，開放型スプリンクラーヘッドを用いるスプリンクラー設備とほぼ同じです。

①**ヘッドの設置位置**　ドレンチャーヘッドは，開口部の上枠に，その上枠の長さ 2.5m 以下ごとに 1 個設けること。

②**制御弁**　制御弁は階ごとに，床面からの高さ 0.8m 以上 1.5m 以下の位置に設けること。

③**水源水量**　水源の水量は，ドレンチャーヘッドの設置個数（5 を超える場合は 5）× 0.4m³ 以上の量とすること。

④**放水性能**　すべてのドレンチャーヘッド（5 を超える場合は 5）を同時に使用したとき，それぞれのヘッ

≡**補足**≡
ドレンチャー設備の構成は，開放型スプリンクラー設備とほぼ同様です。

ドの先端において,放水圧力 0.1MPa 以上,放水量 20L/min 以上とすること。

## ② パッケージ型自動消火設備

　パッケージ型自動消火設備は,建物の各部に取り付けた感知器によって火災の発生を感知し,放出口から自動的に消火薬剤を放射する消火設備です。本体ユニットには消火薬剤,加圧用ガス容器,受信装置などが格納されており,感知器や放出導管と接続されています。

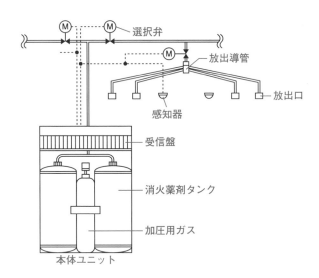

　パッケージ型自動消火設備は,放射性能や消火性能によってⅠ型とⅡ型に区分されています。以下の防火対象物では,スプリンクラー設備の代わりとして,パッケージ型自動消火設備を設置することが認められています。

| | | | |
|---|---|---|---|
| Ⅰ型 | (5) 項イ | 旅館,ホテル,宿泊所等 | 延べ面積 10,000m² 以下 |
| | ロ | 寄宿舎,下宿,共同住宅（11 階以上の階） | |
| | (6) 項イ | 病院・診療所・助産所 | |
| | ロ | 自力避難困難者入所施設 | |
| | ハ | その他の社会福祉施設 | |
| | ニ | 幼稚園,特別支援学校 | |
| Ⅱ型 | (6) 項イ | 特定診療科名の病院・有床診療所 | 延べ面積 275m² 未満 |
| | ロ | 自力避難困難者入所施設 | |

# ❸ 連結送水管

≡ 補足 ≡

連結送水管は，屋内消火栓設備と主管を兼用して設置することができます。

　連結送水管は，消防ポンプ自動車によって外部から建物の各部に送水するための配管です。

　以下の防火対象物には，連結送水管を設置しなければなりません。

---

- ・地階を除く階数が7以上
- ・地階を除く階数が5以上で，延べ面積が6000m²以上
- ・延べ面積が1000m²以上の地下街
- ・延長50m以上のアーケード
- ・道路の用に供される部分を有するもの

---

　連結送水管の主な設置基準は，以下のようになります。なお，連結送水管の設置・整備には，消防設備士の免状は必要ありません。

①**送水口**　送水口は双口形とし，消防ポンプ自動車が容易に接近できる場所で，ホース接続口を地盤面から0.5m以上1m以下の位置に設けること。

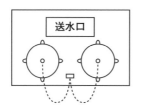

②**放水口**　放水口は3階以上の各階に，階段室，非常用エレベーターの乗降ロビーなど消防隊員が有効に消火活動できる位置に設けること。

③加圧送水装置　地階を除く階数が 11 以上で，かつ，高さが 70m を超える建築物に設置する場合は，加圧送水装置を設けること。

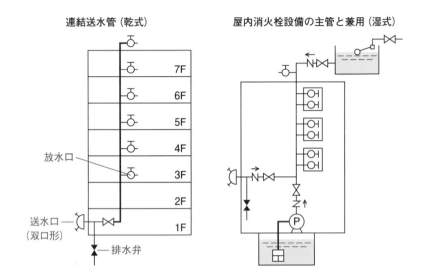

連結送水管（乾式）

放水口

送水口
（双口形）

排水弁

7F
6F
5F
4F
3F
2F
1F

屋内消火栓設備の主管と兼用（湿式）

# ④ 連結散水設備

　連結散水設備は，消防ポンプ自動車によって外部から建物の地階の散水ヘッドへ水を送り，消火を行う消火設備です。

　連結散水設備は，地階の床面積が $700m^2$ 以上の防火対象物に設置します。ただし，スプリンクラー設備や水噴霧消火設備等を設置した場合には省略できます。

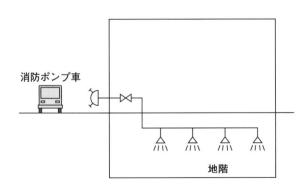

消防ポンプ車

地階

310

# チャレンジ問題

［解説］319 ページ ［解答一覧］324 ページ

## 問1

スプリンクラー設備（特定施設水道連結型スプリンクラー設備を除く）の放水性能について，消防法令上，正しいものは次のうちどれか。

(1) 閉鎖型スプリンクラーヘッドのうち，標準型ヘッド（ラック式倉庫に設けるものを除く）にあっては，所定の個数を同時に使用した場合に，それぞれの先端において，放水圧力が 0.1MPa 以上で，かつ，放水量が 90L/min 以上とする。

(2) 閉鎖型スプリンクラーヘッドのうち，ラック式倉庫に設ける標準型ヘッドにあっては，所定の個数を同時に使用した場合に，それぞれの先端において，放水圧力が 0.25MPa 以上で，かつ，放水量が 114L/min 以上とする。

(3) 閉鎖型スプリンクラーヘッドのうち，小区画型ヘッドにあっては，所定の個数を同時に使用した場合に，それぞれの先端において，放水圧力が 0.1MPa 以上で，かつ，放水量が 50L/min 以上とする。

(4) 開放型スプリンクラーヘッドにあっては，所定の個数を同時に使用した場合に，それぞれの先端において，放水圧力が 0.1MPa 以上で，かつ，放水量が 60L/min 以上とする。

## 問2

閉鎖型スプリンクラーヘッドについての記述のうち，消防法令上，誤っているものは次のうちどれか。

(1) 取り付ける場所の正常時における最高周囲温度に応じて，所定の標示温度を有するものを設けること。

(2) 側壁型スプリンクラーヘッドの放水量は，所定の個数を同時に使用した場合に，それぞれの先端において，80L/min 以上とする。

(3) 配管の末端に，末端試験弁を設ける。

(4) マルチタイプのヘッドには温度表示をしなくてもよい。

スプリンクラー設備の設置について，消防法令上，誤っているものは次のうちどれか。

(1) 劇場の舞台部には，開放型スプリンクラーヘッドを設ける。

(2) ラック式倉庫には，閉鎖型スプリンクラーヘッドのうち，小区画型ヘッドを設ける。

(3) 地下街の店舗，事務所その他これに類する施設であって，床面から天井までの高さが 6m を超える部分には，放水型ヘッド等を設ける。

(4) ホテルの廊下部分には，閉鎖型スプリンクラーヘッドのうち，側壁型ヘッドを設けることができる。

放水型ヘッド等を設ける防火対象物またはその部分として，誤っているものは次のうちどれか。

(1) 指定可燃物を貯蔵し，または取り扱う部分であって，床面から天井までの高さが 6m を超える部分

(2) デパートの，床面から天井までの高さが 6m を超える部分

(3) 病院の，床面から天井までの高さが 10m を超える部分

(4) 地下道の，床面から天井までの高さが 6m を超える部分

ラック式倉庫に設けるスプリンクラーヘッドについて，誤っているものは次のうちどれか。

(1) ラック等を設けた部分の各部分から 1 のスプリンクラーヘッドまでの水平距離が 2.3m 以下となるように設けること。

(2) ラック等を設けた部分以外の部分にあっては，天井または小屋裏に，当該天井または小屋裏の各部分から 1 のスプリンクラーヘッドまでの

水平距離が 2.1m 以下となるように設けること。

(3) 階段，浴室，便所その他これらに類する場所には，スプリンクラーヘッドを設けなくてもよい。

(4) 等級がⅠ，Ⅱ及びⅢのラック式倉庫にあっては，高さ 4m につき 1 個以上のスプリンクラーヘッドを，ラック等を設けた部分に設けること。

---

**問6**　　　　　　　　　　　　　　　　| 難 | 中 | **易** |

　平常時の最高周囲温度が 42℃ の場所に取り付ける閉鎖型スプリンクラーヘッドの標示温度の範囲として，適切なものは次のうちどれか。

(1) 79℃ 未満

(2) 79℃ 以上 121℃ 未満

(3) 121℃ 以上 162℃ 未満

(4) 162℃ 以上

---

**問7**　　　　　　　　　　　　　　　　| 難 | 中 | **易** |

　閉鎖型スプリンクラーヘッドの標示温度の区分による色別として，正しいものは次のうちどれか。

(1) 60℃ 未満　　－　　無

(2) 60℃ 以上 75℃ 未満　　－　　白

(3) 75℃ 以上 121℃ 未満　　－　　黒

(4) 121℃ 以上 162℃ 未満　　－　　青

---

**問8**　　　　　　　　　　　　　　　　| 難 | 中 | **易** |

　閉鎖型スプリンクラーヘッドのうち，標準型ヘッドの設置について，消防法令上，正しいものは次のうちどれか。

(1) 取付け面から 0.2m 以上突き出したはり等によって区画された部分ごとに設けること。

(2) デフレクターと取付け面との距離は 0.3m 以下であること。

(3) デフレクターから下方 0.45m 以内で，かつ，水平方向 0.5m 以内には，何も設けられ，または置かれていないこと。

(4) 開口部に設ける場合は，当該開口部の上枠より 0.3m 以内の高さの壁面に設けること。

閉鎖型スプリンクラーヘッドのうち，**側壁型ヘッドの設置**について，消防法令上，誤っているものは次のうちどれか。

(1) 防火対象物の壁の室内に面する部分に設けること。

(2) 1個のスプリンクラーヘッドにより防護される床面の部分は，スプリンクラーヘッドを取り付ける面の水平方向の両側にそれぞれ 1.8m 以内，かつ，前方 3.6m 以内となる範囲を水平投影した床面の部分とする。

(3) スプリンクラーヘッドのデフレクターは，天井面から 0.3m 以内となるように設けること。

(4) デフレクターから下方 0.45m 以内で，かつ，水平方向 0.45m 以内には，何も設けられ，または置かれていないこと。

**開放型スプリンクラーヘッドを用いるスプリンクラー設備の設置**について，消防法令上，誤っているものは次のうちどれか。

(1) 開放型スプリンクラーヘッドは，天井に，当該天井の各部分から 1 のスプリンクラーヘッドまでの水平距離が 2.6m 以下となるように設けること。

(2) 一斉開放弁または手動式開放弁は，放水区域ごとに設けること。

(3) 放水区域の数は，1 の舞台部または居室につき 4 以下とすること。ただし，火災時に有効に放水することができるものにあっては，居室の放水区域の数を 5 以上とすることができる。

(4) 一斉開放弁の起動操作部または手動式開放弁は，開放型スプリンクラーヘッドの存する階で，火災のとき容易に接近することができ，かつ，床面からの高さが 0.8m 以上 1.5m 以下の箇所に設けること。

## 問11  　　　難　中　易

　高感度ヘッド以外の標準型ヘッドの設置について，**消防法令上**，正しいものは次のうちどれか。

(1)　耐火建築物には，天井または小屋裏の各部分から1のスプリンクラーヘッドまでの水平距離が2.5m以下となるように設置する。

(2)　耐火建築部以外の防火対象物には，天井または小屋裏の各部分から1のスプリンクラーヘッドまでの水平距離が1.7m以下となるように設置する。

(3)　地下街であって，厨房その他火気を使用する設備または器具を設置する部分には，天井または小屋裏の各部分から1のスプリンクラーヘッドまでの水平距離が1.7m以下となるように設置する。

(4)　ラック式倉庫のラック等を設けた部分には，ラック等を設けた部分の各部分から1のスプリンクラーヘッドまでの水平距離が2.1m以下となるように設置する。

## 問12  　　　難　中　易

　湿式流水検知装置の構造について，**規格省令上**，誤っているものは次のうちどれか。

(1)　加圧送水装置を起動させるものにあっては，逆止弁構造を有すること。

(2)　本体及びその部品は，保守点検及び取替えが容易にできること。

(3)　二次側に加圧空気を補充できること。

(4)　感度調整装置は，露出して設けられていないこと。

## 問13  　　　難　中　易

　一斉開放弁の構造について，**規格省令上**，誤っているものは次のうちどれか。

(1)　弁体は，常時開放の状態にあり，起動装置の作動により閉止すること。

(2)　弁体を開放した後に通水が中断した場合においても，再び通水できること。

(3) 堆積物により機能に支障を生じないこと。

(4) 管との接続部は，管と容易に接続できること。

難 | 中 | 易

スプリンクラー設備の**自動警報装置**について，消防法令上，誤っているものは次のうちどれか。

(1) スプリンクラーヘッドの開放または補助散水栓の開閉弁の開放により警報を発するものとする。

(2) 発信部は，各階または放水区域ごとに設ける。

(3) 受信部には，スプリンクラーヘッドまたは火災感知用ヘッドが開放した階または舞台部が覚知できる表示装置を防災センター等に設ける。

(4) 自動火災報知設備により警報が発せられる場合は，音響警報装置を設けないことができる。

難 | 中 | 易

**末端試験弁**について，消防法令上，誤っているものは次のうちどれか。

(1) 末端試験弁は，閉鎖型スプリンクラーヘッドを用いるスプリンクラー設備に設ける。

(2) 流水検知装置または圧力検知装置の設けられる配管の系統ごとに1個ずつ，放水圧力が最も高くなると予想される配管の部分に設ける。

(3) 直近の見やすい箇所に，末端試験弁である旨を表示した標識を設ける。

(4) 末端試験弁の一次側には圧力計を，二次側にはオリフィス等の試験用放水口を設ける。

難 | 中 | 易

スプリンクラー設備の**送水口の構造**について，誤っているものは次のうちどれか。

(1) ホース接続口にリフト式またはスイング式の逆止弁を設ける。

(2) 連結送水管の送水口と兼用することができる。

(3) 結合金具は，地盤面からの高さが0.5m以上1m以下で，かつ，送水

に支障のない位置に設ける。

(4) 直近の見やすい箇所に，送水圧力範囲を表示した標識を設ける。

### 問17　　　　　　　　　難　中　**易**

　スプリンクラー設備の補助散水栓について，消防法令上，誤っているものは次のうちどれか。

(1) 防火対象物の階ごとに，その階の各部分から1のホース接続口までの水平距離が15m以下となるように設ける。

(2) 補助散水栓箱の表面に「消火用散水栓」と表示する。

(3) 補助散水栓の開閉弁は，床面からの高さが0.5m以上1m以下の位置に設ける。

(4) ノズルには，容易に開閉できる装置を設ける。

### 問18　　　　　　　　　難　中　**易**

　駐車の用に供する部分に設置する水噴霧消火設備の排水設備の構造について，消防法令上，誤っているものは次のうちどれか。

(1) 車路の中央または両側には，排水溝を設けること。

(2) 排水溝は，長さ40m以内ごとに1個の集水管を設け，消火ピットに連結すること。

(3) 車両が駐車する場所の床面には，排水溝に向かって100分の1以上の勾配をつけること。

(4) 車両が駐車する場所には，車路に接する部分を除き，高さ10cm以上の区画境界線を設けること。

### 問19　　　　　　　　　難　中　**易**

　駐車の用に供する部分に設置する水噴霧消火設備の水源水量として，消防法令上，正しいものは次のうちどれか。

(1) 床面積 $1m^2$ につき 10L/min を 20 分以上放射できる水量

(2) 床面積 $1m^2$ につき 20L/min を 20 分以上放射できる水量

(3) 床面積 $1m^2$ につき 10L/min を 10 分以上放射できる水量

(4) 床面積 1m² につき 20L/min を 10 分以上放射できる水量

連結送水管に関する記述として，消防法令上，誤っているものは次のうちどれか。

(1) 送水口は，双口形とし，消防ポンプ車が容易に接近することができる位置に設けること。

(2) 送水口のホース接続口は，地盤面からの高さが 0.5m 以上 0.8m 以下の位置に設けること。

(3) 地階を除く階数が 11 以上で，高さ 70m を超える建築物に設置する連結送水管については，湿式とし，かつ，加圧送水装置を設けること。

(4) 連結送水管の設置工事には，消防設備士免状は必要ない。

# 解 説

**問1**　　　スプリンクラーヘッドの種類ごとの放水圧力と放水量は，それぞれ次のようになります。

| 種類 | | 放水圧力 | 放水量 |
|---|---|---|---|
| 閉鎖型スプリンクラーヘッド | 標準型ヘッド | 0.1MPa 以上 | 80L/min 以上[※1] |
| | 小区画型ヘッド | 0.1MPa 以上 | 50L/min 以上 |
| | 側壁型ヘッド | 0.1MPa 以上 | 80L/min 以上 |
| 開放型スプリンクラーヘッド | | 0.1MPa 以上 | 80L/min 以上 |
| 放水型スプリンクラーヘッド | | 消防庁長官が定める基準による | |

※1　ラック式倉庫は 114L/min 以上

解答（3）　参照 301 ページ

**問2**　　　すべての閉鎖型スプリンクラーヘッドには，標示温度の表示が必要です。

#### ◆閉鎖型スプリンクラーヘッドに表示すべき事項

- ・製造者名または商標
- ・製造年
- ・標示温度及び標示温度の区分による色別
- ・取付け方向
- ・一種のものにあっては「①」または「QR」
- ・r2.6 のものにあっては「二・六」
- ・小区画型ヘッド（水道連結型ヘッドを除く）のものにあっては「小」または「S」及び流量定数 K
- ・水道連結型ヘッドのものにあっては「W」，流量定数 K 及び 0.05MPa または放水量が 30L/min となる放水圧力のうちいずれか大きい値

解答（4）　参照 283 ページ

**問3** ラック式倉庫には，閉鎖型スプリンクラーヘッドのうち，標準型ヘッドを設けます。小区画型ヘッドは，旅館，共同住宅，病院等の宿泊室や病室等に設けることができます。

解答（2）　参照 285 ページ

**問4** 地下道は，床面から天井までの高さが 10m を超える部分に放水型ヘッド等を設置します。

解答（4）　参照 285 ページ

**問5** ラック式倉庫のラック等を設けた部分には，各部分から 1 のスプリンクラーヘッドまでの水平距離が 2.5m 以下となるように，スプリンクラーヘッドを設けます。

解答（1）　参照 285 ページ

**問6** 取付け場所の最高周囲温度に応じた閉鎖型スプリンクラーヘッドの標示温度は，次の表のようになります。

| 最高周囲温度 | 標示温度 |
|---|---|
| 39℃未満 | 79℃未満 |
| 39℃以上 64℃未満 | 79℃以上 121℃未満 |
| 64℃以上 106℃未満 | 121℃以上 162℃未満 |
| 106℃以上 | 162℃以上 |

解答（2）　参照 283 ページ

**問7** 閉鎖型スプリンクラーヘッドに標示する標示温度の区分ごとの色別は，次のとおりです。

| 標示温度の区分 | 色別 |
|---|---|
| 60℃未満 | 黒 |
| 60℃以上 75℃未満 | 無 |
| 75℃以上 121℃未満 | 白 |
| 121℃以上 162℃未満 | 青 |
| 162℃以上 200℃未満 | 赤 |
| 200℃以上 260℃未満 | 緑 |
| 260℃以上 | 黄 |

解答（4）　参照 283 ページ

**問8**

× （1）取付け面から 0.4m 以上突き出したはり等によって区画された部分ごとに設けます（はり等の相互間の中心距離が 1.8m 以下である場合を除く）。

○ （2）デフレクターと取付け面との距離は 0.3m 以下とします。

× （3）デフレクターの下方 0.45m 以内，水平方向に 0.3m 以内には，何も設けたり，置いたりしてはいけません。

× （4）開口部に設ける場合は，当該開口部の上枠より 0.15m 以内の高さの壁面に設けます。

解答（2）　参照 280 ページ

**問9** スプリンクラーヘッドのデフレクターは，天井面から 0.15m 以内となるように設けます。

解答（3）　参照 280 ページ

**問10** 開放型スプリンクラーヘッドは，天井の各部分から 1 のスプリンクラーヘッドまでの水平距離が 1.7m 以下となるように設けます。

解答（1）　参照 283 ページ

**問11** 標準型ヘッドは，設置する防火対象物の種類に応じて，取付け面の各部分から1のヘッドまでの水平距離が次の表の距離以下になるように設置します。

| 防火対象物 | | 高感度ヘッド以外 | 高感度ヘッド |
|---|---|---|---|
| ①ラック式倉庫 | ラック等を設けた部分 | 2.5m | ― |
| | その他の部分 | 2.1m | ― |
| ②地下街 | 厨房その他火気を使用する設備または器具を設置する部分 | 1.7m | 0.75 × r〔m〕 |
| | その他の部分 | 2.1m | 0.9 × r〔m〕 |
| ③準地下街 | 厨房その他火気を使用する設備または器具を設置する部分 | 1.7m | 0.75 × r〔m〕 |
| | 耐火構造 | 2.3m | r〔m〕 |
| | 耐火構造以外 | 2.1m | 0.9 × r〔m〕 |
| ④指定可燃物貯蔵・取扱施設 | | 1.7m | 0.75 × r〔m〕 |
| ⑤その他 | 耐火建築物 | 2.3m | r〔m〕 |
| | 耐火建築物以外 | 2.1m | 0.9 × r〔m〕 |

※ r：ヘッドの有効散水範囲（2.6～2.8m）

解答（3）　参照 278ページ

**問12** 湿式流水検知装置は，二次側にも常時加圧水が入ります。加圧空気の補充が必要なのは，乾式または予作動式の流水検知装置です。

解答（3）　参照 293ページ

**問13** 一斉開放弁の弁体は通常は閉止の状態で，スプリンクラー設備の起動装置の作動によって開放状態になります。

「一斉開放弁の技術上の規格を定める省令」で定められている一斉開放弁の主な構造・機能には，以下のものがあります。

・弁体は，常時閉止の状態にあり，起動装置の作動により開放すること。
・弁体を開放した後に通水が中断した場合においても，再び通水できること。
・堆積物により機能に支障を生じないこと。
・管との接続部は，管と容易に接続できること。
・加圧水等の通過する部分は，滑らかに仕上げられていること。
・本体及びその部品は，保守点検及び取替えが容易にできること。
・弁座面は，機能に有害な影響を及ぼす傷がないこと。
・起動装置を作動させてから15秒以内（内径が200mmを超える場合は60秒以内）に開放すること。
・流速4.5m/s（内径80mm以下の場合は6.0m/s）の加圧水等を30分間通水した場合に，機能に支障を生じないものであること。

解答（1）　参照 295 ページ

**問14**　自動警報装置の受信部には，スプリンクラーヘッドまたは火災感知用ヘッドが開放した階または放水区域が覚知できる表示装置を設けます。

解答（3）　参照 289 ページ

**問15**　末端試験弁は，閉鎖型スプリンクラーヘッドが作動した場合に，流水検知装置が正常に作動するかどうかを試験する装置です。確認方法は，試験用の放水口からヘッド1個分に相当する放水を行って，流水検知装置が作動するかどうかを確認します。

　放水圧力が試験弁より低いヘッドがあると，試験結果が正常であってもそのヘッドの作動を検知できるとは限りません。そのため，末端試験弁は放水圧力が最も低くなると予想される配管の部分に設けます。

解答（2）　参照 294 ページ

**問16**　スプリンクラー用送水口は専用のものとし，連結送水管の送水口と兼用することはできません。

解答（2）　参照 297 ページ

**問17** 補助散水栓の開閉弁は，屋内消火栓と同様，床面からの高さが 1.5m 以下の位置に設けます。

解答（3）　参照 298 ページ

**問18** 車両が駐車する場所の床面には，排水溝に向かって 100 分の 2 以上の勾配をつけます。

解答（3）　参照 306 ページ

**問19** 駐車の用に供する部分に設置する水噴霧消火設備の水源水量は，床面積 1m$^2$ につき 20L/min を 20 分以上放射できる水量とします。

解答（2）　参照 305 ページ

**問20** 連結送水管の送水口のホース接続口は，地盤面からの高さが 0.5m 以上 1.0m 以下の位置に設けます。

解答（2）　参照 309 ページ

# 解答

| 問1 | (3) | 問6 | (2) | 問11 | (3) | 問16 | (2) |
| 問2 | (4) | 問7 | (4) | 問12 | (3) | 問17 | (3) |
| 問3 | (2) | 問8 | (2) | 問13 | (1) | 問18 | (3) |
| 問4 | (4) | 問9 | (3) | 問14 | (3) | 問19 | (2) |
| 問5 | (1) | 問10 | (1) | 問15 | (2) | 問20 | (2) |

# 第 5 章

# 実技試験対策

1　鑑別等試験 ································· 326
2　製図試験 ··································· 340

# 1 鑑別等試験

## まとめ & 丸暗記

### ☐ 実技試験の概要

消防設備士試験の実技試験の問題数は，次のとおりです。

|  | 甲種 | 乙種 |
|---|---|---|
| 鑑別等試験 | 5問 | 5問 |
| 製図問題 | 2問 | なし |

実技試験といっても，実物を使うわけではなく，写真やイラスト，図面で示された出題に対して，記述式で解答します。また，筆記試験と同時に行うので，試験時間内であれば実技試験を先に解いてから筆記試験を解いてもかまいません。

### ☐ 鑑別等試験の概要

鑑別等試験は，写真やイラスト，図を使った問題で，出題数は甲種・乙種ともに全5問です。

### ☐ 鑑別等試験の出題傾向

鑑別等試験では，主に次のような問題が出題されています。

- ・加圧送水装置の各部の名称，役割など
- ・管継手の名称，使用場所など
- ・止水弁，逆止弁，流水検知装置，一斉開放弁などの種類，各部の名称，機能など
- ・屋内消火栓，屋外消火栓，スプリンクラーヘッドの名称，取付け場所など
- ・圧力計，連成計，ピトーゲージなどの測定器具の使い方など

ほとんどの問題は，第4章の学習内容を応用したものなので，まずは第4章の基礎知識をしっかりと身につけましょう。

# 各部の名称と役割

≡補足≡

**可とう管継手**
接合部分に柔軟性を
もたせ，地震などの
衝撃による配管のず
れやねじれを吸収し
ます。

## 1 加圧送水装置の構成

ポンプを用いる加圧送水装置の各部の名称を覚えま
しょう。

①次の図に示す装置の各部の名称を答えよ。

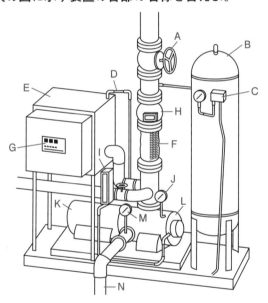

| 記号 | 名称 | 記号 | 名称 |
|------|------|------|------|
| A |  | H |  |
| B |  | I |  |
| C |  | J |  |
| D |  | K |  |
| E |  | L |  |
| F |  | M |  |
| G |  | N |  |

【解答】A：止水弁　B：起動用圧力タンク　C：圧力スイッチ　D：水温上昇防止用逃し配管
E：呼水槽　F：可とう管継手　G：制御盤　H：逆止弁　I：流量計（ポンプ性能試験装置）　J：
圧力計　K：電動機　L：ポンプ本体　M：連成計　N：吸水管

ヒント　止水弁と逆止弁，連成計と圧力計の取付け位置に注意します。ポンプに近いほうが逆止弁です。起動用圧力タンクは，逆止弁の二次側の配管に接続します。また，ポンプの吸水側には連成計，吐出し側には圧力計を取り付けます。

②次の図に示す装置の各部の名称及び空欄に入る数値を答えよ。

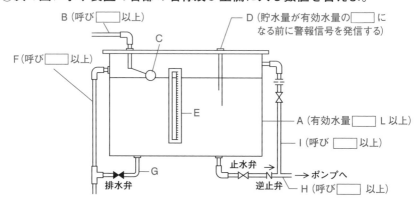

| 記号 | 名称 |
|---|---|
| A | （有効水量□L 以上） |
| B | （呼び□以上） |
| C | |
| D | （貯水量が有効水量の□になる前に警報信号を発信する） |
| E | |
| F | （呼び□以上） |
| G | |
| H | （呼び□以上） |
| I | （呼び□以上） |

【解答】A：呼水槽（有効水量 100L 以上）　B：補給水管（呼び 15 以上）　C：ボールタップ　D：減水警報装置（貯水量が有効水量の2分の1になる前に警報信号を発信する）　E：水位計　F：溢水用排水管（呼び 50 以上）　G：排水管　H：呼水管（呼び 40 以上）　I：水温上昇防止用逃がし配管（呼び 15 以上）

ヒント　水源の水位がポンプより低い位置にある加圧送水装置には，ポンプのケーシングに水を供給するために，呼水装置を設けます。呼水管の逆止弁の向きに注意しましょう。また，呼水管の止水弁は常時開，排水管の開閉弁は常時閉になっています。

≡補足≡

**ボールタップ**
水位が下がると浮き玉の位置が下がり，自動的に水が補給されます。

## 2 配管・弁類

①次の図に示す管継手の名称を答えなさい。

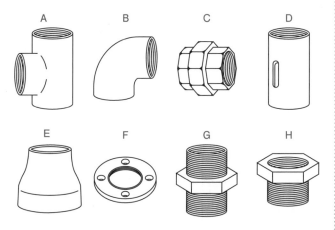

| 記号 | 名称 | 機能 |
|---|---|---|
| A | | 配管の分岐に用いる。 |
| B | | 配管の曲げ部分に用いる。 |
| C | | 管相互の結合に用いる。 |
| D | | 管相互の結合に用いる。 |
| E | | 径の異なる管相互の結合に用いる。 |
| F | | 管相互の結合に用いる。 |
| G | | 管相互の結合に用いる。 |
| H | | 径の異なる管相互の結合に用いる。 |

【解答】A：チーズ（ティー）　B：エルボ　C：ユニオン　D：ソケット　E：レジューサ　F：フランジ　G：ニップル　H：ブッシング（ブッシュ）

②次の図に示す器具の名称を答えなさい。

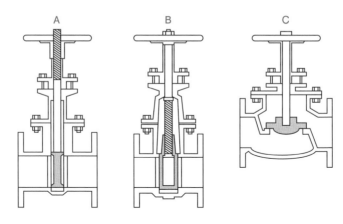

| 記号 | 名称 |
|---|---|
| A | |
| B | |
| C | |

【解答】A：フランジ形外ねじ式仕切弁　B：フランジ形内ねじ式仕切弁　C：フランジ形玉形弁

ヒント　　仕切弁（止水弁）や玉形弁には，管の接続方法により，フランジ形とねじ込み形があります。接続口にフランジが付いているのがフランジ形です。

③次の図に示す器具の名称及び空欄に入る語句を答えなさい。

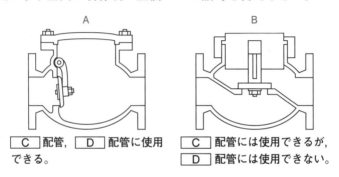

A　　　 C 　配管， D 　配管に使用できる。

B　　　 C 　配管には使用できるが， D 　配管には使用できない。

| 記号 | 名称・語句 |
|------|-----------|
| A | |
| B | |
| C | |
| D | |

【解答】A：スイング型逆止弁　B：リフト型逆止弁　C：水平　D：垂直

**ヒント**　スイング型逆止弁とリフト型逆止弁の外観は，側面に弁体を留めるボルトがあるかどうかで区別します。

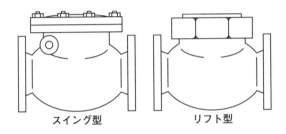

スイング型　　　　　リフト型

④次の図に示す器具の名称，取り付け箇所及び機能を答えなさい。

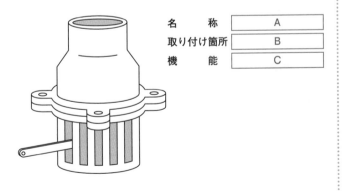

| 名　　称 | A |
|----------|---|
| 取り付け箇所 | B |
| 機　　能 | C |

【解答】A：フート弁　B：吸水管の末端　C：逆止弁構造によって，ポンプから水が落ちるのを防ぐ。

≡補足≡

**玉形弁**
弁箱が球状になっている弁。開閉のほか，流量の調整に利用できます。

1 鑑別等試験

ヒント フート弁は，水源がポンプより低い位置にある加圧送水装置には必ず設けます。

⑤次の写真に示す器具の名称を答えなさい。

A
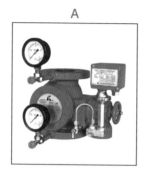

B

| 記号 | 名称 |
|------|------|
| A | |
| B | |

【解答】A：流水検知装置　B：一斉開放弁

ヒント 流水検知装置には，一次側と二次側に圧力計が付いています。

⑥次の図に示す装置の名称と，この装置を必要とする設備，取り付け場所，及び機能を答えなさい。

名　　　称 [ A ]
必要な設備 [ B ]
取り付け場所 [ C ]
機　　　能 [ D ]

←この部分の名称 [ E ]

【解答】A：末端試験弁　B：閉鎖型スプリンクラーヘッドを用いるスプリンクラー設備　C：各系統の放水圧力が最も低くなると予想される配管の末端　D：流水検知装置または圧力検知装置の作動を試験する　E：オリフィス

⑦次の図に示す装置の名称と，この装置を必要とする設備，及び機能を答えなさい。

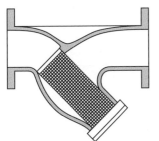

| 名　　　称 | A |
|---|---|
| 必要な設備 | B |
| 機　　　能 | C |

≡補足≡

**オリフィス**
配管の口径を小さくして流量を絞る放水口。末端試験弁のオリフィスは，放水量をスプリンクラーヘッド1個分に絞ります。

【解答】A：Y型ストレーナー　B：水噴霧消火設備　C：配管内の異物を除去し，噴霧ヘッドの目詰まりを防ぐ

# 3 屋内消火栓・屋外消火栓

①次の器具類の名称を答えよ。

A

B

C

D

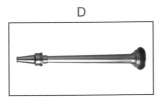

E

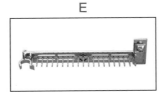

| 記号 | 名称 |
|------|------|
| A | |
| B | |
| C | |
| D | |
| E | |

【解答】A：消火栓開閉弁　B：結合金具　C：可変噴霧ノズル　D：棒状ノズル　E：ホース架

②次の器具類の名称及び機能を答えよ。

A

B

| 記号 | 名称 | 機能 |
|------|------|------|
| A | | |
| B | | |

【解答】A：（名称）消火栓開栓器，（機能）地上式消火栓の開閉弁を開閉する。　B：（名称）スタンドパイプ，（機能）地下式消火栓のホース接続口を地上部に延長する。

# 4 スプリンクラーヘッド

①次の器具類の名称を答えよ。

A

B

C

D

|       |       |       |
|-------|-------|-------|
| E | F | G |

1 鑑別等試験

| 記号 | 名称 |
|------|------|
| A |  |
| B |  |
| C |  |
| D |  |
| E |  |
| F |  |
| G |  |

【解答】A：閉鎖型スプリンクラーヘッド（フレーム型，下向き）　B：開放型スプリンクラーヘッド（フレーム型，下向き）　C：フォームヘッド　D：ドレンチャーヘッド　E：閉鎖型スプリンクラーヘッド（マルチ型）　F：開放型スプリンクラーヘッド（マルチ型）　G：側壁型ヘッド

②次に示す閉鎖型スプリンクラーヘッドに用いられている感熱体の種類を答えよ。

|       |       |
|-------|-------|
| A | B |

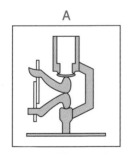 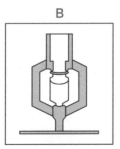

| 記号 | 感熱体 |
|------|--------|
| A |  |
| B |  |

③次の図に示す流水検知装置の方式を答えよ。また，B 及び C を用いる
　スプリンクラー設備に適した設置場所の例を記せ。

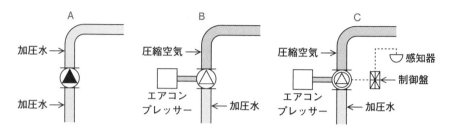

| 記号 | 方式 |
|---|---|
| A |  |
| B | 設置場所： |
| C | 設置場所： |

【解答】A：湿式流水検知装置　B：乾式流水検知装置（設置場所：寒冷地）　C：予作動式流水
検知装置（設置場所：呉服店など，誤作動による水損の大きい場所）

ヒ ン ト　　乾式流水検知装置は，二次配管に圧縮空気を入れておく方式
で，凍結のおそれがある寒冷地に適しています。予作動式流水検知装置は，
感知器が火災を検知すると二次配管に加圧水を入れる方式で，主に誤作動
による水損を防ぐ目的で設置されます。

④次に示す器具類の名称及び使用目的を答えよ。

A

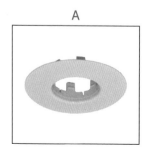

B

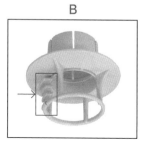

C

| 記号 | 名称 | 使用目的 |
|------|------|----------|
| A | | |
| B | | |
| C | | |

【解答】
A：（名称）シーリングプレート，（使用目的）フラッシュ型スプリンクラーヘッドの施工跡を隠し，美観をよくする。
B：（名称）被水防止板，（使用目的）小区画型ヘッドで，隣接したヘッドの散水による被水を防止する。
C：（名称）ヘッドスパナ，（使用目的）スプリンクラーヘッドの取り付け，取り外しに用いる。

## 5 測定器具・その他

①次に示す器具の名称と使用目的を答えよ。

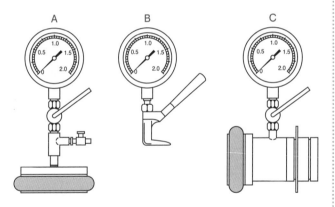

A    B    C

| 記号 | 名称 | 使用目的 |
|------|------|----------|
| A | | |
| B | | |
| C | | |

【解答】
A：（名称）静水圧力計，（使用目的）消火栓開閉弁やホース末端における静水圧力を測定する。
B：（名称）ピトーゲージ，（使用目的）ノズル先端における放水圧力を測定する。
C：（名称）圧力計付管路媒介金具，（使用目的）ホース相互間またはホースとノズルの間の動水圧力を測定する。

鑑別等試験

1

②次に示す器具の名称と取り付け箇所を答えよ。

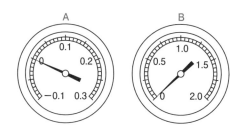

| 記号 | 名称 | 取り付け箇所 |
|------|------|------------|
| A | | |
| B | | |

【解答】A：(名称) 連成計，　(取り付け箇所) ポンプの吸込側　B：(名称) 圧力計，　(取り付け箇所) ポンプの吐出側

 マイナスの目盛がついているのが連成計です。

③屋内消火栓設備における放水圧力と放水量の測定について，空欄に入る数値または字句を答えよ。

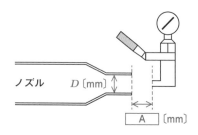

$D$：ノズル口径〔mm〕
$P$：圧力計の指示値〔MPa〕

ノズル　$D$〔mm〕

　A 　〔mm〕

放水圧力を測定するには，ノズル先端とピトー管の先端との間を　 A 　〔mm〕離して取り付け，圧力計の指示値を読む。

圧力計の指示値は，1号消火栓にあっては　 B 　〔MPa〕以上　 C 　〔MPa〕以下，2号消火栓にあっては　 D 　〔MPa〕以上　 C 　〔MPa〕以下でなければならない。

放水量は，次式で計算した値が，1号消火栓にあっては　 E 　〔L/

min〕以上，2号消火栓にあっては **F** 〔L/min〕以上でなければ
ならない。

$$Q=KD^2\sqrt{10P}$$

※ただし，$K$ は1号消火栓にあっては0.653，2号消火栓にあって
は型式により指定された定数

【解答】A：D／2　B：0.17　C：0.7　D：0.25　E：130　F：60

④**次に示す器具の名称，使用目的及び取り付け場所を
　答えよ。**

| 名　　　称： | A |
|---|---|
| 使用目的： | B |
| 取り付け場所： | C |

【解答】A：可とう管継手　B：配管の耐震性を高める　C：ポンプ
の吸込側及び吐出側

⑤**右に示すラベルが製品に表示され
　ているものを，A～Cの写真の中
　から選べ。**

8mm

【解答】A

　図は，一斉開放弁の検定合格証です。

# 製図試験

## まとめ & 丸暗記

### □ 製図試験の出題傾向

製図試験といっても，図面を
ゼロから作成する問題は出題さ
れません。右のような問題が出
題されます。

- 配管や機器類を記入して，系統図を完成させる問題
- 図面の誤りを指摘・訂正する問題
- 平面図に屋内消火栓やスプリンクラーヘッドを配置する問題
- 図面に示された設備の水源水量，ポンプ吐出量，ポンプ全揚程を計算する問題

### □ 屋内消火栓設備

#### ①ポンプ全揚程の計算

1号消火栓：$H = h_1 + h_2 + h_3 + 17$ 〔m〕

2号消火栓：$H = h_1 + h_2 + h_3 + 25$ 〔m〕

※ $H$：全揚程　$h_1$：消防用ホースの摩擦損失水頭　$h_2$：配管の摩擦損失水頭　$h_3$：落差

#### ②水源水量，放水性能，ポンプ吐出量

| | 水源水量 | 放水圧力 | 放水量 | ポンプ吐出量 |
|---|---|---|---|---|
| 1号消火栓 | 設置個数× 2.6m³ | 0.17MPa ～ 0.7MPa | 設置個数× 130L/min | 設置個数× 150L/min |
| 2号消火栓 | 設置個数× 1.2m³ | 0.25MPa ～ 0.7MPa | 設置個数× 60L/min | 設置個数× 70L/min |

※設置個数は最大2個

### □ スプリンクラー設備

#### ①ポンプ全揚程の計算

$H = h_1 + h_2 + 10$ 〔m〕

※ $H$：全揚程　$h_1$：配管の摩擦損失水頭　$h_2$：落差

#### ②水源水量，放水性能，ポンプ吐出量

| | 水源水量 | 放水圧力 | 放水量 | ポンプ吐出量 |
|---|---|---|---|---|
| 標準型ヘッド | ヘッド数× 1.6m³ | 0.1MPa 以上 | ヘッド数× 80L/min | ヘッド数× 90L/min |
| 小区画型ヘッド | ヘッド数× 1.0m³ | 0.1MPa 以上 | ヘッド数× 50L/min | ヘッド数× 60L/min |
| 側壁型ヘッド | ヘッド数× 1.6m³ | 0.1MPa 以上 | ヘッド数× 80L/min | ヘッド数× 90L/min |
| 開放型ヘッド | ヘッド数× 1.6m³ | 0.1MPa 以上 | ヘッド数× 80L/min | ヘッド数× 90L/min |

※ヘッド数については300ページ参照

# 系統図の作成

## 図記号

製図問題では，スプリンクラー設備や屋内消火栓設備の系統図や平面図が出題されます。図面で用いられる主な図記号には，次のものがあります。

| 名称 | 図記号 |
|---|---|
| 配管 | ——— |
| 止水弁 | —▷◁— （開）　—▶◀— （閉） |
| 逆止弁 | （図）　または　—▶— |
| 湿式流水検知装置 | （図） |
| 乾式流水検知装置 | （図） |
| 予作動式流水検知装置 | （図） |
| 一斉開放弁 | （図） |
| フート弁 | （図） |
| 電磁弁 | （図） |
| オリフィス | —∦— |
| 可とう管継手 | —▭—　または　—〰— |
| 圧力計 | ⊘ |
| 連成計 | ⊘　または　（図） |
| 流量計 | —FM—　または　（図） |
| 屋内消火栓 屋外消火栓 | （図）　など |

≡補足≡

図記号は，図面によって異なる場合があるので注意が必要です。実際の試験では，問題文の凡例に記載されている図記号を使用して解答してください。

2 製図試験

| 名称 | 図記号 |
|---|---|
| 閉鎖型スプリンクラーヘッド | ⬇ (下向き)　⬆ (上向き) |
| 開放型スプリンクラーヘッド | ⬇ |
| 送水口 | ▷-I (単口)　⬚ (双口) |
| 放水口 | ◯-+ (単口)　◯ˣ (双口) |
| ポンプ | Ⓟ |
| 電動機 | Ⓜ |
| 圧力タンク | ⬭ |
| 圧力スイッチ | PS |
| 制御盤 | ⊠ |
| ベル | Ⓑ |
| 表示灯 | ◖ |
| 電線 | - - - - - など |
| 自動火災報知設備 | P型発信機（起動用押ボタンスイッチ） | Ⓟ |
| | 受信機 | ⬛ |
| | 感知器 | ▱ (差動式スポット型) |
| | | ▱ (定温式スポット型) |
| | | S (煙感知器) |

## ② 加圧送水装置

　加圧送水装置周りの配管は，屋内消火栓設備でもスプリンクラー設備でも共通しています。ポンプ周辺にある主な装置と配管を覚えましょう。

## 例 題 1

次に示す系統図の誤りを訂正し，問1〜3に答えよ。

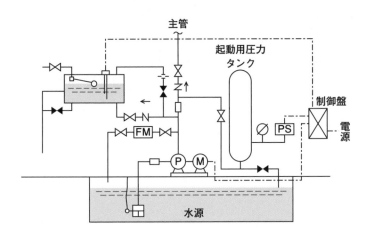

主管　起動用圧力タンク　制御盤　電源　FM　PS　P　M　水源

問1　水温上昇防止用逃し配管の役割を述べよ。
問2　フート弁に取り付けられているワイヤーの用途を述べよ。
問3　起動用圧力タンクの役割を述べよ。

## 解 説

訂正箇所は以下のとおりです（順不同）。

・起動用圧力タンクの配管が逆止弁の一次側に接続されている。
・水温上昇防止用逃し配管の弁が常時閉になっている。
・ポンプの吐出側に圧力計がない。
・ポンプの吸込側に連成計がない。
・呼水管の逆止弁の向きが逆になっている。
・溢水用排水管の取り付け位置が，呼水槽の水位より低い。
・ポンプ性能試験装置の弁が常時開になっている。

### ≡補足≡

水温上昇防止用逃し配管は，ポンプの吐出側で逆止弁の一次側に接続します。

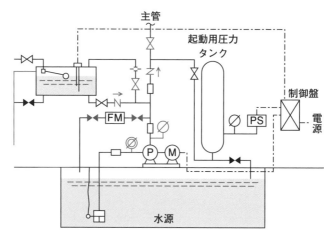

【問1】 ポンプの締切運転時に, 一定量の水をオリフィスから放流し, 水温が過度に上昇するのを防ぐ。

【問2】 フート弁を手動で開閉するため。

【問3】 設定圧まで減圧されると圧力スイッチをオンにし, ポンプを起動する。

例題2

　図①〜③は、防火対象物の床下に設置されている水槽の概略図である。それぞれの水槽の有効水量を計算し、必要な水源水量を満たしているかどうかを答えなさい。ただし、水槽はいずれも幅 4m、奥行き 3m とし、消火設備の吸水管の内径を $D$ とする。

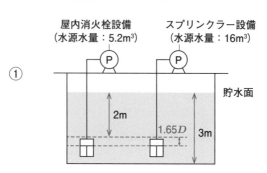

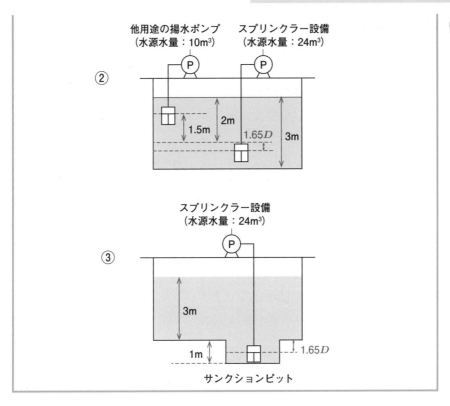

解説

①床下水槽の有効水量は，原則として，
フート弁の弁シート面（吸込口の上端）
より 1.65$D$ 以上の部分から貯水面までの
範囲（水位 2m）となります。したがって，
有効水量は $4 \times 3 \times 2 = 24\text{m}^3$ となります。

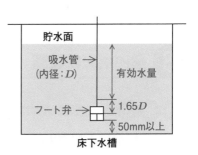

床下水槽

必要な水源水量は，屋内消火栓設備が
$5.2\text{m}^3$，スプリンクラー設備が $16\text{m}^3$ なの
で，合計 $5.2 + 16 = 21.2\text{m}^3$ です。したがって，この水槽は必要な水源水
量を満たしています。

②消火設備以外の揚水ポンプや給水ポンプのフート弁を，消火設備のフー
ト弁の上部に設ける場合は，揚水ポンプの有効水量より下の部分が，消火

設備の水源となります。したがって，有効水量の水位は 1.5m で，有効水量は $4 \times 3 \times 1.5 = 18\text{m}^3$ となります。

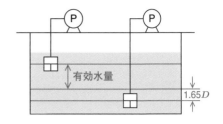

スプリンクラー設備の水源水量は 24m³ なので，この水槽は必要な水源水量を満たしていません。

③サンクションピットを設ける場合は，フート弁の弁シート面が，水槽底面よりさらに 1.65D 以上深い位置になるようにします。この場合，水槽底面から貯水面までの範囲（3m）が有効水量になります。したがって，有効水量は $4 \times 3 \times 3 = 32\text{m}^3$ となります。

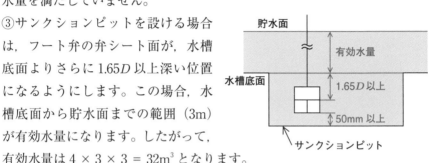

スプリンクラー設備の水源水量は 24m³ なので，この水槽は必要な水源水量を満たしています。

## 解答例

① 24m³（満たしている）　② 18m³（満たしていない）　③ 32m³（満たしている）

# 3 屋内消火栓設備

## 例題 3

　図に示す 1 号消火栓を用いる屋内消火栓設備の系統図を完成させよ。

（1）必要最小限のバルブ類を記入すること。

（2）電気配線を配管と区別して記入すること。

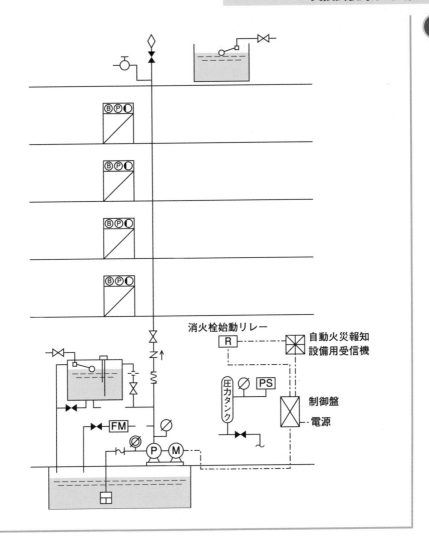

消火栓始動リレー
R ──自動火災報知
設備用受信機

圧力タンク ⊘ PS
制御盤
電源

FM

解 説

## ●電気配線について

　屋内消火栓設備では，各屋内消火栓箱に，位置表示灯と起動スイッチが
設置されます。これらは，自動火災報知設備と連動している場合が多く，
起動スイッチは，自動火災報知設備のP型発信機を兼ねています。

　このような場合の電気配線は，P型発信機とベルを自動火災報知設備の

受信機と接続し，位置表示灯は消火栓始動リレーと接続します。

　消火栓始動リレーは，自動火災報知設備の受信機から起動信号を受け，ポンプの起動や表示灯の点滅などの信号を屋内消火栓設備の制御盤に送ります。

　なお，自動火災報知設備と連動しない場合は，位置表示灯や起動スイッチを直接制御盤と接続します。

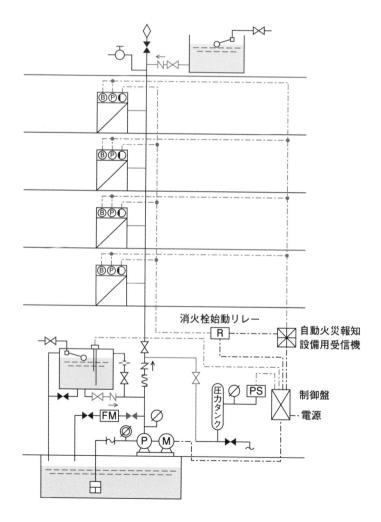

例題 4

　1号消火栓を用いる屋内消火栓設備の系統図である。下記に示す条件にしたがい，問に答えよ。

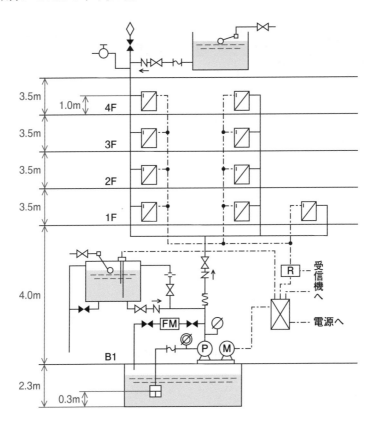

〔条件〕

（1）消防用ホースの摩擦損失水頭を 4.8m とする。

（2）配管の摩擦損失水頭は 9.5m とする。

問1 水源水量及びポンプ吐出量はいくらか。

問2 ポンプの全揚程はいくらか。

●水源水量，ポンプ吐出量の計算

　水源水量，ポンプ吐出量は，消火栓の種類に応じて，次のように計算します。

| 種類 | 水源水量 | ポンプ吐出量 |
|---|---|---|
| 1号消火栓（易操作性1号消火栓を含む） | 2.6 ×設置個数〔m³〕 | 150 ×設置個数〔L/min〕 |
| 広範囲型2号消火栓 | 1.6 ×設置個数〔m³〕 | 90 ×設置個数〔L/min〕 |
| 2号消火栓 | 1.2 ×設置個数〔m³〕 | 70 ×設置個数〔L/min〕 |

※設置個数は最大2とする。

②**全揚程の計算**

　ポンプの全揚程は，次の式で計算します。

1号消火栓：　　$H = h_1 + h_2 + h_3 + 17$ 〔m〕　※広範囲型2号消火栓も同じ

2号消火栓：　　$H = h_1 + h_2 + h_3 + 25$ 〔m〕

　　　$h_1$：消防用ホースの摩擦損失水頭〔m〕

　　　$h_2$：配管の摩擦損失水頭〔m〕

　　　$h_3$：フート弁吸込口から最上階にある消火栓までの落差〔m〕

　問題文の〔条件〕より，消防用ホースの摩擦損失水頭 $h_1 = 4.8$，配管の摩擦損失水頭 $h_2 = 9.5$，落差 $h_3 = (2.3 - 0.3) + 4.0 + 3.5 + 3.5 + 3.5 + 1.0 = 17.5$。したがって全揚程は，

　　　$H = 4.8 + 9.5 + 17.5 + 17 = 48.8$ 〔m〕

となります。

解答例

【問1】　水源水量：2.6 × 2 = 5.2m³
　　　　　ポンプ吐出量：150 × 2 = 300L/min

【問2】　全揚程：48.8m

## 例 題 5

2階建ての工場に設置する屋内消火栓設備の系統図である。下記に示す条件に従って，ポンプの全揚程を計算せよ。

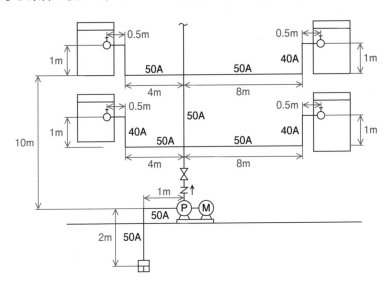

〔条件〕
(1) 小数点以下第2位を四捨五入し，第1位まで求めるものとする。
(2) 消防用ホースは，呼称40，長さ15mの消防用ゴム引きホース2本を使用するものとする。
(3) 管継手及び弁類の摩擦損失水頭の合計は1.8mとする。
(4) 直管及び消防用ホースの摩擦損失水頭は，下表のとおりとする。

表1　直管100m当たりの摩擦損失水頭

| 流量＼呼び径 | 40A | 50A |
|---|---|---|
| 150L/min | 12.8m | 3.2m |
| 300L/min | 45.6m | 13.9m |

### 表2　消防用ホース100m当たりの摩擦損失水頭

| 流量＼呼称 | 40 | 50 |
|---|---|---|
| 150L/min | 12.0m | 3.4m |

工場に設置する屋内消火栓設備なので，1号消火栓を使用します（195ページ）。したがって，ポンプの全揚程は次の式で計算します。

$$H = h_1 + h_2 + h_3 + 17 \text{〔m〕}$$
$h_1$：消防用ホースの摩擦損失水頭〔m〕
$h_2$：配管の摩擦損失水頭〔m〕
$h_3$：落差〔m〕

#### ①消防用ホースの摩擦損失水頭

消防用ホースは呼称40，長さ15mのホース2本なので，表2より，次のように計算できます。

$$h_1 = \frac{12.0}{100} \times 15 \times 2 = 3.6\text{m}$$

#### ②配管の摩擦損失水頭

フート弁上端から最も遠い屋内消火栓までの経路を次の3つに区切り，それぞれの摩擦損失水頭を求めます。

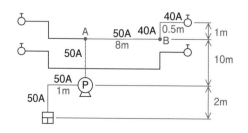

・フート弁上端 → A 点

　配管の呼び径は 50A，長さは 2 + 1 + 10 = 13m になります。最上階には 2 個の屋内消火栓があるので，この経路の流量は 300L/min となります。**表1**より，呼び径 50A，流量 300L/min の配管の 100m 当たりの摩擦損失水頭は 13.9m なので，この部分の摩擦損失水頭は，次のように求められます。

$$h_{2a} = \frac{13.9}{100} \times 13 = 1.807\text{m}$$

・A 点 → B 点

　配管の呼び径は 50A，長さは 8m になります。この経路に接続されている屋内消火栓は 1 つだけなので，流量は 150L/min となります。**表1**より，呼び径 50A，流量 150L/min の配管の 100m 当たりの摩擦損失水頭は 3.2m なので，この部分の摩擦損失水頭は，次のように求められます。

$$h_{2b} = \frac{3.2}{100} \times 8 = 0.256\text{m}$$

・B 点 → 消火栓開閉弁

　配管の呼び径は 40A，長さは 1.5m，流量は 150L/min となります。**表1**より，100m 当たりの摩擦損失水頭は 12.8m なので，この部分の摩擦損失水頭は，次のように求められます。

$$h_{2c} = \frac{12.8}{100} \times 1.5 = 0.192\text{m}$$

　以上のほかに，条件（3）にある管継手及び弁類の摩擦損失水頭 1.8m を加えたものが，配管の摩擦損失

≡**補足**≡

1号消火栓を設置しなければならない防火対象物は，次の3つです。

①工場または作業場
②倉庫
③指定可燃物施設

**2**
製図試験

係数 $h_2$ になります。

$$h_2 = 1.807 + 0.256 + 0.192 + 1.8 = 4.055\text{m}$$

③落差

　フート弁上端から，最上階にある屋内消火栓の開閉弁までの高さ $h_3$ は，$2 + 10 + 1 = 13\text{m}$ になります。水平配管の長さは考慮しなくてよいので注意しましょう。

④放水圧力

　1号消火栓の放水圧力は 0.17MPa なので，損失水頭に換算すると 17m になります。

　以上から，ポンプの全揚程は，次のように求められます。

$$H = 3.6 + 4.055 + 13 + 17 = 37.655 \quad \rightarrow \quad 37.7 \, \text{(m)}$$

 解答例

37.7m

# ③ スプリンクラー設備

**例題 6**

　図は，閉鎖型スプリンクラーヘッドを用いるスプリンクラー設備の系統図である。図中の誤りと思われる箇所を5つ挙げ，修正方法を述べよ。

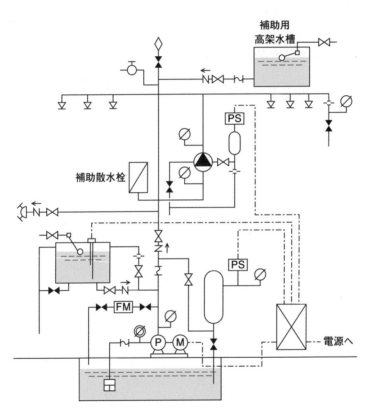

| 修正箇所 | 修正方法 |
|---|---|
| ①圧力タンクがポンプ吐出側の逆止弁の一次側に接続されている。 | 圧力タンクはポンプ吐出側の逆止弁の二次側に接続する。 |
| ②送水口の逆止弁の向きが逆になっている。 | 送水口の逆止弁は送水口から主管に向かう方向にする。 |
| ③補助散水栓が流水検知装置の一次側に接続されている。 | 補助散水栓は流水検知装置の二次側に接続する。 |
| ④流水検知装置の一次側に制御弁がない。 | 流水検知装置の一次側に制御弁を設ける。 |
| ⑤末端試験弁のオリフィスが止水弁の一次側に設けられている。 | オリフィスは止水弁の二次側に設ける。 |

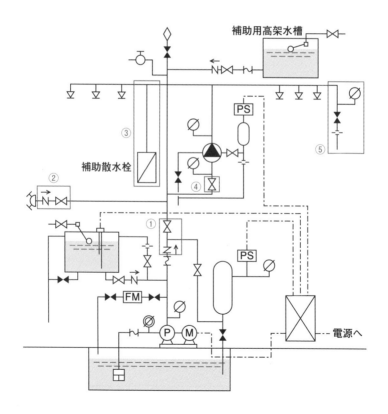

# 例 題 ❼

　図に示すスプリンクラー設備の系統図の空白部分（ア）〜（オ）に適切な図記号を記入し，系統図を完成させよ。また，（ア）〜（オ）に入る機具類の名称を答えよ。

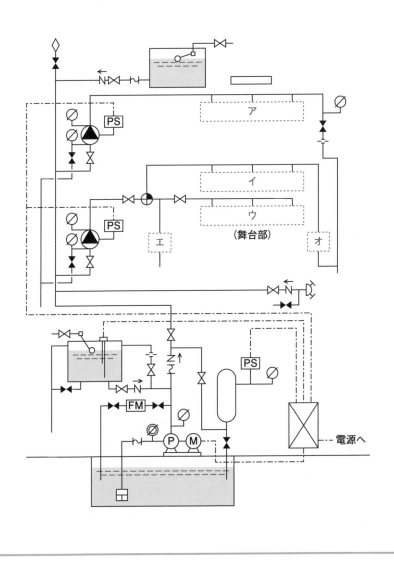

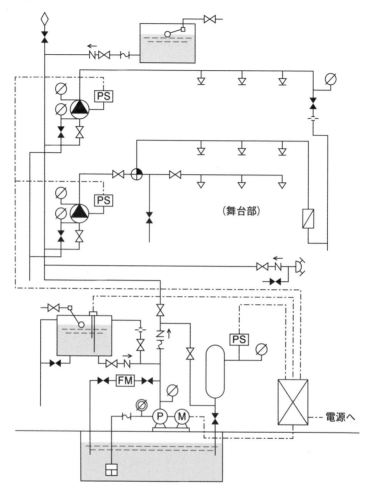

| 記号 | 名称 |
|:---:|:---|
| ア | 閉鎖型スプリンクラーヘッド |
| イ | 火災感知用ヘッド（閉鎖型スプリンクラーヘッド） |
| ウ | 開放型スプリンクラーヘッド |
| エ | 試験用配管 |
| オ | 手動式起動弁 |

図は，百貨店に設置されたスプリンクラー設備の系統図である。下記の条件に基づき，問に答えよ。

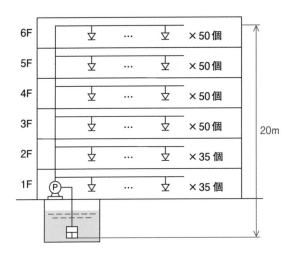

〔条件〕

(1) ヘッドはすべて標準型ヘッド（高感度ヘッド以外）とし，補助散水栓は設けないものとする。

(2) 流水検知装置はすべて湿式流水検知装置とする。

(3) 配管の摩擦損失水頭を 1.8m とする。

(4) ポンプ効率 60%，伝達係数 1.1 とする。

(5) 解答は小数点以下第 2 位を四捨五入し，第 1 位まで求めよ。

**問1** 水源水量〔m³〕及びポンプ吐出量〔L/min〕はいくらか。

**問2** ポンプの全揚程〔m〕はいくらか。

**問3** 電動機の出力〔kW〕はいくらか。

## ①水源水量，ポンプ吐出量の計算

閉鎖型スプリンクラー設備の水源容量とポンプ吐出量は，それぞれ次の式で求めます。

水源水量　　＝標準ヘッド個数× 1.6m³
ポンプ吐出量＝標準ヘッド個数× 90L/min

百貨店で標準型ヘッド（高感度ヘッド以外），湿式流水検知装置を使用する場合，標準ヘッド個数は 15 個です（300 ページ）。したがって，水源水量とポンプ吐出量は，それぞれ次のように求められます。

水源水量：　　 15 × 1.6 = 24m³
ポンプ吐出量：15 × 90 = 1350L/min

## ②ポンプ全揚程の計算

ポンプの全揚程は，次の式で計算します。

$$H = h_1 + h_2 + 10 \ [m]$$
$h_1$：配管の摩擦損失水頭 [m]
$h_2$：落差 [m]

条件 (3) より，配管の摩擦損失水頭は，1.8m。また，図より，落差は 20m なので，全揚程は次のように求められます。

$$H = 1.8 + 20 + 10 = 31.8m$$

## ③電動機出力の計算

電動機の出力 $P$ は，次の式で計算します。

$$P = \frac{0.163QH}{\eta} \ \alpha \ [kW]$$

$Q$：ポンプ吐出量〔m³/min〕

$H$：全揚程〔m〕

$\eta$：ポンプ効率

$\alpha$：伝達係数

≡補足≡

1m³ = 1000L

ポンプ吐出量は問1で求めました。単位の違いに注意しましょう。

$$Q = 1350 \,〔\text{L/min}〕= 1.35 \,〔\text{m}^3/\text{min}〕$$

また，問2より全揚程 $H = 31.8$〔m〕，条件 (4)より，ポンプ効率 $\eta = 0.6$，伝達係数 $\alpha = 1.1$ なので，電動機出力は次のように求められます。

$$P = \frac{0.163 \times 1.35 \times 31.8}{0.6} \times 1.1 ≒ 12.8\text{kW}$$

解答例

【問1】　水源水量：24m³　ポンプ吐出量：1350L/min

【問2】　31.8m

【問3】　12.8kW

例題 9

　図は，11階建て事務所ビルの11階の平面図である。この平面図に，下記の条件にしたがって閉鎖型スプリンクラーヘッドを配置したい。

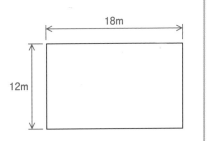

〔条件〕

（1）スプリンクラーヘッドは，高感度型ヘッド以外の標準型ヘッドとする。

（2）ヘッドは正方形に配置するものとする。

（3）建物の構造は耐火構造とする。

**問1** 条件にしたがい，スプリンクラーヘッドを配置せよ。

**問2** ヘッドの設置間隔は最大何 m になるか。計算式とともに答えよ。ただし，小数点以下第 3 位を四捨五入し，第 2 位まで求めるものとする。

 解説

　高感度型ヘッド以外の標準型ヘッド 1 個の防護半径は，耐火建築物の場合 2.3m，耐火建築物以外の場合 2.1m です（277 ページ）。本問では建物が耐火構造なので，半径 2.3m となります。ヘッドを正方形に配置する場合は，4 個のヘッドで 1 つの正方形の範囲を防護することになります。

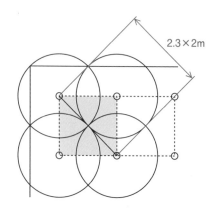

2.3×2m

　正方形の対角線は最大で 2.3 × 2m になるので，一辺の長さは次のように求められます。

$$\frac{2.3 \times 2}{\sqrt{2}} = 2.3 \times \sqrt{2} \fallingdotseq 3.25\text{m}$$

以上から，18m × 12m の平面には，次のように配置すればよいことがわかります。

横：18 ÷ 3.25 ≒ 5.5　→　6 個

縦：12 ÷ 3.25 ≒ 3.7　→　4 個

【問1】

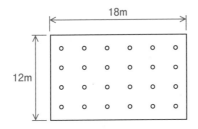

【問2】　$2.3 \times \sqrt{2} \fallingdotseq 3.25$m

2

製図試験

# 索引

## あ行

アスピレートノズル ········· 237
圧縮荷重 ················· 23
圧力エネルギー ············· 9
圧力計 ················· 222
圧力水槽 ················ 225
圧力スイッチ ·············· 224
アルミニウム ·············· 29
安全率 ················· 27
アンダーカット ············· 229
アンペア ················ 76
アンペアの右ねじの法則 ······ 92
異径ソケット ·············· 227
位相 ··················· 96
位置エネルギー ············· 8
1号消火栓 ·········· 195, 218
一次電池 ················ 133
一次巻線 ················ 131
溢水用排水管 ············· 223
一斉開放弁 ·············· 295
インピーダンス ··········· 100
ウォーターモーターゴング ··· 289
渦巻きポンプ ·············· 12
内ねじ式 ················ 230
運動エネルギー ············· 9
運動の法則 ··············· 53
易操作性1号消火栓 ········· 218
易燃性可燃物 ············· 281
MIケーブル ············· 241
エルボ ················· 227
遠心ポンプ ··············· 12
黄銅 ··················· 29

応力 ·················· 24
オーバーラップ ············ 229
オーム ················· 76
オームの法則 ············· 76
屋外消火栓設備 ········ 197, 245
屋内消火栓設備 ········ 193, 217
屋内消火栓箱 ············· 231
オリフィス ··············· 10

## か行

加圧開放式 ·············· 295
加圧送水装置 ············· 220
階級 ·················· 122
開口部 ················· 157
開栓器 ················· 246
開放型スプリンクラーヘッド
·············· 270, 275, 283
角速度 ················· 96
荷重 ·················· 23
加速度 ················· 49
型式適合検定 ············· 167
可鍛性 ················· 28
可鋳性 ················· 28
可とう管継手 ············· 229
可動コイル系 ············· 120
可動鉄片形 ·············· 120
可変抵抗 ················ 83
仮貯蔵・仮取扱い ·········· 153
関係者 ················· 145
関係のある場所 ··········· 145
乾式流水検知装置 ······ 268, 290
慣性の法則 ··············· 52

感度種別 ······················· 277
キーハンドル ··················· 247
機器点検 ······················· 161
器具格納式消火栓 ··········· 244
危険物 ························· 152
危険物取扱者 ················· 154
起動用圧力タンク ············ 224
起動用水圧開閉装置 ········· 224
逆止弁 ························· 230
キャビテーション ············ 243
吸水管 ························· 223
キュービクル式非常電源専用受電
設備 ························· 239
極限強さ ······················ 27
許容応力 ······················ 27
クーロン ······················ 89
クーロンの法則 ··············· 89
管継手 ························· 227
グラスバルブ ·················· 274
クランプメータ ··············· 119
クリープ ······················ 27
繰返し荷重 ···················· 24
クレーター ···················· 229
クロス ························· 227
計器用変流器 ················· 119
型式承認 ······················ 167
ゲージ圧 ························· 4
結合金具 ······················ 235
減圧開放式 ···················· 295
減水警報装置 ················· 223
建築確認 ······················ 146
検定合格ラベル ··············· 168
検定制度 ······················ 167
検定対象機械器具 ············ 168
高架水槽 ······················ 224
高感度ヘッド ·················· 277

合金 ··························· 28
合金鋼 ························· 30
講習 ··························· 166
合成抵抗 ······················ 78
高層建築物 ···················· 149
広範囲型2号消火栓 ········· 218
交番荷重 ······················ 24
降伏点 ························· 27
合力 ··························· 43
コールラウシュブリッジ法 ··· 118
誤差 ··························· 121
呼水槽 ························· 223
呼水装置 ······················ 223

**さ行**

最大摩擦力 ···················· 54
差込式結合金具 ··············· 235
作動弁型 ······················ 290
作用・反作用の法則 ········· 53
磁界 ··························· 92
自家発電設備 ················· 240
軸動力 ························· 13
仕事 ··························· 54
仕事率 ························· 55
仕事量 ························· 54
指示電気計器 ················· 120
止水弁 ························· 230
磁束 ··························· 131
実効値 ························· 97
湿式流水検知装置 ····· 268, 289
指定可燃物 ···················· 195
指定数量 ······················ 152
自動火災報知設備 ············ 233
自動警報装置 ················· 288
自動警報弁型 ················· 290
始動表示灯 ···················· 234

締切運転 ・・・・・・・・・・・・・・・・・・・ 223
シャルルの法則 ・・・・・・・・・・・・・ 7
周期 ・・・・・・・・・・・・・・・・・・・・・・・ 95
舟車 ・・・・・・・・・・・・・・・・・・・・・ 141
集中荷重 ・・・・・・・・・・・・・・・・・ 24
周波数 ・・・・・・・・・・・・・・・・・・・ 96
重力加速度 ・・・・・・・・・・・・・・・ 50
ジュール ・・・・・・・・・・・・・・・・・ 86
ジュール熱 ・・・・・・・・・・・・・・・ 86
ジュラルミン ・・・・・・・・・・・・・ 29
瞬時値・・・・・・・・・・・・・・・・・・・・ 97
準地下街 ・・・・・・・・・・・・・・・・ 143
消火栓開閉弁・・・・・・・・・・・・・ 236
消火ピット ・・・・・・・・・・・・・・ 305
消火用散水栓 ・・・・・・・・・・・・ 298
小区画型ヘッド ・・・・・・・・ 274, 280
衝撃荷重 ・・・・・・・・・・・・・・・・・ 24
消防活動上必要な施設 ・・・・・・ 155
消防計画 ・・・・・・・・・・・・・・・・ 149
消防署・・・・・・・・・・・・・・・・・・・ 144
消防署長 ・・・・・・・・・・・・・・・・ 144
消防設備士 ・・・・・・・・・・・・・・ 163
消防設備点検資格者 ・・・・・・・・ 161
消防対象物 ・・・・・・・・・・・・・・ 141
消防団・・・・・・・・・・・・・・・・・・・ 144
消防長・・・・・・・・・・・・・・・・・・・ 144
消防同意 ・・・・・・・・・・・・・・・・ 146
消防の用に供する設備 ・・・・・・ 155
消防本部 ・・・・・・・・・・・・・・・・ 144
消防用水 ・・・・・・・・・・・・・・・・ 155
消防用設備等 ・・・・・・・・・・・・・ 155
消防用ホース ・・・・・・・・・・・・ 236
消防吏員 ・・・・・・・・・・・・・・・・ 144
自力避難困難者入所施設 ・・・・・ 143
真鍮 ・・・・・・・・・・・・・・・・・・・・ 29
振動片形 ・・・・・・・・・・・・・・・・ 121

水温上昇防止用逃し配管 ・・・・ 222
水撃・・・・・・・・・・・・・・・・・・・・ 293
水源・・・・・・・・・・・・・・・・・・・・ 219
垂直応力 ・・・・・・・・・・・・・・・・ 25
水平遮へい板 ・・・・・・・・・・・・・ 286
スイング形 ・・・・・・・・・・・・・・ 230
スカラー量 ・・・・・・・・・・・・・・ 43
ステンレス ・・・・・・・・・・・・・ 29, 30
すのこ・・・・・・・・・・・・・・・・・・・ 285
スパッタ ・・・・・・・・・・・・・・・・ 229
スプリンクラー設備・・・・・・・・ 198
スラグ ・・・・・・・・・・・・・・・・・・ 229
静荷重・・・・・・・・・・・・・・・・・・・ 24
制御弁・・・・・・・・・・・・・・・・・・・ 296
正弦波交流 ・・・・・・・・・・・・・・ 95
製造所等 ・・・・・・・・・・・・・・・・ 153
静電エネルギー ・・・・・・・・・・・ 91
静電気・・・・・・・・・・・・・・・・・・・ 88
静電形・・・・・・・・・・・・・・・・・・・ 121
静電容量 ・・・・・・・・・・・・・・・・ 89
青銅 ・・・・・・・・・・・・・・・・・・・・ 29
整流形・・・・・・・・・・・・・・・・・・・ 121
絶縁体 ・・・・・・・・・・・・・・・・・・ 129
絶縁耐力 ・・・・・・・・・・・・・・・・ 129
絶縁抵抗 ・・・・・・・・・・・・・・・・ 118
絶対圧力 ・・・・・・・・・・・・・・・・ 4
接地抵抗 ・・・・・・・・・・・・・・・・ 118
船きょ ・・・・・・・・・・・・・・・・・・ 141
せん断応力 ・・・・・・・・・・・・・・ 25
せん断荷重 ・・・・・・・・・・・・・・ 23
双口形・・・・・・・・・・・・・・・・・・・ 297
総合点検 ・・・・・・・・・・・・・・・・ 161
送水口・・・・・・・・・・・・・・・・・・・ 297
速度・・・・・・・・・・・・・・・・・・・・ 49
側壁型ヘッド ・・・・・・・・・・ 274, 282
外ねじ式 ・・・・・・・・・・・・・・・・ 230

## た行

耐火構造 ····················· 157
耐火配線 ····················· 241
大気圧 ······················· 4
耐熱クラス ··················· 130
耐熱鋼 ······················· 30
耐熱性 ······················· 129
耐熱配線 ····················· 241
立入検査 ····················· 145
玉形弁 ······················· 331
弾性限度 ····················· 26
炭素鋼 ······················· 30
チーズ ······················· 227
地下式消火栓 ················· 245
力 ··························· 41
力の三要素 ··················· 42
力の多角形 ··················· 45
力のモーメント ··············· 46
蓄電池設備 ··················· 240
地上式消火栓 ················· 244
着工届 ······················· 166
鋳鉄 ························· 30
定滑車 ······················· 56
抵抗 ························· 76
抵抗率 ······················· 130
鉄鋼 ························· 29
鉄損 ························· 132
デフレクター ················· 273
電圧 ························· 75
電圧計 ······················· 115
電圧降下法 ··················· 118
電位差 ······················· 75
電荷 ························· 89
電磁石 ······················· 92
電磁誘導 ····················· 93
電磁力 ······················· 93

電動機 ······················· 222
電流 ························· 75
電流計 ······················· 115
電流力計形 ··················· 121
電力 ························· 85
電力量 ······················· 86
動荷重 ······················· 24
等加速度運動 ················· 49
動滑車 ······················· 56
統括防火管理者 ··············· 148
銅損 ························· 132
導体 ························· 129
導電率 ······················· 129
動力 ························· 55
特殊鋼 ······················· 30
特殊消防用設備等 ············· 155
特定施設水道連結型スプリンク
ラー設備 ··················· 272
特定防火対象物 ··············· 143
吐出量 ······················· 13
トリチェリの定理 ············· 11
ドレンチャー設備 ············· 307

## な行

内部抵抗 ····················· 115
鉛蓄電池 ····················· 133
ニクロム ····················· 29
2号消火栓 ··············· 195, 218
二次電池 ····················· 133
二次巻線 ····················· 131
日本消防検定協会 ············· 168
ニュートン ··················· 41
ねじ込み式継手 ··············· 228
ねじ式結合金具 ··············· 235
ねじり荷重 ··················· 23
熱処理 ······················· 29

熱電形 · · · · · · · · · · · · · · · · · · · · · · 121
熱電対 · · · · · · · · · · · · · · · · · · · · · · 121
粘性 · · · · · · · · · · · · · · · · · · · · · · · · · · 3
燃料電池設備 · · · · · · · · · · · · · · · · 240
ノズル · · · · · · · · · · · · · · · · · · · · · · 237

**は行**

媒介金具 · · · · · · · · · · · · · · · · · · · 243
排水設備 · · · · · · · · · · · · · · · · · · · 305
倍率器 · · · · · · · · · · · · · · · · · · · · · · 116
破壊点 · · · · · · · · · · · · · · · · · · · · · · · 27
パス · · · · · · · · · · · · · · · · · · · · · · · · 229
パスカル · · · · · · · · · · · · · · · · · · · · · 5
パスカルの原理 · · · · · · · · · · · · · · 6
パッケージ型自動消火設備 · · · 308
パッケージ型消火設備 · · · · · · 249
パドル型 · · · · · · · · · · · · · · · · · · · 290
はんだ · · · · · · · · · · · · · · · · · · · · · · · 29
P型発信機 · · · · · · · · · · · · · · · · · · 233
ビード · · · · · · · · · · · · · · · · · · · · · · 229
比重 · · · · · · · · · · · · · · · · · · · · · · · · · · 3
非常電源専用受電設備 · · · · · · 238
被水防止板 · · · · · · · · · · · · · · · · · 286
ひずみ · · · · · · · · · · · · · · · · · · · · · · · 26
皮相電力 · · · · · · · · · · · · · · · · · · · 101
引張り荷重 · · · · · · · · · · · · · · · · · · 23
引張り強さ · · · · · · · · · · · · · · · · · · 27
ピトー管 · · · · · · · · · · · · · · · · · · · · · 11
ピトーゲージ · · · · · · · · · · · · · · · 243
避難階 · · · · · · · · · · · · · · · · · · · · · · 161
百分率誤差 · · · · · · · · · · · · · · · · · 121
百分率補正 · · · · · · · · · · · · · · · · · 122
ヒュージブルリンク · · · · · · · · · 274
標示温度 · · · · · · · · · · · · · · · · · · · 283
表示灯 · · · · · · · · · · · · · · · · · · · · · · 234
標準型ヘッド · · · · · · · · · · · · · · · 274

漂遊負荷損 · · · · · · · · · · · · · · · · · 132
平ホース · · · · · · · · · · · · · · · · · · · 236
比例限度 · · · · · · · · · · · · · · · · · · · · 26
ファラデーの法則 · · · · · · · · · · · 93
ファラド · · · · · · · · · · · · · · · · · · · · 89
フート弁 · · · · · · · · · · · · · · · · · · · 223
複合用途防火対象物 · · · · · · · · 143
舞台部 · · · · · · · · · · · · · · · · · · · · · · 199
フックの法則 · · · · · · · · · · · · · · · 27
フラッシュ型 · · · · · · · · · · · · · · · 273
フランジ · · · · · · · · · · · · · · · · · · · 227
フランジ継手 · · · · · · · · · · · · · · · 228
ブリッジ回路 · · · · · · · · · · · · · · · 83
ブリッジの平衡条件 · · · · · · · · · 83
フレーム型 · · · · · · · · · · · · · · · · · 273
フレミングの左手の法則 · · · · · 93
フレミングの右手の法則 · · · · · 94
分布荷重 · · · · · · · · · · · · · · · · · · · · 24
噴霧ヘッド · · · · · · · · · · · · · · · · · 304
分流器 · · · · · · · · · · · · · · · · · · · · · · 117
分力 · · · · · · · · · · · · · · · · · · · · · · · · · 44
平行板コンデンサ · · · · · · · · · · · 89
閉鎖型スプリンクラーヘッド
· · · · · · · · · · · · · · · · · · · 267, 273
ベクトル量 · · · · · · · · · · · · · · · · · · 42
ベルヌーイの定理 · · · · · · · · · · · 10
変圧器 · · · · · · · · · · · · · · · · · · · · · · 131
ベンリュリー管 · · · · · · · · · · · · · 11
ホイートストンブリッジ · · · · · 84
ボイル・シャルルの法則 · · · · · · 7
ボイルの法則 · · · · · · · · · · · · · · · · 7
防炎規制 · · · · · · · · · · · · · · · · · · · 150
防火管理者 · · · · · · · · · · · · · · · · · 147
防火対象物 · · · · · · · · · · · · · · · · · 141
放水型スプリンクラーヘッド
· · · · · · · · · · · · · · · 271, 276, 284

放水区域 ・・・・・・・・・・・・・・・・・・ 283
放水試験 ・・・・・・・・・・・・・・・・・・ 243
ホース格納箱・・・・・・・・・・・・・・ 246
ボールタップ ・・・・・・・・・・・・・ 223
保形ホース ・・・・・・・・・・・・・・・ 236
補助散水栓 ・・・・・・・・・・・・・・・ 297
補助用高架水槽 ・・・・・・・・・・・・ 225
補正 ・・・・・・・・・・・・・・・・・・・・・ 121
ボルタの電池・・・・・・・・・・・・・・ 133
ボルト ・・・・・・・・・・・・・・・・・・・・ 76
ポンプ・・・・・・・・・・・・・・・・・・・・ 12
ポンプ効率 ・・・・・・・・・・・・・・・・ 13
ポンプ性能試験 ・・・・・・・・・・・・ 242
ポンプ性能試験装置・・・・・・・・・ 222
ポンプ全揚程 ・・・・・・・・・・・・・・ 221
ポンプ吐出量 ・・・・・・・・・・・・・・ 221
ポンプ揚程曲線 ・・・・・・・・・・・・ 13

**ま行**
マイクロファラド ・・・・・・・・・・ 89
マグネシウム ・・・・・・・・・・・・・ 29
曲げ荷重 ・・・・・・・・・・・・・・・・・ 23
摩擦係数 ・・・・・・・・・・・・・・・・・ 54
摩擦損失 ・・・・・・・・・・・・・・・・・ 11
摩擦損失水頭 ・・・・・・・・・・・・・・ 11
摩擦力・・・・・・・・・・・・・・・・・・・ 54
末端試験弁 ・・・・・・・・・・・・・・・ 294
マルチ型 ・・・・・・・・・・・・・・・・・ 273
水動力・・・・・・・・・・・・・・・・・・・ 12
水噴霧消火設備 ・・・・・・・・ 203, 303
密度 ・・・・・・・・・・・・・・・・・・・・・ 3
無窓階・・・・・・・・・・・・・・・・・・・ 143
メガー ・・・・・・・・・・・・・・・・・・・ 118

**や行**
焼き入れ ・・・・・・・・・・・・・・・・・ 29

焼きなまし ・・・・・・・・・・・・・・・ 29
焼きならし ・・・・・・・・・・・・・・・ 29
焼き戻し ・・・・・・・・・・・・・・・・・ 29
誘導形 ・・・・・・・・・・・・・・・・・・ 121
誘導リアクタンス ・・・・・・・・・ 98
ユニオン ・・・・・・・・・・・・・・・・ 227
溶接式鋼管継手 ・・・・・・・・・・・ 228
容量リアクタンス ・・・・・・・・・ 98
予作動式流水検知装置 ・・ 269, 291
呼び径・・・・・・・・・・・・・・・・・・・ 227

**ら行**
ラジアン ・・・・・・・・・・・・・・・・ 97
ラック式倉庫・・・・・・・・・ 201, 285
リアクタンス ・・・・・・・・・・・・・ 99
力率 ・・・・・・・・・・・・・・・・・・・ 101
リターディングチャンバー・・・ 291
リフト形 ・・・・・・・・・・・・・・・・ 230
流水検知装置・・・・・・・・・ 268, 288
流量 ・・・・・・・・・・・・・・・・・・・・ 8
レジューサ ・・・・・・・・・・・・・・ 227
連結散水設備・・・・・・・・・・・・・ 310
連結送水管 ・・・・・・・・・・・・・・ 309
連成計 ・・・・・・・・・・・・・・・・・・ 222
連続の法則 ・・・・・・・・・・・・・・ 8
六ふっ化硫黄 ・・・・・・・・・・・・ 129
600V二種ビニル絶縁電線 ・・・・ 241

**わ行**
Y型ストレーナー ・・・・・・・・・・ 305
渡り ・・・・・・・・・・・・・・・・・・・・ 285
ワット・・・・・・・・・・・・・・・ 55, 85
ワット時 ・・・・・・・・・・・・・・・・ 86
ワット秒 ・・・・・・・・・・・・・・・・ 86
和分の積 ・・・・・・・・・・・・・・・・ 79

**著者紹介●ノマド・ワークス（消防設備士研究会）**

執筆：平塚 陽介

編集・DTP：庄司 智子　正木 和実

書籍，雑誌，マニュアルの企画・執筆・編集・DTP制作をはじめ，デジタル・コンテンツの企画・制作に従事する。著書に『消防設備士6類 超速マスター』『消防設備士4類 超速マスター』『電験3種 超速マスター』（TAC出版），『中学レベルからはじめる！やさしくわかる統計学のための数学』『高校レベルからはじめる！やさしくわかる物理学のための数学』『徹底図解 基本からわかる電気数学』『この1冊で合格！ディープラーニングG検定 集中テキスト＆問題集』（ナツメ社），『本気で内定！SPI＆テストセンター1200題』『図解まるわかり時事用語』（新星出版社），『らくらく突破 乙種第4類危険物取扱者 合格テキスト』（技術評論社），『かんたん合格 基本情報技術者過去問題集』（インプレス）等多数。

しょうぼうせつびし るい ちょうそく
消防設備士1類　超速マスター　〔第4版〕

2013年 5月 1日 初版　第1刷発行
2024年 9月20日 第4版　第1刷発行

| | | |
|---|---|---|
| 編 著 者 | 株式会社　ノマド・ワークス | |
| 発 行 者 | 多　田　敏　男 | |
| 発 行 所 | TAC株式会社　出版事業部 | |
| | （TAC出版） | |

〒101-8383　東京都千代田区神田三崎町3-2-18
電 話 03（5276）9492（営業）
FAX 03（5276）9674
https://shuppan.tac-school.co.jp

| | |
|---|---|
| 組　版 | 株 式 会 社　ノ マ ド・ワ ー ク ス |
| 印　刷 | 今 家 印 刷 株 式 会 社 |
| 製　本 | 株 式 会 社 常 川 製 本 |

© Nomad Works 2024　　Printed in Japan　　　　ISBN 978-4-300-11252-6
N.D.C.528

# TAC出版 書籍のご案内

TAC出版では、資格の学校TAC各講座の定評ある執筆陣による資格試験の参考書をはじめ、資格取得者の開業法や仕事術、実務書、ビジネス書、一般書などを発行しています！

## TAC出版の書籍

*一部書籍は、早稲田経営出版のブランドにて刊行しております。

### 資格・検定試験の受験対策書籍

- ✪日商簿記検定
- ✪建設業経理士
- ✪全経簿記上級
- ✪税　理　士
- ✪公認会計士
- ✪社会保険労務士
- ✪中小企業診断士
- ✪証券アナリスト

- ✪ファイナンシャルプランナー(FP)
- ✪証券外務員
- ✪貸金業務取扱主任者
- ✪不動産鑑定士
- ✪宅地建物取引士
- ✪賃貸不動産経営管理士
- ✪マンション管理士
- ✪管理業務主任者

- ✪司法書士
- ✪行政書士
- ✪司法試験
- ✪弁理士
- ✪公務員試験(大卒程度・高卒者)
- ✪情報処理試験
- ✪介護福祉士
- ✪ケアマネジャー
- ✪電験三種　ほか

### 実務書・ビジネス書

- ✪会計実務、税法、税務、経理
- ✪総務、労務、人事
- ✪ビジネススキル、マナー、就職、自己啓発
- ✪資格取得者の開業法、仕事術、営業術

### 一般書・エンタメ書

- ✪ファッション
- ✪エッセイ、レシピ
- ✪スポーツ
- ✪旅行ガイド (おとな旅プレミアム/旅コン)

（2024年2月現在）

# 書籍のご購入は

## 1 全国の書店、大学生協、ネット書店で

## 2 TAC各校の書籍コーナーで

資格の学校TACの校舎は全国に展開!
校舎のご確認はホームページにて

資格の学校TAC ホームページ
**https://www.tac-school.co.jp**

## 3 TAC出版書籍販売サイトで

**CYBER** TAC出版書籍販売サイト
**BOOK STORE**

24時間
ご注文
受付中

| TAC 出版 | で | 検索 |

**https://bookstore.tac-school.co.jp/**

新刊情報を
いち早くチェック!

たっぷり読める
立ち読み機能

学習お役立ちの
特設ページも充実!

TAC出版書籍販売サイト「サイバーブックストア」では、TAC出版および早稲田経営出版から刊行されている、すべての最新書籍をお取り扱いしています。
また、会員登録（無料）をしていただくことで、会員様限定キャンペーンのほか、送料無料サービス、メールマガジン配信サービス、マイページのご利用など、うれしい特典がたくさん受けられます。

### サイバーブックストア会員は、特典がいっぱい!（一部抜粋）

通常、1万円（税込）未満のご注文につきましては、送料・手数料として500円（全国一律・税込）頂戴しておりますが、1冊から無料となります。

専用の「マイページ」は、「購入履歴・配送状況の確認」のほか、「ほしいものリスト」や「マイフォルダ」など、便利な機能が満載です。

メールマガジンでは、キャンペーンやおすすめ書籍、新刊情報のほか、「電子ブック版TACNEWS（ダイジェスト版）」をお届けします。

書籍の発売を、販売開始当日にメールにてお知らせします。これなら買い忘れの心配もありません。

# 書籍の正誤に関するご確認とお問合せについて

書籍の記載内容に誤りではないかと思われる箇所がございましたら、以下の手順にてご確認とお問合せをしてくださいますよう、お願い申し上げます。

なお、正誤のお問合せ以外の書籍内容に関する解説および受験指導などは、一切行っておりません。

そのようなお問合せにつきましては、お答えいたしかねますので、あらかじめご了承ください。

## **1** 「Cyber Book Store」にて正誤表を確認する

TAC出版書籍販売サイト「Cyber Book Store」の
トップページ内「正誤表」コーナーにて、正誤表をご確認ください。

**CYBER** TAC出版書籍販売サイト
**BOOK STORE**

**URL:https://bookstore.tac-school.co.jp/**

## **2** **1**の正誤表がない、あるいは正誤表に該当箇所の記載がない
⇒ 下記①、②のどちらかの方法で文書にて問合せをする

★ご注意ください★

**お電話でのお問合せは、お受けいたしません。**

①、②のどちらの方法でも、お問合せの際には、「お名前」とともに、

「対象の書籍名（○級・第○回対策も含む）およびその版数（第○版・○○年度版など）」
「お問合せ該当箇所の頁数と行数」
「誤りと思われる記載」
「正しいとお考えになる記載とその根拠」

を明記してください。

なお、回答までに１週間前後を要する場合もございます。あらかじめご了承ください。

① ウェブページ「Cyber Book Store」内の「お問合せフォーム」より問合せをする

**【お問合せフォームアドレス】**

**https://bookstore.tac-school.co.jp/inquiry/**

② メールにより問合せをする

**【メール宛先　TAC出版】**

**syuppan-h@tac-school.co.jp**

※土日祝日はお問合せ対応をおこなっておりません。
※正誤のお問合せ対応は、該当書籍の改訂版刊行月末日までといたします。

乱丁・落丁による交換は、該当書籍の改訂版刊行月末日までといたします。なお、書籍の在庫状況等により、お受けできない場合もございます。
また、各種本試験の実施の延期、中止を理由とした本書の返品はお受けいたしません。返金もいたしかねますので、あらかじめご了承くださいますようお願い申し上げます。

ISBN978-4-300-11252-6
C3053 ¥3300E

定価： 本体3,300円 （税別）

**TAC出版**
TAC PUBLISHING Group

9784300112526

1923053033001

ここからはがして下さい
41
ISBN : 9784300112526
受注No : 120211
受注日付 : 241211
1／1

コメント : 3053
商品CD : 187280    16
受注